人文武术精品书系

勿使前辈之遗珍失于我手
勿使国术之精神止于我身

许禹生

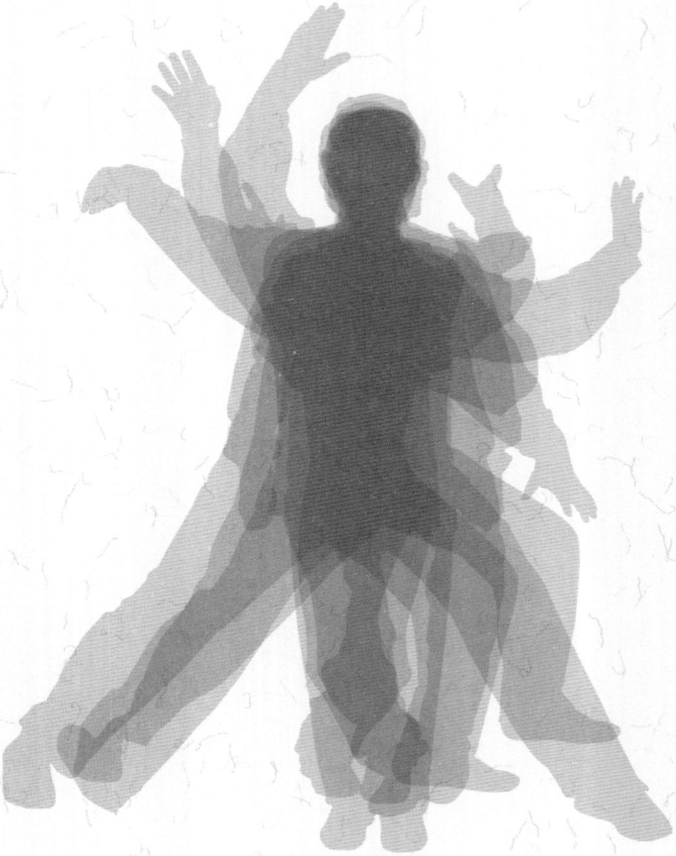

太极拳势图解

武学名家典籍丛书

许禹生武学辑注

许禹生·著

唐才良·校注

北京科学技术出版社

许禹生（1878—1945年），武术教育家，字龗厚，北京市人，原籍山东省济南市。许禹生出生于武术世家，自6岁起，习练查拳、潭腿等拳术，后拜师河北省沧州市的刘德宽先生学习六合门拳械等。

许禹生在与各派武术行家的交流中，广泛了解了武术各门各派的长处，特别是见识到了太极拳家杨健侯先生的高超技艺，并拜其为师。经年累月的武术实践为他日后创办武术团体奠定了基础。1912年底，许禹生邀请郭秋坪、钟一峰、李履信、关伯益、金湘南、延燮生等武术名家创办了北京体育研究社。

许禹生借助研究社创办体育刊物，开展武术培训、武术宣传和武术研究，使武术进入学校教育领域，成为学校体育课的重要内容。

太極拳勢圖解

感谢金仁霖先生提供收藏版本

出版人语

武术作为中华民族文化的重要载体，集合了传统文化中哲学、天文、地理、兵法、中医、经络、心理等学科精髓，它对人与自然和谐共生关系的独到阐释，它的技击方法和养生理念，在中华浩如烟海的文化典籍中独放异彩。

随着学术界对中华武学的日益重视，北京科学技术出版社应国内外研究者对武学典籍的迫切需求，于2015 年决策组建了“人文 · 武术图书事业部”，而该部成立伊始的主要任务之一，就是编纂出版“武学名家典籍”系列丛书。

入选本套丛书的作者，基本界定为民国以降的武术技击家、武术理论家及武术活动家，而之所以会有这个界定，是因为民国时期的武术，在中国武术的发展史上占据着重要的位置。在这个时期，中西文化日渐交流与融合，传统武术从形式到内容，从理论到实践，都发生了巨大的变化，这种变化，深刻干预了近现代中国武术的走向。

这一时期，在各自领域“独成一家”的许多武术人，之所以被称为“名人”，是因为他们的武学思想及实践，对当时及现世武术的影响深远，甚至成为近一百年来武学研究者辨识方向的坐标。这些人的

“名”，名在有武术的真才实学，名在对后世武术传承永不磨灭的贡献。他们的各种武学著作堪称“名著”，是中华传统武学文化极其珍贵的经典史料，具有很高的文物价值、史料价值和学术价值。

首批推出的“武学名家典籍”丛书第一辑，将以当世最有影响力的太极拳为主要内容，收入了著名杨式太极拳家杨澄甫先生的《太极拳使用法》《太极拳体用全书》；一代武学大家孙禄堂先生的《形意拳学》《八卦拳学》《太极拳学》《八卦剑学》《拳意述真》；武学教育家陈微明先生的《太极拳术》《太极剑》《太极答问》。第二辑中的《陈鑫陈氏太极拳图说》业已出版。民国时期的太极拳著作，在整个太极拳发展史上占有举足轻重的地位。当时的太极拳著作，正处在从传统的手抄本形式向现代著作出版形式完成过渡的时期；同时也是传统太极拳向现代太极拳过渡的关键时期。这一历史时期的太极拳著作，不仅忠实地记载了太极拳架的衍变和最终定型，而且还构建了较为完备的太极拳技术和理论体系，而许禹生则编写武术教材，开整理研究武术之先河。他参与创立的北京体育研究社以“普及武术运动、研究武术理论和拳史、培养武术人材、达到强民报国”为宗旨，并出版《太极拳势图解》《少林十二式》《太极拳（陈式太极拳第五路）》等，在中国武术面临向何处去的转折关头，着眼于传统武术的改革，为中国武术的振兴，写下了重重的一笔。

这些名著及其作者，在当时那个年代已具有广泛的影响力，而时隔近百年之后，它们对于现阶段的拳学研究依然具有指导作用，依然被太极拳研究者、爱好者奉为宗师，奉为经典。对其多方位、多层面地系统研究，是我们今天深入认识传统武学价值，更好地继承、发展、弘扬民族文化的一项重要内容。

本丛书由国内外著名专家或原书作者的后人以规范的要求对原文进行点校、注释和导读，梳理过程中尊重大师原作，力求经得起广大读者的推敲和时间的考验，再现经典。

“武学名家典籍”丛书，将是一个展现名家、研究名家的平台，我们希望，随着本丛书第一辑、第二辑、第三辑……的陆续出版，中国近现代武术的整体风貌，会逐渐展现在每一位读者的面前；我们更希望，每一位读者，把您心仪的武术家推荐给我们，把您知道的武学典籍介绍给我们，把您研读诠释这些武术家及其武学典籍的心得体会告诉我们。我们相信，“武学名家典籍”丛书这个平台，在广大武学爱好者、研究者和我们这些出版人的共同努力下，会越办越好。

导读

许禹生作为中国武术的理论家、教育家、活动家，是振兴中国近代武术和改革武术教育的一位不可忽视的人物。

鸦片战争后，在中西文化激烈碰撞的大背景下，中国传统武术无论是思想上还是实践上，都逐渐发生了巨大的变化。“民国成立，识时之士，渐知拳术之为国魂”，武术“大则可强国强种，小则可却病延年”，1912年11月，在教育界知识精英的支持下，许禹生集合有识之士发起创办了中国最早具有现代意识的武术团体——北京体育研究社，呼吁、宣传中国旧有体育“康强其身，智德可用”的作用，推广武术。

许禹生创办的北京体育研究社，从教育入手，一改国人重文轻武的观念，多次向教育部提案，力推武术进入学校，为武术振兴开创良好的氛围。他吸收西方教育之长，改进武术领域落后的小农经济教育方式。他附设体育讲习所，建立现代理念的体育学校，创办武术杂志，兴武术研究之风，成为以后国家设立国术馆的范本。

许禹生创办的《体育季刊》杂志，出版《太极拳势图解》等武术教材，倡导吸收现代科学知识，探索研究武术的真谛，挖掘传统文化的精髓，改变旧有武术有术无学的状况，开中国武术研究之先河，兴时代风尚。他在宣扬武术健身作用的同时，强调“锻炼身体，能使全体内外身心二者平均发育为最良好之运动法”，使武术从单一拳脚技能，成为既能强身健体又可修身养性的文化，使武术以新的面貌崛起。

许禹生在中国武术处于弃旧图新的历史关头，破除狭隘门派观念，推进中国武术教育和研究改革，开我国武术挖掘、整理、推广之先河。

评价一位武术家，人们往往着眼于他个人的武艺如何高强，而很少关注他对社会的影响。评价许禹生，我们还是应该着重看他对中国武术做出了什么贡献、在武术史中发挥了什么作用。

（一）许禹生生平

许禹生（1878—1945 年），字龗厚，北京市人，原籍山东省济南市。许禹生出生于武术世家，6 岁起，习练查拳、潭腿等拳术，20 岁那年，拜师河北沧州的刘德宽先生，学六合门拳械与奇门兵器“吕布方天画时戟”。24 岁那年，与山东一位赵姓查拳名家交手，三胜二负，自此声名鹊起。许禹生在与各派武术行家的交流中，广泛了解了武术各门各派的长处，特别是见识到了太极拳家杨健侯技艺的真谛，并拜杨健侯先生为师。经年累月的武术实践为他日后创办武术团体奠定了基础。

1912 年底，许禹生邀请郭秋坪、钟一峰、岑履信、关伯益、金湘甫、延曼生等武术名家创办了北京体育研究社（国民政府定都南京后，北京改称北平，北京体育研究社也随之改称为北平体育研究社）。

更得佟旭初、吴彦卿、治鹤清、于子敬、王模山、章联甫、祝荫亭、刘芸生、伊见思、钟受臣、赵静怀、陈筱庄、维效先、王鹤龄、赵绍庭、梁载之、郭志云、郭幼宜等人之赞助。研究社所标宗旨："系以提倡尚武精神，养成健全国民，并专事研究中国旧有武术，使成系统，不含宗教及政党性质。"体育研究社以"普及武术运动、研究武术理论和拳史、培养武术人才、达到强民报国"。社长由市长兼任，许禹生任副社长，赵鑫州、吴鉴泉等分别任少林、太极类总教习，同时，还广招贤达，聘得在北平寄身的冀、鲁、豫、甘、陕等省的各门派拳师 20 余人任武术教习。

研究社在其印发的《告北京各高中学校校方书》的布告中说：武术为吾国的特有技术，古人用防身御敌，如今则可强国强种。观近年来外籍强人诸如日、俄等国之武士或大力士，欺吾国之民众，尤辱吾之武术圈内人士，大谈"东亚病夫"之言论。鉴此特告示国民并学子，报学吾国之武艺，以便日后报效国家，等等。布告公布后，反响十分强烈，有 40 多所大、中学校先后向北京体育研究社发出了邀请，要求派教习前去传授武术。

京师各校渐向该社聘请教员教授武术，一时形成北京各校延聘武术教师的风气。1916 年，又由许禹生倡导，作为北京体育研究社的附设机构成立了北京体育讲习所，许禹生除亲自授课外，还延聘吴鉴泉、杨健侯、杨少侯、杨澄甫、孙禄堂、刘恩绶、张忠元、佟连吉、姜登撰、纪子修、刘彩臣等任教。北京体育讲习所始终遵循"以培养大、中、小学校学生之武术师资力量为准绳"，训练科目分为拳法（徒手与器械）、武术理论两大类，讲述的内容有杨式太极拳、吴式太极拳、北派少林拳、八卦掌、形意拳、六合八法拳、岳式连拳，包括擒拿格斗诸术。一时间，北平城武风骤起，清早、傍晚甚至课间，都可以见到学子们舞刀弄棒的身影。

讲习所受到了当局的重视，由教育部解决了该机构的办所地址、经费问题，并发专文给全国各省市教育管理部门，要求其所属大、中、小学选派专职人员前来学习（培训），并准允学员结业后分配到学校担任专职武术教师。

1928 年，许禹生赶赴南京专程拜访中央国术馆董事会张之江、李景林等人员，申请设立北平国术馆，在征得同意后，许禹生用了不到 3 个月的时间，便在“体育研究社”的基础上，成立了“北平特别市国术馆”，仍邀请市长为馆长，自己担任副馆长。

北平特别市国术馆成立后，从 1928 年 12 月至 1936 年 12 月，共开设民众国术训练班、国术教员讲习班达 746 期之多，编辑印制教材有 150 余种，接受培训的人员约 38000 人。值得一提的是，“九一八”事变后，该馆特意开设了数期速成“砍刀术培训班”，重点传授简单实用的临阵劈砍刀法，旨在为抗击日寇输送杀敌勇士。

许禹生以北京体育研究社名义创办了一本研究体育与武术的刊物《体育季刊》，成立北平特别市国术馆后，又开办专门宣传推广传统武术的杂志《体育月刊》。许禹生亲自担任两本刊物的主编，确立办刊特点和依托杂志推动相关工作。杂志内容丰富，文字简明扼要，适合各界各层次人士阅读，对武术的推广发挥了很大的作用。每期的封二上，还分别有“投稿简章”“征集（收购）国术秘本”“介绍国术教员”“新书预告”等栏目，在“征集（收购）国术秘本”的启事中曾经写道：“本刊征求家藏或坊间旧有国术书籍或秘本，本刊认为有价值书籍得出资收买。凡欲出售者必先送本刊编辑处审核，不合者得发还之。”这对挖掘和保存中国武术文化起了很大的示范作用。

许禹生还著有《太极拳势图解》《少林十二式》《罗汉行功法》《神禹剑》《中国武术史略》《太极拳》（即陈氏太极拳第五路）等著作。

1945 年，许禹生于北平逝世，享年 67 岁。

杨敞曾用诗来评价许禹生：“许九哥儿幼习拳，纡尊降贵友群贤。清除阶级谈平等，培植师资结众缘。往昔拳家各逞雄，抵排异己翊宗风。破除门户消成见，第一公推许禹生。”

（二）许禹生生存于大变局时代

我们今天评价许禹生对武术所做的贡献或不足，应该放在他所处的时代背景中去分析。许禹生所处的时代，正是中国历史上前所未有的大变局。在这样的大变局中，他保护了中国武术，并努力推动武术的普及与发展，其作为有深远的历史意义。

甲午战争以后，许多中国的知识分子强烈要求政治改革，并主张全面向西方学习。因此，中华传统文化也面临前所未有的严重挑战。

中医和武术，是中国传统文化的两朵奇葩。然而，在这场挑战中，武术与中医一样，遭到了怀疑和否定。

西方体育家麦克乐等人一直讥笑中国武术“堂吉珂德般与空气作战”“只是与空气打架”“既乏教育价值，又不合生理的需要”（麦克乐、葛雷等人 1916 年在南京师范学校开设体育专科，教授体操等西方体育）。这种观点也得到了国内一批人士的附和。也有人嘲笑说某些武术习练“行进时还要拿足跟在地上乱蹬，脑子受这样的震动，不要脑神经吗？”有些动作“两臂常作曲式，胸部哪里还有扩张的机会，时时使肺部下压，弄得全身肌肉都像僵块”云云。因此围绕武术是否符合人体生理特点及是否有锻炼价值，提倡武术是否符合中国社会的发展需要，展开了一场“土洋体育”的争论。

“土洋体育之争”说到底其根本的核心是观念的冲撞。两种思想、两种文化的较量，其中均有囿于极端的文化立场而发出的非理性认识。部分遗老遗少们以武术作为“国粹”来抵抗日益高涨的新文化运动，“在他们看来，国术是难得的无价至宝，尤其是借以保存忠孝节烈、旧美德的好方法”。显然，这是保守复古思想的表现，这种表现自然受到了许多社会人士的批评，认为是“开倒车”。但是，在这种批评声潮中也暴露出某种民族虚无主义的倾向，“在他们看来，国术是封建社会的遗物，早应扫除一光的”“这种古人崇拜思想的产物，在现在是早已失去了作用，不需顾置的”，反映出一种蔑视传统文化的“全盘否定”思想。很明显，“土洋体育之争”的文化冲突，终于使中国武术走到“争取生存还是自甘消亡”这个历史的拐点。

（三）许禹生所面对的武术现状

20世纪初，不利于中国武术生存的第一消极因素就是庚子之变。义和团运动就武术而言是双刃剑，整个运动像是民间神秘文化的大集合，尤其是他们号称“刀枪不入”的神术，社会上下曾为之痴迷颠倒，催发了民间武术畸形发展。

然而，当义和团的血肉之躯与“神术”在洋枪面前不堪一击后，社会对武术产生了极大的失望与厌恶，民间武术被当作“神秘怪诞之幻术”而排斥。加上义和团运动失败后，清政府为推卸罪责，疯狂镇压义和团，颁发严禁“自号教师演弄拳棒随同学习”等条例，禁止民间开展武术活动，殃及了所有的民间武术活动，迫使民间武术转入地下，跌入低谷。

除了义和团的不利因素，武术面临困境的原因之二：辛亥革命后，由于政权更迭，社会变化，军队战争手段的更新（热兵器的大规模普遍使用），大大影响了武术的生存。军队开始按照西洋军队的训练方式训练部队，原有的武术教练失去了“饭碗”，被迫寻找新的生路。交通及银行钱庄的发展，使镖局行业迅速衰退，镖师们面临寻找新的谋生途径。拳师的生存状态，同样影响着武术的生存和发展，武术需要开辟新的生存空间。

武术生存困境的原因之三：长期以来，民间武术被视作为一种低俗文化，习武者地位卑微，一般民众也不屑于习拳练武。尤其是义和团的失败和热兵器的登场，拳脚之勇的技能逐渐缺乏吸引力，需要有新的理由来重新激发人们对武术的兴趣和喜爱。

武术困境之四：千百年来，武术教育一直以私下秘密的方式传授，与现代教育相比明显落后于时代，也阻碍着武术的生存与发展。习武者大多文化层次不高，一直是有术无学，社会地位低下，难以得到社会的广泛认同。以致“有志之士，虽竭毕生精力以求之，每徘徊歧路，劳而无成。是以强国健身之术，仅资市井闾巷茶余酒后之谈”。武术教育需要改革。

武术困境之五：“国人震于泰西之传授，极端迷信”，认为西方之所以强盛，而我国国民之所以羸弱，诸多原因其中有一条是西方有体育，而中国无体育。清末改革中国教育时，全盘引进日本式教育，其中“体育”一词也是在这种背景下从日本传入的（当时“体育”一词的概念，仅指军体操、田径以及球类活动，不包含传统武术）。中国武术需要有新的形象、新的理由来与西方体育抗争。

这些困境正是许禹生和中国武术家们必须面对的难题，而扭转民众对武术的偏见，努力变革观念是一件十分艰难的事情。

许禹生与当时提倡拳术的个人及团体共同面对的一个问题，就是如何使旧有的拳术资源摆脱义和团之类标签，改变民众偏见，在新时期发挥效用。而这个问题的焦点，就是需要提出新的理由，证明旧有拳术资源是可以被利用的。许禹生在《体育季刊》等刊物上亲自撰写文章，宣传推广武术的意义——可以提振尚武精神，可以强国强种，雪“东亚病夫”之耻，等等——以唤醒国人的良知、扭转国人对武术的偏见。

19 世纪 60 年代到 90 年代中期是洋务运动产生和发展的时期。1896 年京师大学堂在百日维新中建立。1989 年，光绪皇帝下诏废除八股文。1898 年 7 月，光绪批准《京师大学堂章程》。1902 年，张百熙参照日本教育模式，拟定《钦定学堂章程》，第二年，又由张百熙、张之洞、荣庆拟定了《奏定学堂章程》，又称《癸卯学制》，对学校系统、课程设置、学校管理都做了较为详细的规定，并于 1904 年 1 月在全国正式颁布施行，结束了中国延续了两千多年的封建传统教育体制。而此时许禹生等人面临的另一个重要问题，是武术被排斥在教育之外。

清末教育宗旨提倡“尚武”，而当时所谓的“尚武”，是指推行洋体育“军体操”。鸦片战争后，清政府编练新式海陆军，建立军事学堂。“体育”一词随之也从日本传入中国。新式军队主要习练西方兵操和单杠、双杠、木马等器械，学堂聘有外国教官，体育课程的主要内容有击剑、拳击、哑铃、跳高、跳远、足球、游泳、单双杠、爬山等。

西方“洋体育”全面强势进入军队和学校教育系统，被视为“土体育”的民间武术几乎陷入被遗弃的境地。于是许禹生与一些有识之士呼吁让“土体育”进入学校，《体育季刊》第一期呼吁：“大厦将倾，伊谁责成。嗟我民族，辛胄神明，交弱积久，病夫得名。物极当反，弦慢须更。少林派衍，武术精英，愿同志交勉，为民国干城。”曾担任过中华民国教育总长的范源濂亦提出教育应以“保存国粹与适应时势”为要义，认为“国术乃普及全民之运动，有天然之活泼，非若外人之体操拳术等技，只及一部，且有呆滞之弊”。“国术”与“外人之体操拳术等技”相比，“国术”的优越性被尽力宣扬。这些本土的武术传习机构在一定程度上抵制了西方体育内容的开展，促进了武术在当时社会上的传播。习练中国传统武术也成为一部分国人准备革命、积极救国的有效方式。

中国武术能正式进入学校，是在“洋体育”进入学校后的20年。民国四年（1915年），许禹生等人向全国教育联合会提议“提倡中国旧有武术列为学校必修科”提案，全国教育会联合会通过提案，提倡中国旧有武术列入体操课，其教员由师范学校培养。教育界能关注“土体育”，实自此始。旧有武术得以加入学校课程，亦自此始。以后许禹生的北京体育研究社又有多次提案，他们的提案具有划时代的历史意义，中国武术从此由民间进校园，登堂入室，这是自古以来第一回。

（四）中国武术否极泰来

中国武术的复苏迎来了新的机遇。新学堂的大量开办及“体操课”的开设，造成体育教师奇缺，而国内原来又无体育专业教育。为缓和体育师资缺乏的矛盾，1906年3月，清廷学部通令各省，于省城师范“附设五个月毕业专修科”，以培养小学体操教习。对此，许禹生在上报教育部的专件中曾说：“吾国素称文弱，无庸讳言。忧国之士迫于时势之所趋，潮流之所激，因提倡尚武之精神，体育与德育智育并重，学科之内，加以体操，然皆袭他人之形式，未克振己国之精神，以故与学几廿年，而国民之强健未现有若何之进步也。今拟提倡中国旧有武术以振起国民勇往直前之气。夫器械不良尚可以陶冶，船舰不利可以改良，惟此国民之不强，决非一朝夕间所能作其气，必也养之有素，练之有方，始克有强固之体干、活泼之精神。我国武术数千年来，代有传人，娴其术者，大有杀敌效果，小之亦除暴安良。且各其一种慷慨激昂之气，徒以教者口传，学者心受，素乏专书，致使有用之学不能普及，殊为可惜……果能竭力提倡，实心奉行，则文弱蠲，精神斯振，安见十数年后，不一跃而为雄国耶？”

在近代文化思潮影响下，许禹生等人极力推动武术教学沿着科学化、规范化的方向演进，这一时期，陆续出现了各种武术新的教学模式。

从改革传统武术的教育入手，认识到教育是一切文化传承与发展的根本，他强调：“在提倡中国固有之武术，改善教授，由学校入手，普遍全国社会，期以此尚武之精神，强吾国家，强吾种族。”

民国元年，中华民国临时政府成立，一直支持传统武术的蔡元培先生任南京临时政府教育总长，许禹生任北平教育部专门司主事。此时此刻，蔡元培与许禹生考虑的是如何吸收西方体育教育之长，利用社会资源，开设多门文化课程，改良中国武术传统的教育方式，提高学员的文化素养，为将武术推广到学校，推向社会，培养出更多人才，使传统武术重振雄风，不至于被西方体育所湮没。1912 年 11 月，在民国政府的批准下，许禹生创办本土的新型武术组织形式——北京体育研究社。

北京体育研究社，是近代史上北京地区，乃至于全国成立较早的武术研究教学与推广组织。或许当时其他地方也有类似的武术团体、武馆、学校等，但他们的组织形式、办社宗旨、机构设置、校舍设施、师资力量、教材研究等，都难以与北平体育研究社相比。据“体育研究社提出全国教育联合会请设国立体育学校案”披露：“上海体育专门学校、东亚体育学校、体育师范学校、南浔中国体操学校，暨北京上海体育学校，均为私人团体所设，绌于款项，规模未宏，难为各校之楷模。”《欧风美雨立苍茫》书中也提到：“一般体育学校(科) 有重学科、轻术科的倾向；体育运动发展也极端不平衡，大部分集中在江浙一带，尤其是上海，而且大部分是属于私立性质，其条件、设备极差，招收学生人数很少，办学经费拮据，以致一般在三五年内即告停办。”而许禹生的北京体育研究社则是一枝独秀。

北京体育研究社“以提倡尚武精神，养成健全国民，并专事研究中国旧有武术，使成系统”为宗旨，“普及武术运动、研究武术理论和拳史、培养武术人材，达到强民报国”。许禹生善于利用社会优质资源来创办体育研究社。体育研究社不单是一些武术家的聚集场所，还是推动武术传承发展的研究所，因此要求该机构在社会上有一定的影响力，故名人效应是扩大社会影响低成本的举措。许禹生邀请教育总长蔡元培以及名人严范荪为名誉社长（后增加张一麐、袁希涛、傅增湘等多位名人为名誉社长；聘宋书铭等名士为名誉干事）；由当时北京市市长袁良担任社长；并请历任教育总长蔡元培、傅增湘、袁希涛、张一麟等社会名流题词，大大提升体育研究社的社会影响。

许禹生利用北平教育部专门司主事的身份，向民国政府教育部提出“各学校应添授中国旧有武技”之提案，采纳后将其写入即将颁布施行的全国各级学校的《军队国民教育实施方案》，使武术教育在全国大的层面上得到落实推广，其功居伟。1915 年 4 月，北京体育研究社在当时的全国教育联合会第一次会议上再次提出了“拟请提倡中国旧有武术列为学校必修课”的议案。该议案认为，兴学以来，学校体育“今拟提倡中国旧有武术，以振起国民勇往直前之气”，并提出了三项具体建议：一是学校体操科应增授武术内容，作为必修课，以振起尚武精神；二是组织教师编写武术讲义，说明运动原理，用科学的眼光唤起学生对武术的重视与兴趣；三是师范学校应将武术列为主课培养武术教师。这个提案得到与会代表的赞同，当年教育部就做出了“各学校应添授中国旧有武技，此项教员于各师范学校养成之”的明令批示。自此，武术正式成为学校体育课程。

北京体育研究社，按近代体育的组织形式进行建设和改进，有明确的宗旨、章程和管理机构，会务人员由会员选举产生，教员实行聘任制。北京体育研究社的行政管理、基金监事、评议员的产生也“均用社员投票选举”等等，这是具有现代意识的，是中国武术史上几千年来从未有过的组织形式，基本上摆脱了拜师父的封建宗法特色，对各个流派的交流、普及、发展都起了良好的作用。这种不同于旧式武馆的新型体育组织，对我国近代武术的发展起过重要的示范和推动作用。

武术被列为学校体育课内容，是辛亥革命后提倡与推行武术的重大成果之一。武术的体育化之路开始了，但对武术教学、传统拳路的整理研究、武术教材的编写、武术理论的阐述都提出了新的要求。北京体育研究社等武术组织和各类学校的武术教师们在这些方面都曾发挥了积极的推动作用。

随着学校教育中武术作为体育课内容的普及，武术传统的教学方法面临改革以适应大规模公开教育的需要。我国武术长期以来沿袭口传身教，多采用个别辅导与单独练习的单人教练方式，这给学校教学的集体授课与军队团体训练带来一定的困难，也影响了武术的广泛普及。许禹生引领了武术教学改革。对此，市长兼社长袁良指出："深慨体育古法之颓废，爰纠合同志创设此社，遴选通材，广揽名流，古德相共，讲习数年以来，青年学子先后辈出，粗有成效。复鉴于前此不立文字之弊，乃议发刊本社季刊，就传习所得分别记录，期以科学条贯汇成简册，藉广传闻而资津，逮出版已数期，颇蒙海内贤哲深相赞许。惟是一鳞半爪，不足以罄此术之秘……"

北京体育研究社是改革武术教学方法的倡导者与肇始者之一。据《体育丛刊》记载，北京体育研究社成立之初，北京各学校纷纷向研究社聘请武术教师。根据学校教学的特点，研究社"乃查照体操教练规格，订定团体教练之法"，即参照近代体育教学的基本原则，改革传统的教学方法，以适应学校授课的集体练习。北京体育研究社开设教育课目多且科学合理，通过培训，可使学员将来完全担当得起学校及社会的体育、武术的教育工作。

许禹生创办的北京体育研究社人才济济，培养学校体育师资，随即开办体育讲习所，招收大、中、小学校体育教员，进修国术及现代体育。据《体育研究社略史》记载："讲习所时代，学生均不缴学费，只纳少许杂费。”这已带有公益性质，在当时社会中也是少有的善事。这个举措在一定程度上缓解了当时社会上体育师资严重不足的矛盾，故而得到当时教育部长的赞许，并由教育部拨出专款，在北京西单西斜街重建新的社址。教育部还特别发出通知，责令各地学校或教育机构选派学员来京学习，这无形中为研究社大大增色，使其影响得到扩大，规模也逐渐扩大，成为武术教育的旗帜。体育研究社以体育讲习所形式，为大、中、小学培养了一批既具有西方体育理念，又有中国武术根底的新型体育教师，使中国武术迅速在学校生根发芽，为武术的复兴培养了大批人才。

讲习所的规模生源不断壮大，如“1919 年 7 月，扩充附设体育讲习所，招取中等学习毕业学生，修业年限改为二年，蒙教育部批准并通信各省选送学生”。这是第一所以现代学堂形式传授武术的专业学校，具有划时代意义，成为以后民国政府设立体育学校的滥觞与国术馆的母本。

北京体育研究吸取西方体育的长处，改进中国武术传统教学方式，编写科学合理的武术教材。研究社上书“呈请教育部，规定武术教材并陈管见，蒙批。所拟定武术教材简而易行，与体育要旨既不相背于生理卫生，亦无抵触，堪供学校体育参考之用，并通令各省转饬各学校采用”。

许禹生努力促进土洋体育的结合，他吸取“洋体育”的特点，也曾仿效马良的 24 式军体操，创编了“太极拳术单练法”“少林十二式”。他选取武术中的一些单式动作，配以口令，像洋体操一般进行教学。其优点是可以改变传统武术单一的教学模式，便于在小学、中学学生中进行集体教学，易于推广。缺点是舍弃了中华武术的传统文化，使武术产生质的蜕变，容易滑入洋体操的窠臼。尤其是太极拳，体操化的结果是使太极拳变成了一种简单的肢体运动，而丢弃了太极拳的传统文化。许禹生清醒地认识到这一点，他着手整理了《太极拳势图解》，书中不仅介绍太极拳的动作与应用，而且将代表中华文化精粹的太极文化加以注释宣扬，完整地保存了太极拳的传统文化，保护了太极拳的健康发展。《太极拳势图解》也就成为保持传统武术文化的楷模，武术家们纷纷研读效仿，使中国武术在吸取洋体育长处的同时，不至于丢失自己的传统本色。许禹生的这一贡献足以彪炳史册。

开展武术培训、武术宣传和武术研究，既迁移了中国传统武术的发展中心，也开始改变中国传统武术的传承方式，开启了中国传统武术的体育化之路；武术进入学校教育领域，成为学校体育课的重要内容，是民国初年军国民教育思想的产物，也是辛亥革命提倡和推行武术的重要成果。由此开始了中国传统武术的科学化、规范化发展之路。

（五）以德育人，开武德新风气

许禹生勇于破除了传统武术“因袭宗法，师徒秘传”与“门户各立，势同水火”的陋习，提出各派同源的观点，不争门户短长，熔各派武术于一炉，为中国武术的振兴夯实了道德基础。北京体育研究社当时聘请的都是武术界的翘楚，如杨少侯、孙禄堂、杨澄甫、吴鉴泉、刘彩臣、刘恩绶、纪子修、佟瑞甫、张忠元、兴石如等人，包揽了各派各路人才，名家云集。武术界素有狭窄的门派偏见，能否废除门户陋习，相互包容，共同为振兴武术而出力，这是许禹生面临的一个重要课题。许禹生认为："主义常相同，精神必永聚。"所以，在北京体育研究社成立之初就提出了"以提倡尚武精神，养成健全国民，并专事研究中国旧有武术，使成系统"的宗旨，成为全体社员的共识、团结全体师生员工共同为之奋斗的目标，教师们的团结也为学生树立了武德的楷模。许禹生还强调："学校教育之主旨，原在训练学生心身，养其健全精神体魄，使成完全人格者也。"

北京体育研究社关心学生的学习成长，甚至关心他们毕业后的就业生计，让他们能安心为社会服务、更好地推广中国武术。比如1919年6月，体育研究社呈文教育部："附设体育讲习所第二班学生毕业呈蒙教育部令行京师学务局转饬各学校尽先聘用。"许禹生曾在第二班学生毕业典礼上讲："学校宗旨有三，（一）在提倡中国固有之武术，改善教授，由学校入手，普遍全国社会，期以此尚武之精神，强吾国家，强吾种族。（二）诸生将来能授各种体育，务须技术与学理并重，阐明体育原理，使生徒知行合一，力避机械式运动。（三）注重训育，以身作则，随时随地趁机训练生徒，务期由运动使生徒德知二育间接明体育之效果…… 吾等既以改善天下体育为己任，以足迹遍天下，方能达此目的。苟诸生抱此主义而不失，则主义常相同，精神必永聚……至于毕业后之研究办法，或阅译书籍，或参观自镜，或将心得笔之于书，通函互相讨论，或每年同学集会一次，以联感情……时时通函报告在外一切情形，俾能相为互助，庶能达吾等所期改善体育之目的。为此预祝诸生前途胜利，吾国体育发育，本社与学校有荣光焉。""勿忘国粹，将新旧学术冶于一炉，以为改良民族之基础，是所希望者也"，反复嘱咐"主义常相同，精神必永聚""知行合一""注重训育""德知二育间接明体育之效果"。体现了对学子们的关怀与深切期望。

根据研究社的记录，“1917 年 1 月，北京教育部召开新年茶话会邀请本社社员莅会表演国技，承赠以尚武精神镜额。”“1921 年 2 月，加入全国急募赈灾款大会，表演国技襄助募款。”“1922 年 8 月，大总统因本社及附设体育学校襄助前急募赈灾款大会，特颁急公好义匾额二方。”“十月举行悬挂匾额礼，举行夏期体育讲习会，毕业礼，发给证书。欢迎教育部学制会议各省代表，并赠与出版物表演国技。”等等，可以看出体育研究社通过参加社会公益活动，提高社员的社会责任感，提高武术为社会服务的能动性，提高各武术团体间的友谊交往，促进武术界的团结和谐，处处体现“注重训育”。真正的体育本是有“体”有“育”的，体以强身、育德树人。

（六）开整理研究武术之先河

北京体育研究社教学以“普及武术运动、研究武术理论和拳史、培养武术人材、达到强民报国”为宗旨，广泛征集（收购）国术秘本，进行挖掘整理研究。在机构设置中，设有“研究部”，由王丕谟主任等 10 人组成；“编译部”有主任杨敞等 11 人，后增至 23 人，专职从事编写教材、研究体育与武术理论、创办理论研究刊物《体育季刊》等事项。教学研究课目有体育原理、武术理论、体操理论、解剖学、运动生理学、伦理学、国文、音乐、图画、军事学、国技、新式兵操、童子军、体操、演技、球术、田径等。1917 年 1 月“开会筹备编辑书志事宜”，1918 年 2 月《体育季刊》第一期出版；9 月第二期出版。1920 年 4 月，第三期出版；1921 年 6 月第四期出版。在成立北京国术馆后，还办了《体育月刊》。

许禹生领导的体育研究社创办了体育杂志《体育季刊》，这在武术史上是前所未有的。“以为不普及而未周知也，同人等思有以传播之，集成书册，定名曰：体育季刊，出书公诸海内，莘莘学子，衮衮名公群提倡而光大之庶，尚武精神振遍神州矣。以体育而出季刊，诚为创举，特其用意，亦非无见。……”

对于“组织教师编写武术讲义，说明运动原理，用科学的眼光唤起学生对武术的重视与兴趣”，许禹生以身作则，亲自动手整理编写《太极拳势图解》《少林十二式》《太极拳（陈式太极拳第五路）》等著作，并在《体育季刊》上发表了“提倡拳术应保持其固有之真精神说”等许多论文，还发表“中国武术史略”“拳术教练法”“罗汉行功法”“太极拳单式练习法”“少林十二式”“神禹剑”等研究文章。当年《体育季刊》这样的研究性刊物可以说是开天辟地，其影响之大可想而知。

许禹生办刊物编教材改良武术有其深刻的历史意义，诚如校董张春霆先生训词：“适许校长云，研究武术除练习技能外，更须加以学理之讨论，是诚提倡武术之第一要点。惟以前多由口传，著述极少，欲就书本研究，实有未能，现在书籍既有多种出版，可供参考，则神秘之说，不攻自破，再无误会可言。今诸君已毕业，尚宜多加研究，从事著述，将来体育革命，武术未始非重要之工具也。诸君离校后，出膺教职，一方为教人，一方为宣传，须使人人皆知研究武术利益之所在，及其重要之关系。”“以前视武术为神秘的，可意会不可言传，且加以神仙之误会，以故不能通用于普通人士，此宜改良者一；第二，中国旧有研究武术者，胸中甚为狭隘，是己非人，且好争斗，胜则自雄，败则报复，此由一般小说及乡间人士之举动。”这对推动武术科学的研究与发展是有积极意义的。

又如，“1922 年 2 月，开教员会议商筹改良教授方法。9 月开第九次评议会夏期体育讲习会，会员请求设立小学体育研究会，当大体通过并推定专员研究办法。同月附设小学体育研究会成立，武术练习班开班。”从这些摘录也可看出北京研究社的研究风气和他们对武术教育的贡献。

许禹生编著的《太极拳势图解》，影响尤其大，一时洛阳纸贵，一版再版。当年不少著名人士对他和《太极拳势图解》作了评价，简要摘录如下，供读者参考：“许先生对于太极拳术进行认真研究已经有很多年头，因为看到有志之士缺乏进一步深造的桥梁，就根据他的心得，写成《太极拳势图解》一书，印行于世。”《太极拳法阐宗》沧江钓徒序：“我国国术之妙，首推太极拳，贤愚所共知。而首倡国术救国者，厥惟太极拳宗师许禹生、吴鉴泉诸先生。”蔡元培题：“手此一编，病夫无恐。”

杨敞序：“禹生同学治斯道垂三十年，更能博通内外诸家，识其精义。因强其著书，以饷同志。详其动作，志其应用，而于推手法尤为重视。三易稿而后书成，名之曰《太极拳势图解》。……此禹生之所志也。沧海横流，万方多难。明达之士，多逃于释老以自晦。其亦有闻风兴起，由艺而进于道者乎？是书或亦津梁之一也。”

山西王华说：“我国武术，为世界冠。代有名家，苦无专书。……道湮没而不彰，人欲学而无从，吁可叹已。古燕许禹生先生，……于体育著述已行世者数十种，而《太极拳势图解》一书，尤脍炙人口。”

张一麟回忆：“民国成立，识时之士，渐知拳术之为国魂。许君禹生，于各术靡不通晓，而尤精太极一门，一麟曾入其社，为特别社员，时时承许君教益。一日出所著《太极拳图说》见示，余翻阅一过。以科学分析之眼光，发明其先后疾徐之序，而为图以表之。大则可强国强种，小则可却病延年。”

（七）人无完人，瑕不掩瑜

除了上述赞扬的声音，也有批评的声音。那就是许禹生在《太极拳势图解》中，抄录、传播了宋书铭关于太极源流的一些传说，当年曾受到唐豪、徐震等学者的批评，认为其散布了迷信的以伪乱真的有害东西。徐震认为：“太极拳出于张三丰、韩拱月、许宣平、李道子等说，是这部书传播开来的。”“太极拳是谁创造的？这还难于考明。曾经有一时期盛传是元末明初张三丰所创造。这是把内家拳门传说中的祖师拉了过来，是不符合历史事实的。又一说，在张三丰外，还有六朝时韩拱月、唐朝许宣平、李道子等创造的各派。这是出于捏造。这都是袁世凯的门客（给袁家看风水的）宋书铭所做的事。现在已有不少人知道太极拳并非由张三丰等所创造了。”

唐豪在《行健斋随笔》中回忆：“1930 年我曾和许禹生通信讨论过辛亥革命以后出现的宋书铭太极功及张三丰道家与太极拳的来历问题。许禹生在复信中承认：‘假托以自神其说，而不知其弊，足以混淆听闻，令人莫知究竟。’当时往来的信件，曾经公开刊出，这就是过去我和张三丰‘发展成为太极功’的争论。”而上述观点，至今学界仍有不同观点，仍在争论。

然而不管怎么说，许禹生的《太极拳势图解》，使太极拳技术有了一个参照和准绳，使得太极拳的技术向着更加规范的方向发展，是太极拳自身科学化发展的具体体现，也对太极拳的普及与发展起到了积极的推动作用。

总之，许禹生对中国武术的贡献是巨大的，其人其事，值得我们关注和研究。

唐才良　丙申盛夏于浦东

版本说明

一、许禹生著《太极拳势图解》1921 年 12 月初版(简称《图解》)。

据北京体育研究社史料记载：早在 1918 年 2 月，《太极拳势图解》的部分内容开始陆续在《体育季刊》上发表。“十年（1921 年），五月召开第三次评议会，决定印行《太极拳势图解》”，“十一年一月，《太极拳势图解》正式出版”，版权页则标明是“民国十年十二月初版”。自 1921 年出版后，十三年中曾五次再版。

1984 年，北京市中国书店复制出版《太极拳选编》，其中重新刊印《太极拳势图解》（简称“北中本”），该版标明“据京城印书局 1921 年版影印”。

2006 年，山西科学技术出版社以原版本与简体字并行刊印了《太极拳势图解》（以下简称“山科本”），完整地保留了原著作的风貌，为武术爱好者提供了一份极好的鉴赏、研习和参考的历史文献。

2015 年，北京科学技术出版社顺应国内外研究者对武学典籍的迫切需求，策划对一些经典古籍版本，通过原件影印、点校、注释及提供简体版等方法加以整理，于是《太极拳势图解》又一次入选出版计划。这次校注的是由金仁霖先生提供的版本，以下简称“金藏本”。

二、1984年，由吴图南选编影印的《太极拳势图解》，虽然标明“据京城印书局1921年版影印”，实际上并非是按1921年的初版本影印的，因为影印件不仅删去了傅增湘题写的封面，连傅的“知柔知刚，万夫之望”的题词也一并删去。同时又将蔡元培先生的题词，以及袁希涛、刘潜的题词全都删去。而在序言部分，却有1928年10月山西汾阳王华写的序与平江向恺然1929年6月写的序。在跋的部分，有1928年11月北平李剑华写的跋，而且文中言明“兹值三版之际”。又有1931年6月谭兆熊谨跋，有“四版杀青之期”的记录，显然已不是1921年的版本，而是1931年的第四版。

虽然“北中本”删除了版权页，模糊了版本确切的年份，但还是可以通过李剑华的跋，得知《图解》曾在1928年第三版印刷出版；从谭兆熊的跋中得知1931年版是第四版，并由此推测“北中本”是根据第四版影印的。

三、2006年的“山科本”，完整地保留了古籍《太极拳势图解》第五版的原貌；此本又将古籍原版与简体本合并刊出，为现代的爱好者与研究者带来不少方便，是一本很有研究价值的书。比如，由于保留了版权页，我们可以知晓《图解》一书，至1935年已经再版了五次。至于1935年后是否还有再版，由于缺乏实证，无法判断。

四、本次校注出版的本子，即“金藏本”，是《太极拳势图解》的第二版，版权页标明：民国十年十二月初版，十四年五月再版，定价大洋六角；而民国二十三年第五版，定价为一元。

第二版《图解》有傅增湘、蔡元培、袁希涛、刘潜的题词；有张一麟、杨敞、许禹生三人的序和仲澜氏瑞沅一人的跋。虽然此版本与其他版本格局大致相同，但细微处，如空白页的补白插画有所变动：

其中，原本第 6 页是早期双翼飞行器；第 22 页，打着军旗的骑兵；第 60 页，扬帆摇船的渔夫，在第二版以后的再版中，都换成花草图画。

第五版著者肖像与第二版的著者肖像，虽仍是许禹生，但拍摄时间不同，第五版肖像年龄稍长。以后的各次再版，除序、跋的增加和插图、著者肖像等更新外，其他文字（除一些错字外）、拳架示意图等，基本保持了 1921 年初版《太极拳势图解》原貌。

第二版著者肖像

第五版著者肖像

五、《太极拳势图解》中第六章“太极拳拳经详注”，许禹生先生对拳经已作详细注解，又近百年来，对拳经的注解早已是汗牛充栋，所以本次对这部分只作简略校注。

六、《太极拳势图解》是我国最早的太极拳教材。有些学者认为“《太极拳势图解》其拳势为杨健侯所授，计 74 势，每一拳势都有图解，从中可以了解杨健侯拳势和练法应用”，而从《太极拳势图解》动作示意图分析，《太极拳势图解》中的拳架，是依照杨澄甫早期拳架为模板手工绘制而成的。总之，《太极拳势图解》的架式是研究杨家太极拳的重要资料，也是本次校注的重点。

辛酉七月

太極拳勢圖解

傅增湘

是本書[illegible]清心書社，轉送於予者

一九五六年十二月廿九日 傅鍾誌

知柔知剛
萬夫之望
傅增湘題

題詞　　蔡元培

教育三綱體育特重康彊其身智德可用鴻範曰弱六疾是繞小雅所譏無拳無勇五禽體戲華佗遵奉陶侃文士百甓日搬古義不廢新知尤家手此一編病夫無恐

題詞

在昔角牴。意存鈞奇。曳牛搏豜。徒勇何爲。嗟彼武術。損益然疑。發揮光大。其在是時。教誨有度。調一鼙宜。桓桓學子。天馬得羈。克剛克柔。以遨以嬉。筋骨互運。心力互追。著者楮墨。法無所遺。流傳萬本。並詔來茲。表斯微尚。請鑒於詩。天之方懠。無爲夸毗。

袁希濤

題詞

屹矣金臺。燕趙舊都。武勇是尙。施及吾徒。皝皝國技。與古爲新。數典而忘。乃乞諸鄰。北方之強。誰與首倡。許子之功。頡頏馬帳。首善結社。聲氣應求。精研三育。同澤同仇。不有高文。何以行遠。一紙風傳。桑楡非晚。武士有會。斯道以傳。強國之容。請視此編。

劉　潛

序

往嘗讀周禮及司馬法之軍制。試以次國二軍爲平均率。則每國當有二萬五千人之兵額。百國即有二百五十萬人。若以千八百國計。則勝兵者殆四千萬。當今全國男子總數十之五矣。又甞讀戰國策。齊、秦、燕、趙、韓、魏、楚、七國。國必有帶甲百萬。技擊數十萬。蒼頭數萬。若以今全國男子二萬萬例之。則吾國當有勝兵之男子千萬矣。日俄之戰。旅順、遼陽，諸役。肉搏相爭。論者以日之勝俄。歸功於柔道。（見日人所著肉彈）柔道者。即吾技擊相傳之一。故吾而不欲自衞則已。苟欲自衞。則德育、智育、體育、三者之中。尤以體育爲最要。自秦政一統。世主忘人民之尚武。去古者兵農合一之時益遠。國人多媮惰委靡。霸天下者乃大歡。適以與東西列強接觸。遂不寒而慄。不吹而僵。誰之咎也。民國成立。識時之士。漸知拳術之爲國魂。許君禹生。於各術靡不通曉。而尤精太極一門。一學曾入其社。爲特別社員。時時承許君教益。一日出所著太極拳圖說見示。余繙閱一過。以科學分析之眼光。發明其先後疾徐之序。而爲圖以表之。大則可強國強種。小則可却病延年。前見徐君械所撰拳術與力學之關係。借力學槓桿之理。解太極避實擊虛之法。藝而幾進乎道。惜其書僅一見於體育季刊中。未窺全豹。今許君圖解。裒然完帙。其視徐君所撰。如車有輪。如鳥有翼。即孱弱如不佞。亦能振懦而起衰。世之學者。可以興矣。但使吾國男女四萬萬人。分其飲博徵逐之精神。以從事於此道。卽有百分之一。鍥而不舍。已足抵成周兵額十分之一。且此四百萬者。皆非游手坐食之徒。何渠不足以自衞耶。質諸許君。以爲何如。

中華民國十年孟秋吳縣張一麐序

序

拳技有內外兩家。外家祖達摩祖師。曰少林派。內家祖張三丰先生。曰武當派。其所資爲師承之具者。不外乎着與勁。形於外者爲着。蘊於內者爲勁。着其質也。勁其氣也。着其體也。勁其用也。氣質兼修。體用皆備。而後可以言拳。外家與內家之別。卽以着與勁二者言之。外家精於着。內家邃於勁。猶漢儒之重訓詁。宋儒之明性理。雖各有獨到之處。要亦並行而不悖。世人不察。以爲外家主剛。內家主柔。烏知剛柔不可偏重。且亦未嘗須臾離哉。太極十三式。傳自張三丰。張固道家者流。故其論太極拳曰。人剛我柔謂之走。我順人背謂之黏。又曰。由着熟而漸悟懂勁。由懂勁而階及神明。走也、黏也。皆當於勁中求之。必也感覺靈敏。無有窒礙。而後可謂之懂勁。必也隨機因應。一任自然。而後可謂之階及神明。與老子所謂常無欲以觀其妙。常有欲以觀其徼之旨。正無以異。拳家論勁。至此境界。亦可謂臻無上上乘矣。惟其陳義極高。說理極細。故習之者、殊難計日程功。嘗見有人以爲習太極拳、祇須懂勁。好高務遠。專致力於推手。而於身手步法。略不注意。習之數年。疲弱如故。甚至不能與習他拳數月者一角。此皆誤於內家主柔之說。而不求姿勢正確着法純熟之所致也。禹生同學、治斯道垂三十年。更能博通內外諸家。識其精義。因強其著書。以餉同志。詳其動作。誌其應用。而於推手法尤爲重視。三易藁而後書成。名之曰太極拳勢圖解。讀者苟能悉心體會。豁然貫通。着既熟矣。更習推手。以求懂勁。自不難階及神明。即使無暇更習推手。亦當使此十三式着着皆能任意運用。游刃有餘。始可謂極熟着之能事。此禹生之所志也。滄海橫流。萬方多難。明達之士。多逃於釋老以自晦。其亦有聞風興起。由藝而進於道者乎。是書或亦津梁之一也。

民國十年歲次辛酉孟秋湘潭楊敞序於都門

自序

余幼孱弱多疾病。因徧閱養生之書。節飲食。愼起居。若是者累年。卒未收效。尋得華陀五禽經、達摩易筋經、八段錦諸書。從事練習。然均有圖無說。精意不得。勉強摹仿。效亦甚尠。遂未竟學。後乃從事外家拳術。習技擊。事跳躍。於是身體稍壯。然苦於鍛鍊之猛。稍輟而病又作矣。始知亦非良法。最後得內家拳術。即世所謂太極功者。俯仰屈伸。以意導氣。簡而易習。柔而省力。習未期年。而宿疾盡愈。效至鉅矣。其拳每勢運動。均有節拍可循。而前後聯絡。宛如一氣呵成。呼吸與動作、相爲激盪。氣血筋骸。活潑無滯。殆深得古導引術之意者。其動作之剛柔進退。陰陽虛實。合周易太極之理。而對敵之時。因勢利導。應機而發。批隙導窾。悉中肯綮。誠莊子所謂技而近乎道者也。因爲圖解。公之於世。雖於古人之意未必盡合。而善習者未始不可藉爲入道之階。閱者勿專視爲拳技也可。

中華民國十年秋古燕許龗厚敘於京師體育研究社

凡例

一本書各章。前經登入體育季刊。原擬俟全書登畢。再行彙集出版。嗣因閱者時加督促。倉卒付印。冗濫闕略之處。在所不免。倘蒙方家錫以教言。實所慶幸。

一本書分上下兩編。上編係說明太極拳之由來及其原理。下編係就太極拳路各姿勢繪圖說明。並附推手諸法。

一本書博採衆長。不拘己見。於拳勢純取開展姿勢。以便學者。

一太極拳最重聯貫。本書爲便於解釋起見。將各勢動作分段說明。學者練習時。仍宜連續行之

一本書說明拳式動作。多取通行術語。間有創製者。務期適合原意。

一本書採入太極衍易各圖。專取可以印證拳術之處。以資閱者參考。

一編輯是書時。北京體育研究社教員紀子修、楊夢祥、吳鑑泉、劉恩綬、劉彩臣、諸君。均備諮詢。社員郭志雲、鄖晉墀二君。擔任繪圖。楊季子、葉䏶唐二君。擔任修正。伊見思、許小

魯、二君。擔任校刊。

編者識

著者肖像

太極拳勢圖解目次

上編

下編

目録

目錄

上編

第一章　緒言

昔河出圖而八卦畫。洛呈書而九疇敘。孔子因之以作周易。易雖本諸卜筮之說。而萬事之理。則已悉具其中矣。然因卦作說。無提綱絜領之要。後人不能融會貫通。各執一說。每入歧途。周子憂之。默契道體根極要領。作太極圖說。使天理之微。人倫之著。事務之衆。鬼神之幽。莫不洞然畢貫於一。誠言哲學者之鼻祖也。我國拳術發明最早。而迄今反無統一之術者。蓋緣後世學者。言術而不言理。視爲技藝。而不用作鍛鍊身心之具耳。攷拳術之由來。蓋出於古之導引術。當上古醫藥尚未發明。人偶爲六氣所中。榮衞失宜。氣血聚而爲病。則屈伸俯仰。以意導氣。舒其所凝滯之處。使通暢焉。則疾自愈。故名爲導引。昔伏羲命陰康作大舞。展舒肢體。以愈民疾。黃帝作內經。採按摩導引諸法。以繼針砭酒醴之所窮。蓋皆本體育原理。以運動戰勝疾病也。莊子曰。吐故納新。熊經鳥申。則合於呼吸運動矣。漢華陀因推廣之。以作五禽經。（虎鹿猿熊鳥是也）其謂吳普之言曰。『人體欲得勞動。但不當使極耳。動則穀氣得消。血脈流通。病不得生。譬如戶樞終不朽也。是以古之仙者。爲導引之事。引挽要體。動諸關節。以求難老。吾有一術。名曰五禽之圖。覺體有不快。則起作一禽之戲。怡而汗出。即輕便而欲食矣。』吳從而學之。年九十餘。而耳目聰明。少林寺僧人承其意。融合達摩所傳散手、而作五拳。（龍虎豹蛇鶴）然注重應用。（詳少林拳術秘訣）已失體育之原意矣。然宋元以來。言技藝者多祖述之。自寺焚之後。僧徒星散。黠者巧爲附會。各執一是。派別繁多。而少林眞傳。反因之湮沒。元之季世。有隱君子者。曰張三丰先生。本儒家太極之理。融會各家之長。納五行八卦於拳術步法方位之中。而以太極之陰陽剛柔動靜。喻其作用。提綱挈領。名爲內家。蓋所以別於方外也。就着勢言之。太極拳固無異於各家拳術。然其運動行氣。純以虛靜勝人。注重精神上之修養。堅凝意志。增進智慧。則非外功拳術專從事於筋肉鍛鍊者所可同日語也。素習外功拳術者。倘稍師其意。亦能不勞而獲。由是觀之。易學得太極圖說而衆理一貫。拳術得太極功而各家統一矣。其拳經傳於世者。約有數種。然抄襲相傳。魚魯莫辨。壬子歲曾囑關君葆謙校訂。近本社附設體育學校。授課之暇。因取原書。加以注釋。并就其拳中姿勢。繪圖著說。以示學者。倘亦取行遠自邇登高自卑之意云爾。

第二章　太極拳之意義

太極拳者、形而上之學也。法易中陰陽動靜之理。而運勁作勢。純任自然。無中生有。所謂無極而太極也。至其運用圓活。如環無端。莫知所止。則又所謂太極本無極也。勢勢之中。着着之內。均含一圜形。故假借太極之理。以說明之。而以陰陽動靜剛柔進退等。喻其作用焉。非如世俗卜筮迷信者所謂太極也。現在科學昌明。後之學者。能以幾何重學等理說明之。而不沾於易象。則所深望也。

第三章　十三式名稱之由來（附八方圖五步圖）

十三式者、合五行八卦而言之也。太極拳手之運動有八方。足之運行有五步。以掤按擠攦四者、喻乾坤坎離等四正方。以採挒肘靠四者、喻巽震兌艮等四斜角。以進前退後左顧右盼中定五者、喻火水木金土也。或曰五行具五性。應以仰（火曰炎上）俯（水曰潤下）進（木曰屈直）退（金曰從革）定（土曰稼穡得五行之正以喻中定）五者喻之。其說亦通。

八　巽採　坎擠　艮靠　五　金盼
方　乾掤　坤按　步　火進　土定　水退
圖　兌肘　離攦　震挒　圖　木顧

第四章　太極拳合於易象之點（附太極圖衍易圖）

易也者、包羅萬象者也。而其扼要之哲理。不出太極一圖。太極拳之言陰、陽、虛、實、剛、柔、動、靜、之處。無不、則、之。但世傳太極圖有二。一爲周蓮溪所遺。一則俗傳之雙魚形圖也。雙魚形圖、除可藉表明雙搭手時之陰陽虛實盈縮進退外。餘無可取。至周氏圖則所具之理甚奧。其圖說一篇。幾盡可爲習太極拳者所取法焉。惟因限於篇幅。不能詳釋。今僅就原圖約略言之。此圖共分五層。首層圓形。（在平面爲圖倘立體時應作球體）此所謂、無極、而太極也。當行工時中心泰然。抱元守一。無機心。無朕兆。作虛空相。可謂無極矣。而動靜、陰陽、剛柔、進退、已悉具、其中。實萬、有、之、母也。非太極。而何。第二層、中分圓形爲兩。陰陽虛實各得其半。所謂動而陽。靜而陰。立兩儀。是也。舒之則爲坎離二卦。喻拳、之柔中、隱剛。動中、守靜。互爲、其根之、意也。三層五行喻五步、就其陽變陰合言之。如水根於陽。火根於陰。喻進、極、思、退。退極、思、進、也。木性曲直。金性從革。喻拳、運、勁、時之屈伸開合粘走隨抑也萬物均生於土而位又居中在人爲意。推手時、掤、攦、擠、按。互爲生尅。然不以、意貫、串、之則、謬矣。圖說云。五氣順布四時行焉。蓋五行異質。四時異氣。而不能外乎陰陽。陰陽異位。動靜異時。而皆不能離乎太極也。第四層喻人。第五層喻物。言無極二五。聚則成形。感而遂通。化生萬物。精於太極拳者。一動一靜。均合至理。扼樞要。是萬殊而一本也。至因敵變化。交互其用。錯綜其道。而應付無窮。則一本而萬殊矣。周子

周蓮溪太極圖

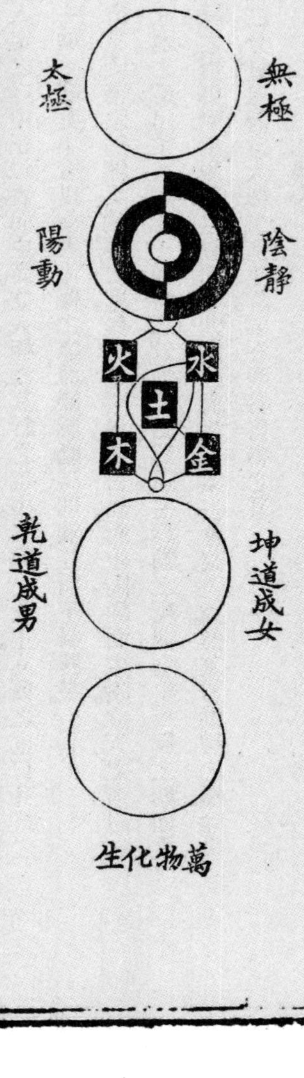

曰。聖人定之以中正仁義。而主靜。立人極焉。其行之也中。其處之也正。其發之也仁。其裁之也義。一動一靜。莫不有以全夫太極之道、而無所虧焉。則無往而不制勝矣。

邵子衍易圖言陰陽剛柔動靜之處。與周圖略異。周言動而生陽靜而生陰。立天之道。曰陰與陽。立地之道。曰柔與剛。邵子觀物篇云。動之始則陽生焉。動之極則陰生焉。靜之始則柔生焉。靜之極則剛生焉。則是動而生陰陽。靜而生剛柔也。立論雖殊。然其言動靜之機、陰陽剛柔之分量處。裨益太極拳術匪鮮。要在觀者自得之耳。

邵康節之衍易圖

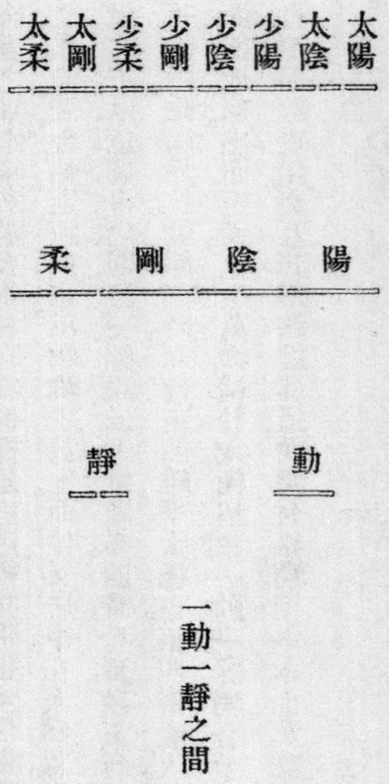

第五章　太極拳之流派

自伏羲畫卦。闡明陰陽。而太極之理。已寓於其中。嗣更命陰康作大舞。以宣導湮鬱。黃帝作內經。採按摩導引諸法。均本太極之理。爲無形式之運動。華陀本莊子吐故納新。熊經鳥申。作五禽經。以授吳普。是時已開姿勢運動之先河矣。唐許宣平。（許先師江南徽州府歙縣人隱城陽山結廬南陽辟穀不食身長七尺六寸髯長至臍髮長至足行如奔馬唐時每負薪賣於市中獨吟曰負薪朝出賣沽酒日夕歸借問家何處穿雲入翠微李白訪之不遇爲題詩於望仙橋云）所傳太極拳術名三世七。因祇三十七勢而得名。其教練之法。爲單勢教練。令學者一勢練熟。再授一勢。無確定拳路。功成後各勢自能互相連貫。相繼不斷。故又謂之長拳。其要訣有八字歌、心會論、周身大用論、十六關要論。功用歌。傳宋遠橋。

俞氏（江南寧國府涇縣人）所傳之太極拳。名先天拳。亦名長拳。得唐李道子之傳。（江南安慶人）李居武當山南岩宮。不火食。第日啖麥麩數合。人稱之爲夫子李。云俞氏所傳之人。可知者、有俞淸慧、俞一誠、俞蓮舟、俞岱岩等。

程氏太極拳術。始自程靈洗。（字元滌江南徽州府人侯景之亂惟歙州得保全者皆靈洗力梁元帝授以本郡太守卒謚忠壯）其拳術得之於韓拱月。傳至程珌。（紹興中進士授昌化主簿累官禮部尚書拜翰林院學士追封新安郡侯端明殿學士致仕精易理著有洛水集）改名小九天共十四勢。有用功五誌、四性歸原歌。

殷利亨所傳之太極拳術。名後天法。傳胡鏡子。（揚州人）胡鏡子傳宋仲殊。（安州人嘗遊姑蘇臺柱上倒書一絕云天長地久任悠悠你既無心我亦休浪迹天涯人不管春風吹笛酒家樓）其式法十七。多屬肘法。雖其勢法名目不同。而其用則一也。

張三丰名通。字君實。遼陽人。元季儒者。善書畫。工詩詞。中統元年。曾舉茂才異等。任中山博陵令。慕葛稚川之爲人。遂絕意仕進。遊寶鷄山中。有三山峰。挺秀倉潤可喜。因號三丰子。世之傳三丰先生者。不下十數。均未言其善拳術。洪武初召之入朝。路阻武當。夜夢玄武大帝授以拳法。旦以破賊。故名其拳曰武當派。或曰內家拳。內家者。儒家之意。所以別於方外也。又因八門五步。爲此拳中之要訣。故名十三式。言十三法也。後世誤解以爲姿勢之勢。則謬矣。傳張松溪、張翠山。先是宋遠橋、與俞蓮舟、俞岱岩、張松溪、張翠山、殷利亨、莫谷聲等七人爲友。往來金陵之地。尋同往武當山。訪夫子李先生不遇。適經玉虛宮。晤三丰先生。七人共拜之。耳提面命者月餘而歸。自後不絕往拜。由是而觀。七人均曾師事三丰。惟張松溪、張翠山傳者名十三式耳。

或曰三丰係宋徽宗時人。值金人入寇。彼以一人殺金兵五百餘。山陝人民慕其勇。從學者數十百人。因傳其技於陝西。元世祖時。有西安人王宗岳者。得其眞傳。名聞海內。著有太極拳論、太極拳解、行工心解、搭手歌、總勢歌等。温州陳州人多從之學。由是由山陝而流傳於浙東。又百餘年。有海鹽張松溪者。在派中最爲著名。見甯波府志 後傳其技於甯波葉繼美近泉。近泉傳王征南來咸。淸順治中人。征南爲人勇而有義。在明季可稱獨步。黃宗羲最重征南。其事蹟見游俠佚聞錄 征南死時。曾爲作墓誌銘。黃百家主一、爲傳內家拳法。有六路長拳、十段錦等歌訣。征南之後。又百年。始有甘鳳池。此皆爲南派人士。其北派所傳者。由王宗岳傳河南蔣發。蔣發傳河南懷慶府陳家溝陳長興。其人立身常中正不倚。形若木鷄。人因稱之爲牌位先生。子二人。曰耿信、曰紀信。時有楊露蟬先生福魁者。直隸廣平府永年縣人。聞其名。因與同里李伯魁共往師焉。初至時。同學者除二人外皆陳姓。頗異視之。二人因互相結納。盡心研究。常徹夜不眠。牌位先生見楊之勤學。遂盡傳其秘。楊歸傳其術徧鄉里。俗稱爲軟拳。或曰化拳。因其能避制強硬之力也。嗣楊游京師。客諸府邸。淸親貴王公貝勒多從授業焉。旋爲旗營武術教師。有子三。長名錡、早亡、次名鈺。字班侯。三名鑑、字健侯。亦曰鏡湖。皆獲盛名。

余從鏡湖先生游有年。諗其家世。有子三人。長名兆熊、字夢祥。仲名兆元、早亡。叔名兆清、字澄甫。班侯子一、名兆鵬。務農於鄉里。當露蟬先生充旗營教師時。得其傳者蓋三人。萬春、凌山、全佑是也。一勁剛、一善發人、一善柔化。或謂三人各得先生之一體。有筋骨皮之分。旋從先生命均拜班侯先生之門。稱弟子云。有宋書銘者。自云宋遠橋後。久客項城幕。精易理。善太極拳術。頗有所發明。與余素善。日夕過從。獲益匪鮮。本社教員紀子修、吳鑑泉、劉恩綬、劉彩臣、姜殿臣、等多受業焉。（吳爲全佑子、紀常與凌君爲友）

第六章　太極拳經詳註

太極者無極而生、　太、大也至也。極者、樞紐根柢之謂。太極、爲天地萬物之根本。而太極拳、則爲各拳之極至也。無極而生者。本於無極也。此拳重在鍛鍊精神。運勁作勢。純任自然。不甚拘於形式。以虛無爲本。而包羅萬象。故曰無極。然初學者、究當就有形之姿勢入手、學習久之着熟懂勁。融會慣通。始能入於神化之境。

案周濂溪太極圖說無極而太極。註云。上天之載。無聲無臭。而實造化之樞紐。品彙之根柢也。故曰。無極而太極。非太極之前。復有無極也。此云無極而生。究有語病。

動靜之機、陰陽之母也、　變易物體之位置。或動體進行之方向曰動。保存或維持其固有之位置或方向曰靜。機者朕兆也。如陰符經天發殺機之機。夫動靜無端。陰陽無始。太極者其樞紐機關而已。太極拳當行功時。中心泰然。抱元守一。未常不靜。及其靜也。神明不測。有觸卽發。未常無動。於動時存靜意。於靜中寓動機。一動一靜。互爲其根。合乎自然。此太極拳術之所以妙也

萬物之生也。負陰而抱陽。莫不有太極。有太極斯有兩儀。故太極爲陰陽之母。太極拳着着勢勢。均含一、〇、圓形。其動而陽靜而陰。及剛柔進退等。均與易理無異。故得假借易理以說明之。非強爲附會也

中國舊日學說。諸凡事物均以陰陽喻之。故陰陽無定位。太極拳之喻陰陽亦然。如拳勢之動者爲陽。靜者爲陰。出手爲陽。收手爲陰。進步爲陽。退步爲陰。剛勁爲陽。柔勁爲陰。發勁爲陽。收勁爲陰。粘勁爲陽。走勁爲陰。手足關節之伸爲陽。曲爲陰。分爲陽。合爲陰。開展爲陽。收斂爲陰。身軀之仰爲陽。俯爲陰。升爲陽。降爲陰。凡此所喻。無論遇如何變化。內皆含一、〇、圓形。故動靜不同時。陰陽不同位。而太極無不在焉。

動之則分、靜之則合、動、變動也。動之則分陰分陽。兩儀立焉。靜之則沖漠無朕。而陰陽之理。已悉具其中矣。太極拳術當行功時。其各姿勢。一動一靜相間。其拳術之動者。前後左右上下。均有陰陽虛實可循。故曰動之則分。其靜的姿勢。雖無痕跡可指。然陰陽虛實。已具其中。故曰靜之則合。若作運勁解。則太極之陽變陰合。卽物理、力學、分力、合力、之理、也。太極拳術遇敵欲制我時。則當分截其勁。爲二。使敵力不能直達我身。(背勁)所謂動之則分是也。若將敵粘起用提勁。陽之變也。及起須靜以定之使不得動。或敵勁落空。稍靜卽發。利用合勁。陰之合也。倘敵欲發我。則應中心坦然。審候應機。靜以俟之。微動卽應。所謂後人發先人至是也。

夫道一而已矣。當混沌未判。洪濛未闢。本無動靜。何有陰陽。故以虛無爲本者。無不合道。天地如是。太極如是。太極拳習至極精處、亦如是也。然此指先天而言。指習拳術功深進道者而言。初學之士、驟難語此也。及乾坤既定。兩儀攸分。有陰陽斯有動靜。則言太極者、不能不就有形象者以講求之。太極拳之分合動靜。合乎陰陽。如動勢須求開展。運勁務明虛實。剛則化之、故曰分。柔則守之。故曰合。坤在靜中求動。無爲始而有爲終。必須伏羲、乾則動中求靜。有爲先而無爲了。只要還虛。蓋萬物之理。以虛而受。以靜而成。天地從虛中立極。靜中運機。故混沌開而闔闢之局斯立。百骸固而無極之藏自主。無不從虛靜中來也。重陽子曰。此言大道之原。而功先於虛靜。虛則無所不容。靜則無所不應。由是觀之。習太極拳者。倘以虛靜爲本。則分合變化。自無不如意也。

無過不及、隨曲就伸　過、逾也。不及、未至也。隨、無逆也。就、卽之也。過與不及。皆爲失中。失中則陽亢陰暵。未能有合也。太極拳於曲伸分合等處。運勁過則生頂抗等病。不及則有丟扁等病。欲求不卽不離。則應隨之而曲。就之而伸。隨機應變。毋固毋我。因力於敵。以中爲主。而粘黏連隨。以就之。自無不合。所謂君子而時中也。案初學此拳者。每失之過。迨稍懂勁。則每失之不及。學者宜審愼之。

人剛我柔謂之走、我順人背謂之粘　人者、敵也。剛、指剛強有力而言。柔者、無抵抗也。走者、化也。柔以承之。變化敵力之方向。不爲所制。故曰走。順者、自由便利也。背者、不自由不便利也。粘者、取制敵人之力也。遇敵施剛力時。我惟順應其勢。取而制之。使俯就我之範圍。如以膠着物。故曰粘。太極拳常以小力敵大力。無力御有力。弱勝強。柔制剛。爲其主旨。但以常理言之。小固不可以敵大。弱固不可以勝強、柔固難期以制剛、然云敵之勝之制之者。必有其所以制勝之理在。蓋敵力須加吾身方生效力。苟御制得道。趁其、用、剛、發、動、之、始。審機、應、變。採取、擒、獲。使還、制、其、身。則我。雖。弱。常居。制。人。地。位。敵雖。強。常居。被。制。地。位。難於。自。由。發。展。力雖。巨。奚。益。此老、聃、齒、敝、舌、存、之、說、也。頗合太極拳剛柔之義。然非好學深思之士。未足以語此。

動急則急應、動緩則緩隨、雖變化萬端、而理爲一貫、　此言、己、動、作、之、遲、速。當隨、敵、動、作、遲、速、之、程、度、而、異。但欲、識、敵、之、遲、速、程、度。須先、體、察、敵力、之、動、機。方能、因、應、咸、宜。何謂動機。周濂溪通書有云。動而未形有無之間者曰機。又曰機微故幽。難識如此。設非功深。不易知也。然苟得其機。敵雖變化萬端。由一本而萬殊。而我則執兩用中。扼萬殊使歸一本。審機、應、候。無過、不、及。敵運動甚速。而我應付遲緩。則失之緩。敵勁尚未運到。而我先逆待。或加以催迫。則敵反有機可乘。是謂性急。其弊一也。守一以臨。純任自然。無絲毫之凝滯矣。故曰得其一而萬事畢是也。

由着熟而漸悟懂勁、由懂勁而階及神明、然非用力之久、不能豁然貫通焉、　此言習太極拳者。進功自有一定之程度。而不可躐等躁進也。太極拳之妙全在用勁。此勁字係靈明活潑由功深練出之勁不可僅作力量解然勁爲無形。必附麗於有形之着。始能顯著。言太極拳者。每專恃着於運勁。而輕視用着。以致習者無從捉摸。有望洋興歎之慨。虛度光陰。難期進益。較循序漸進者。反事倍功半。不遵守自然之程序故也。昔孔子講學。常因材授教。故諸門弟子。各得其益。拳術雖屬小技。然執塗人而語以升堂入室之奧。未有能豁然者也。故習此拳者。應先模仿師之姿勢。姿勢正確矣。須求各姿勢互相聯貫之精神。拳路熟習矣。須求各勢着數之用法。着熟矣。其用是否能適當。用均得其當矣。其勁是否不落空。勁不落空。是眞爲着熟。再由推手以求懂勁。研求對手動作之輕重遲速。及勁行之趨向方位。久之自微懂而略懂。進至於無微不覺。無處不懂。方得稱爲懂勁。懂勁後不求用着。而着自合。進至無勁非着。無着非勁。漸至不須用着。祗須用勁。再至不求用勁。而勁自合。洵至以意運勁。以氣代意。精神所觸。莫之能禦。則階及神明矣。是非數十年純功。曷克臻此。

虛領頂勁、虛、一作須。似宜從虛。虛者。對實之稱。實卽窒滯難巧也。頂者、頭頂。亦曰顱門。小兒初生時。此處骨軟未合，常隨呼吸顫動。道家稱爲上丹田泥丸宮。蓋藏神之府也。佛家摩頂受記。道家上田練神。易曰行其庭不見其人。（庭指天庭頭頂也行神氣流行也不見其人虛也）黃庭經云。子欲不死修崑崙。（山名喻頭頂）均示人修養之要訣也。夫人之大腦主思想。小腦主運動。而頭頂實首出庶物。支配神經。爲主宰之樞府。其地位重要如此。宜爲修養家所注重。練太極拳者。向主身心合一。內外兼修。精神與肉體。二者同時鍛鍊。故運勁時。必運智於腦。貫神於頂。務使頂上。圓光虛靈。不昧。所以鍊神也。蓋頭爲全身綱領。綱舉則目張。頭頂懸則週身骨骼正直。筋肉順遂。偶有動作。全身一致。左右前後。無掣肘之處矣。

氣沉丹田、　丹田穴名。道家謂丹田有三。一居頭頂。以藏神。一居中脘、以蓄炁。一居臍下、以藏精。此指下丹田也。（臍下三寸）常用深呼吸使氣歸納於此。自能氣足神旺。黃庭云。呼吸廬外入丹田。審能行之可常存。蓋常人呼吸短促。每至中脘而回（中脘橫膈膜也）不能下達此處。因之循環遲緩。肺力薄弱。不足以排泄腹中炭養。血脈不能紅活。於人之壽命關係至鉅。老子曰。天地之間。其猶橐籥乎。又曰虛其心。實其腹。蓋吐故納新。（吐吐腹中濁氣納吸新鮮空氣也）歸根復命。（根根蒂指下丹田命門精氣也歸復者以意逆志於此也）以心意導精氣於下丹田而施烹煉也。久之自能延年却病。下丹田爲全身重點所在。習拳術者。沉氣於此。則屹然不動。不易撼倒。但沉者徐徐而下。在有意無意之間。非若外家之用力下沉外臟小腹也。倘或不慎。每致腸疝諸症。邇來日本之靜坐家剛田虎二郎。罹糖尿病逝世。議者疑係努力下丹田所致。非無因也。

不偏不倚忽隱忽現　偏偏頗失中也。倚倚賴失正也。隱隱藏。現表現。忽隱忽現者。神明不測也。上指身體姿勢。下指神氣運勁而言。太極虛明中正者也。於姿勢則必中必正。於運勁若有意無意。使神氣意力全身貫澈。無過不及。忽隱忽現。令人不可捉摸。練習純熟。便易領悟。幾何學定理兩點之間祇可作一直線。太極拳上領頂勁。下守重心。週身中正。便無不是處矣。但領守均須含活潑之意。富自然之趣。過于矜持。則神氣凝滯。姿態呆板。運勁不能虛靈。動生障礙矣。故曰忽隱忽現也。

左重則左虛右重則右杳　此仍承上文而言。吾隱現無常。敵以吾力在左。思更加重吾左方之力。使失平衡。吾則虛以待之。令敵力落空。敵揣吾右方有力。可以擒制。吾卽隱而藏之。虛實易位。隨機善應。敵更何所施其技耶。

仰之則彌高俯之則彌深　仰升俯降也。敵欲提吾使上。吾卽因而高之。敵欲押吾使下。吾卽因而降之。敵遂失其重心。反受吾制矣。因仍變遷。潛移默化。運用之妙。在於一心。

進之則愈長、退之則愈促、　進、前進也。長、伸舒也。退、後退也。促、逼迫也。吾前進時。倘敵順領吾勁時。吾則長身以隨之。使無可退避。或敵乘勢前進。吾急引而伸之。使力到盡頭。自不得再逞。吾若退後。敵力逼來。每致迫促無路可逃。然退而急進。雖促不促矣。易云。天行健君子以自強不息。示人遇事當積極進行。不可退縮也。太極拳雖以柔靜爲主。但非務退避。其佯退者。乃以退爲進。非眞退也。若竟退時。倘遇敵隨之深入。則逼迫不自安矣。又敵退後時。吾進而迫之使愈促。吾退後時。敵力跟來吾則或俯身摺疊以促其指腕。或旁按臂彎。使敵促迫不安。而不能再進。全在因勢利導。不必拘泥也。

一羽不能加、一蠅不能落、　羽、翎羽也。加、增之也。落、降也着也。言善太極功者。感覺敏銳。稍觸即知。稍縱卽逝。雖輕如一羽。微如蠅蟲。稍近吾體。亦卽知覺。趨避而不令加着也。夫虛靈不昧之謂神。有知覺。然後能運動。致虛極守靜篤。寂然不動。感而遂通。有不期然而然者。非鍛鍊有素。支體軟靈。富有觸力。未足語此也。

人不知我、我獨知人、英雄所向無敵、蓋皆由此而及也、　虛靜則陰陽相合。覺敏則剛柔互濟。敵偶動作。吾無不知。吾之動作。敵盡難知。拳術家所向無敵。蓋均由此。孫子曰。善戰者無赫赫之功。又曰。知彼知己。百戰不殆。不知彼而知己。一勝一負。人不知我。我能知人。則所向無敵矣。

斯技旁門甚多、泛指他項拳術而言。

雖勢有區別、流派不同。姿勢各異。

概不外乎壯欺弱、慢讓快耳、他種拳術、重力量。尙着法。而不求懂勁。故於機勢妙合運用。靈敏。以靜。制動。諸訣。概不過問。

有力讓無力、手慢讓手快、此皆先天自然之能、謂力大與敏捷二者。均爲天賦的能力。非關學力而有所爲也、非由學而能者。

察四兩撥千斤之句、見搭手歌牽動四兩撥千斤顯非力勝、如秤衡秤物。滑車起重。全賴槓杆斜面等理。太極拳以小力勝大力。以無力制有力。與科學暗合。

觀耄耋能禦衆之形、快何能爲、古稱七十曰耄。八十曰耋。年老之人。舉動遲緩。然古之名將。如廉頗等。雖老尙能勝衆。是必不僅恃手足速快已也。

立如平準、中正安舒。不偏。不倚。脊背三關。自然。得路也。

活似車輪、圓妙莊嚴。靈活、無滯。則周身法輪常轉不已矣。

偏沉則隨、偏指一端也。如吸水機如撤灑器使一端常虛故能引水。如欹器之不堪盈滿。滿則自覆矣。

雙重則滯、有彼我之雙重。有一己之雙重。太極拳以虛靈爲本。單重尙且不可。況雙重乎。

每見數年純功不能運化者、率皆自爲人制、雙重之病未悟耳。古云恃德者昌恃力者亡。易曰。天行健君子以自強不息。蓋言虛則靈靈則動動則變變則化化則無滯耳。善應敵者。常致人而不致於人。而況自爲人所制乎。用功雖純苟不悟雙重之弊猶未學耳。

欲避此病、　雙重之病。

須知陰陽、　陰陽之解甚多前已述之茲不復贅。

粘即是走走卽是粘、　一而二二而一者也。制敵勁時謂之粘。化敵勁時、謂之走。制而化之。化而制之。制即化化卽制也。

陰不離陽陽不離陰、陰陽相濟、方爲懂勁、　知彼已之剛柔虛實則陰陽互爲消長。以虛濟盈。而不失其機。斯眞懂勁。

懂勁後愈練愈精、反襯不懂勁則愈練愈不精也。

默識揣摩、漸至從心所欲、懂勁後能自揣摩。默而識之。有餘師矣。

本是舍己從人、毋意、毋必、毋固、毋我。隨機應便。不拘成見。

多誤舍近求遠、不知機而妄動者。動則得咎。

所謂差之毫釐、謬之千里、區別甚微。人易謬誤。

學者不可不詳辨焉、是爲論。古人云。獲得眞訣好用工。苟不詳爲辨別。則眞妄費工夫矣。

此論係三丰先生入室弟子王君宗岳所作。語簡而賅。要之於太極拳之奥理已闡發無遺。原經甚多。先取此篇加以註釋。臆斷之處。在所難免。閱者諒之。

太極拳運動部位圖

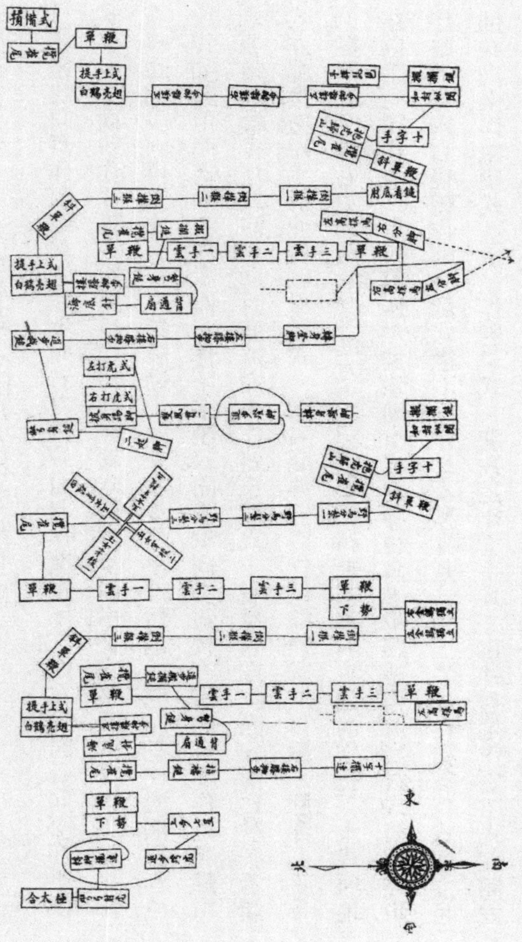

下編

第一章 太極拳路之順序及運動部位圖附說明

自北邊起向西作預備式。進左步向右方轉身、面北作攬雀尾式。開左步、回身向南、作單鞭式。移右步向前、作提手上式。原地作白鶴亮翅式。開左步面南作左摟膝拗步式。上右步、作右摟膝拗步式。再上左步、作左摟膝拗步式。並右步、作手揮琵琶式。開左步、作搬攔鎚式。原地作如封似閉式。向右并步面西作十字手式。開右步向右斜後方轉向東北作抱虎歸山式。原地作攬雀尾式。回身向西南開左步、作斜單鞭式。上右步、收左步面向南作肘底看鎚式。左腿後撤、左手前伸、作倒攆猴式一。撤右腿、伸右手、作倒攆猴式二。再撤左腿、伸左手、作倒攆猴式三。退右步向西北(或進左步向東南)作斜飛式。移右步向前、作提手上式、原地作白鶴亮翅式。開左步面南作左摟膝拗步式。左腿後撤半步屈腿作海底針式。再開左步、作扇通背式。右後轉作鷩身鎚式。撤右步作卸步搬攔鎚式。再上右步作攬雀尾式。開左足、回身向南、作單鞭式。並右足、作雲手式一。開左足、作雲手式二。再并右足、作雲手式三。開左足、作單鞭式。左足後撤半步作左高探馬式。踢右足、作右分脚式。落右足、作右高探馬式。踢左足、作左分脚式。左後轉、作轉身蹬脚式。落左足、作左摟膝拗步式。上右足作右摟膝拗步式。再上左步、作進步栽鎚式。右後轉、作翻身蹵身鎚式。提左腿踢右腿、作二起脚式。落右腿、撤左足、向左方作左打虎式。撤右足、向右方作右打虎式。原地作披身踢脚式。落右足向前作雙風貫耳式。踢左足、作進步蹬脚式。右後轉面向東、落左足、踢右足作轉身蹬脚式。落右足、上左步、作搬攔鎚式。原地作如封似閉式。向右拌步、作十字手式、開右步。向右斜後轉、向東北作抱虎歸山式。原地作攬雀尾式回身開左步、向西南作斜單鞭式。上右步作野馬分鬃式一。上左步作野馬分鬃式二。再上右步、作野馬分鬃式三。上左步向西北作玉女穿梭式一。右後轉向西南作玉女穿梭式二。再上左步向東南作玉女穿梭式三。右後轉向東北作玉女穿梭式四。原地作攬雀尾式。開左足、回身向南作單鞭式。拌右足作雲手式一。開左足作雲手式二。再拌右足作雲手式三。開左足作單鞭式。原地屈腿作下勢式。立身、提右腿作右金鷄獨立式。落右足提左腿作左金鷄獨立式。撤左足作倒攆猴式一。撤右足作倒攆猴式二。撤左足作倒攆猴式三。退右足向西北（或進左足向東南）作斜飛式。移右足向前作提手上式。原地作白鶴亮翅式。開左足面南作左摟膝拗步式。左足後撤半步、屈腿作海底針式。開左足、作扇通背式。右後轉、作鷩身鎚式。進左足作上步搬攔鎚式。原地作攬雀尾式。開左步回身、作單鞭式。幷右足作雲手式一。開左足作雲手式二。幷右足作雲手式三。開左足作單鞭式。左足後撤半步、作左高探馬式。開左步、穿左掌右後轉作十字擺連式。右足落地、作右摟膝拗步式。進左足作摟膝指襠鎚式。上右足作攬雀尾式。開左足、回身作單鞭式。原地屈腿作下勢式。立身上右足、作上步七星式。退右足、收左足、作退步跨虎式。右後轉、上左足、穿左掌、再右後轉、作轉脚擺連式。向右方落右足。作彎弓射虎式。上左足靠攏。雙手下垂、還原預備式。

附太極拳運動部位圖說明

(一)凡練習武術。例在某地方開始練起。即應仍在某地方收勢。今爲易於觀覽起見。特舒展圖面。故起訖不能在於一處。

(二)凡在一處繼續練習數式、不移動地方者。難於疊寫。祇得接近排列。以示在原地練習之意。如是。

（三）凡兩式同在原地而位置略移動者。特參差其位。以表明之。如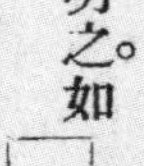是。

（四）凡動步者、則於兩位置間畫一直線。以示前進之意。如是。其斜向移動者、則畫一斜線。但綫之長短與前進之度無關。

（五）凡姿勢之斜正。均以圖位之方向斜正表明之。

（六）每式注字之方法。各按每式所向之方向而定。閱者注意。

（七）凡身體旋轉之式。以ᘓ綫表明之。其半轉身者。則畫ↄ線以表明之。

（八）左右分脚圖之指標線。乃示其足尖所向之方向。

（九）凡畫虛綫位者。乃示下一式當居之位。因該處地勢窄狹。不便引畫。故移畫於下方。

（十）全圖方向。另有指標。與普通所謂上爲北下爲南者不同。

第二章　太極拳各勢圖解

太極拳術以虛無爲本其所鍛鍊神氣二者而已。非如外功拳術之專尙形勢也則曷貴乎姿勢但人之神氣曷所寄寄於肉體由肉體以鍛鍊精神以心意作用運動肢體而俯仰屈伸各如其意使身心二者合一。由開合鼓盪呼吸進退以鍊其氣由體覺筋覺觸覺以敏其神使太極之體用兼備則習太極拳術者於姿勢之講求似亦未可從緩嘗考太極拳之流派有三有以姿勢之多寡命名者如三十七、小九天、等是也有以易象異名者如先天拳後天拳等是也有以運勁行步之方位定名者如十三式是也其姿勢、名目、練習方法、各有不同雖均可採然除十三式外多用單式練習無固定之次序於聯貫教練上未盡相宜當另爲編製今先就十三式拳路各姿勢之原有次序繪圖立說聊備參考云爾

(1)預備式

(釋名)　凡拳路於演習之前必有預備以喚起全身注意若警告其振作精神從事練習且致敬禮於參觀者之意與體操之立正相同太極拳以心意作用、運動筋肉將練習時必須精神專注方克有濟故預備式於太極拳術中尤爲重要

（動作）有一、（一）預備、

（圖解）身體直立。兩手下垂。腕與胯齊。掌心下按。目前視。兩足距離與肩之寬相等。

（注意）教練時。宜體靜神舒。氣沉丹田。精神貫頂。（頭頂）全身須靈動活潑。無絲毫着力處。

預備式圖

（2）攬雀尾式

（釋名）取兩手持雀頭尾、而隨其旋轉上下之意。一名攬切尾。擬敵人之臂爲雀尾、攬之以緩其前進之力、卽乘勢前切以擲之也。二說均可。

（動作）有六、初習時僅分攬切二動作。熟習後則兩手由內向外。復由外向內。其運行路線。爲左右兩圓形。細分之爲提擠搬按掤切六動。（一）開步提手、（二）進步冲擠、

攬雀尾式圖一

(三)坐步擺攬、(四)進身按手、(五)外掛前掤、(六)推切手、

攬雀尾式圖二

(圖解)(一)由前式左足向前踏出一步。足踵着地。同時屈右膝蹲身。左掌自左胯側。由外向內作圈。彎轉前伸而上至腹前。右手下按。指撫左肱。以助其勢。逐漸上提。至胸而止。左足尖隨之下落。至着地時。全身重點。移於左足。(二)進右步。向右方。同時右臂曲肱向外前擠。垂肘。大指約對鼻部。右腿隨同前屈。(三)左腿後坐。兩臂向懷內合。若攬物下擺之意。(四)兩手前按。(五)右手上仰前掛。隱含掤意。(六)兩手旋轉向內。指尖作圈。右手轉至掌心向下。卽向前推切。左手約居右肘彎處。兩手參差。向同一方向前推。

(注意) 練時手尖路線須成一雙環形。腰脊隨之作同一動作。方能靈活。此勢運動身體腹腰肩背各部。

（應用）　搭拗手時。搭外則外掛前推。搭內則內攬採起前推。若搭順手時。則攬其肘外方前推。搭內則向外掛其肘或腕。卽前推。

（3）單鞭式

（釋名）　單者、單手之意。鞭者、如鞭之擊人也。單式練習時。亦可改爲雙手。同時向左右分擊。名雙鞭式。

單鞭式圖

（動作）　有二、（一）垂腕、（二）伸臂放掌、

（圖解）　（一）由前勢右臂不動。手腕下垂。五指微攏作鈎形。右足尖微向左前轉約九十度。（二）屈左臂。左掌循右臂左行。經胸前略作上弧形。向左伸與右臂成一直線。坐左腕。五指分張微屈向上。食指對鼻。肘彎微屈。同時左足略抬。向左前方踏出半步。與足尖作同一方向。兩足成斜平行方形。足尖隨手

落下。作弓箭步椿。使全身重點移於右足。

(注意) 前手向前運勁時。後手須用通臂勁以助之。略含自上下擊之意。而左右二足相隨。務須一致。後肩與前肩水平勿上聳。此勢爲四肢暨背部之運動也。

(應用) 敵以順手進擊時。乘勢引領其臂。使敵身略前傾。即伸掌進擊其胸。用推按勁。或切勁均可。

(4)提手上式

(釋名) 提者、勁名。若提物向上也。一名上提手。

(動作) 有二、(一)合手、(二)上提手、

提手上式圖一

(圖解) (一)由前式右足前進。至兩足距離之中分處。(如以兩足距離爲三角形之底邊線。則右足踵適落其頂角。) 兩臂向懷內抱。右手略前。兩掌心左右相對。(如圖一、)但右臂向內合抱時。其法有二。一、從上而下

向內抱。一、從下而上向內抱。(二)垂右手腕。從左掌內經過向上提。約對鼻準。(如圖二)

提手上式圖二

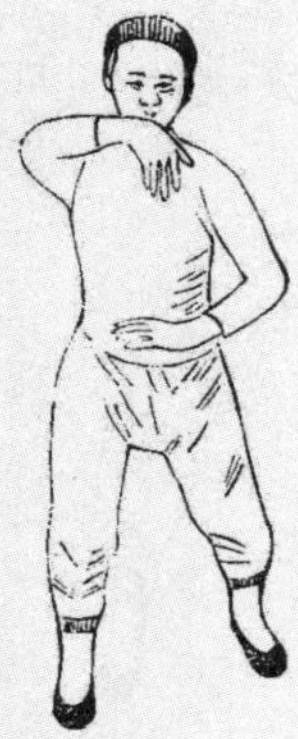

(注意)　練此式時。宜提頂勁。而腰腿隨其伸縮上下。方得機勢。此式練習脊骨之伸縮力。

(應用)　敵用順手迎面直擊時。一法、我由上搭其臂。用腕擠擲之。或下蹲身向上以擲之。一法、用左手下按敵腕。掏出右手。提腕上擊敵之頰鼻等處。

(5)白鶴亮翅式

(釋名)　此式分展兩臂。斜開作鳥翼形。兩手兩足。皆一上一下。一伸一屈。如鶴之展翅故名。華陀五禽經之鳥形。婆羅門導引術第四式之鶴舉。第十二式之鳳凰展翅。閩之鶴拳。均取此意也。習太極拳者。練此勢時。有斜展正展之別。實則一為展翅。(斜)一為亮翅。(正)可連續為之。如圖一為展翅。圖二為亮翅。

(動作)　有二、(一)展臂、(二)雙舉手、

白鶴亮翅式圖一

白鶴亮翅式圖二

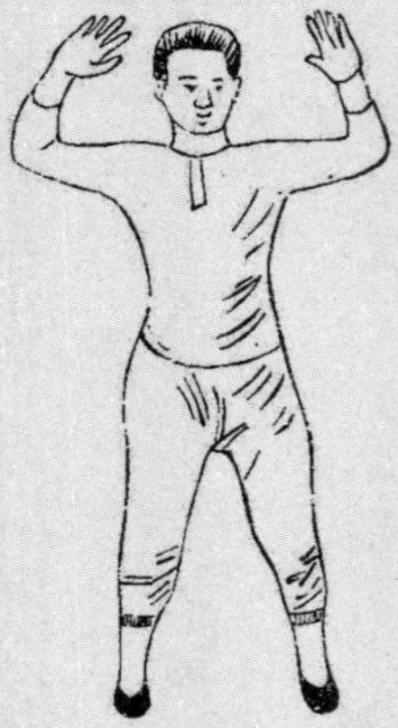

（圖解）（一）分展兩臂。斜開若雁翼形。左掌斜下外摟。身隨之半面向左轉。左足斜出一步。足尖點地。右手經過面前斜上展至腦右方而止。手背向外。掌心相應。兩臂展開時。須速度相同。全身重點寄於右足。（如圖一）

（二）收左足。身體直立。左手曲肘上舉。約與頭齊。或略高。掌心向上。同時右手亦翻轉向前。兩手作同一姿勢。頭與兩臂恰如山字。（如圖二）

（注意）練時須背心用勁。以爲兩臂之樞紐。則開合自然矣。此式爲練習胸部及背部之伸縮力。

（應用）一敵在左側。我用左手由敵腋下穿提上展。右手下撫。則敵必仰倒矣。二爲開纏敵手。

(6) 左右摟膝拗步式

(釋名)　摟膝者、即以手下摟膝蓋之意。拗步者、步名也。拳術家以進左足伸左手、進右足伸右手、謂之順步。反是、如出左足伸右手、出右足伸左手、謂之拗步。

(動作)　有二、(一)原地摟膝、(二)上步摟膝、(三)拗步掌、

摟膝拗步式圖

(圖解)　(一)由前式蹲步。左手不動。右手向外下摟右膝暫停。(二)左足向左方踏出一步。右手順鼻準下落至胸前。順勢向左外摟左膝。至左胯旁暫停。掌心向下。指向前。臂微屈。肘尖向後。此時身左轉向前方。(三)身向左轉時。右手由後下方宛轉上伸。經過右耳之旁。掌心幾與耳相摩。時肩肘手三者成水平線。直向前伸。伸至極處。指尖上翹。掌心吐力。腿爲弓箭步。(如圖)

（注意）練時須蹲身。兩臂動作憑腰力運動。左右手運行路線皆爲橢圓形。此式練習兩臂腰膝之屈伸力。

（應用）敵由下方擊來。即以順手向旁摟開。以拗手前推其胸。

（7）手揮琵琶式

（釋名）兩手相抱。如抱琵琶狀故名。手揮者、兩手搖動如以指撫弦者然。

（動作）有二、（一）抱手、（二）幷步外揉、外運。

手揮琵琶式圖

（圖解）（一）由前摟膝拗步式。身漸撤回。使全身重點。移於右腿。如丁虛步。右手後撤。同時左手順左胯上舉。雙手內抱。兩手參差相對。若抱球狀。兩肘微垂。前手食指約對鼻準。後手當胸。掌心約對前手臂彎處。（如圖）

（二）幷右足至左足後踵。同時雙手作環形

（注意）以手外運時。須用腰脊之力。

（應用）敵握吾右腕時。吾右手向懷內後撤。以揉化其力。遂進右足、以左手按其肩下前推。

（8）進步搬攔鎚式

（釋名）搬攔鎚者、即用手搬開敵人手而攔阻之。復用拳迎擊之稱。南人名拳爲鎚。此爲太極拳五鎚之一。進步搬攔鎚者、與後之退步搬攔鎚、卸步搬攔鎚之對稱也。

（動作）有三、（一）裏搬手、（二）外攔手、（三）前擊鎚、

（圖解）（一）由前式以在前之左手肘臂向內搬。腰身隨之。右手當胸。指尖向上。（二）左足向左前方進半步。左手隨之外攔。約對左耳爲止。肘微屈下垂。肘尖約對左胯。指尖上指。（如圖一）（三）右手握拳內轉。虎口向上。沿左掌向前直擊。（如圖二）（此爲上

進步搬攔鎚式圖一

搬攔鎚式圖二

如封似閉式圖

搬攔。若下搬攔。則由左腕上出拳前擊。

（注意） 練時腰背肩胯須一致。搬攔時須空腋鬆肩。擊拳時須正身用脊力。不可探身向前。因探身則僅用腰力矣。此式運動脊椎。靈活肩胯。

（應用） 敵拳當胸擊來。即以順手向內搬開。敵欲外逃。即攔之。乘機拳擊其胸。

（9）如封似閉式

（釋名） 封閉者、即格攔敵手之意。與岳氏連拳之雙推手形意拳之虎形相同。

（動作） 有三、（一）十字搭手、（二）雙分手、（三）前推手、

（圖解） （一）左手不動。身後坐。右腿微屈。右拳向左畫一平圈形。右腕收回至左腕上

面時。兩手腕成十字交叉。（二）將右拳撤回變拳爲掌。雙手隨卽分開。兩手距離與肩之寬等。（三）雙手內合前推。身隨前傾。重點寄於左足。或抬左足略向前邁亦可。（如圖）

（注意）撤拳時須全身後坐。將拳帶回。不可僅屈臂彎。搭腕卽須分開。分開卽須前推。不可停滯。分手時兩肘微彎。肘尖下垂近肋。切勿旁開。致勁分散。前推時手指前伸。掌心吐力。

（應用）用搬攔錘時。敵若以左手推吾右拳。卽將右拳向內撤回。而以左手從下外方攔其手。復騰出右手向前推之。

（10）十字手式

（釋名）十字手者、兩手腕交叉相搭。狀如十字故名。凡兩式相連轉折不便者。均可加十字手以資銜接。

十字手式圖

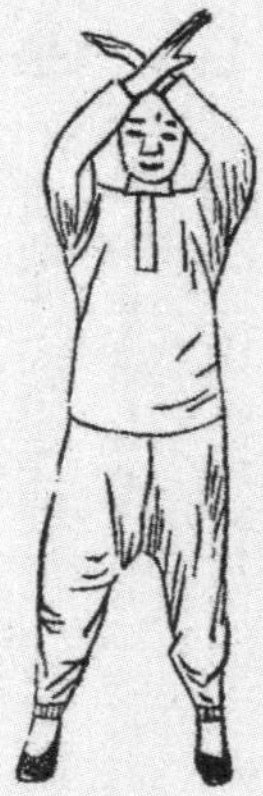

（動作）有一、（一）十字手、

（圖解）由前式左足向右內轉。約九十度。全身隨之右轉。兩足距離與肩之寬等。左手在內。右手在外。同時上舉交叉於頭頂上。兩臂微屈。

（注意）演練此式。須連續下式。不可稍有停頓。

（11）抱虎歸山式

（釋名）抱虎歸山者、擬敵爲虎抱而擲之也。又名抱虎推山。當抱敵時。敵思逃遁。卽乘勢用手前推也。兩說均是。學者於此式多不注意。或有以如封似閉代之者。蓋此式與後式攬雀尾連絡一氣。最易混淆之故。

（動作）有五、（一）原地摟膝、（二）上步摟膝、（三）拗步掌、（四）內抱、（五）前推、

抱虎歸山式圖

（圖解）（一）由前式右手不動。左手下摟左膝。坐身向右斜後方轉。（二）開右步落右手。下摟右膝。（如圖）（三）伸左掌爲右式摟膝拗步式。（四）左手不動。右手向後伸。以肩爲中心。臂爲圓圈之半徑。從下後方翻轉向上。至前方作大圓圈下抱。至手肘與肩平時。

卽坐身雙手隨向後攌作交叉狀。(五)雙手分向前平推。

(注意) 此式須以腰身運動肩背。五動作宜連成一氣。

(應用) 設敵以左手由吾身後右側擊來。卽以右手下摟其臂。以左掌迎面擊之。倘敵左臂乘勢上抬外逃。或左轉隨手擊吾頭部。應卽進身以右肩承接其臂根。圈右臂後抱敵身。設敵思逃遁。應回身以右手外捌其雙手前推其胸。

(12)攬雀尾式 (見前)

(13)斜單鞭式

(釋名) 斜者、指方位而言。前抱虎歸山式。係斜方位。此依前式方向故名斜單鞭式。

(動作) 與單鞭式同。

(圖解) 與單鞭式同。

(注意) 斜方向。

(應用) 與單鞭式同。

(14)肘底看錘式

斜單鞭式圖

（釋名）立肘時、肘之下曰肘底。看者、看守之意。一名肘下鎚。

（動作）有三、（一）移步領手、（二）收步舉手、（三）肘下鎚、

肘底看鎚式圖

（圖解）今作三角形。前式左足在甲點。右足在乙點。（一）左足不動。右足向右方踏出半步。移至乙點。右手隨之。（二）左足向內收半步。由甲點移至甲點。足踵著地。足尖向上。同時左手由外向內作圈。順胯而上至胸前上舉。掌心向內。約與眼平。（三）左腕略外轉上托。右手作拳置左肘下。右腿微屈。成丁虛步。全身重點寄於右足。

肘底看鎚步法圖

（注意）右臂運行之線路。成一半平圈形。左臂在左方畫一斜立圈形。出拳時身須隨之略含向前之意。同時鬆腕聳身。尤須注意三合。（即肩與胯合。肘與膝合。手與

足合。

（應用）此式練習深呼吸。設敵以右手擊來。以左手握敵右肘前領。轉腕上托。而以右手下擊其脅。

（15）倒攆猴式

（釋名）倒攆猴者、因猴遇人即前撲。先以手引之。乘其前撲。一方撤手。一方以手按其頭頂之意。一名倒趕後。即向後倒退。引敵趕來。隨以手乘勢襲擊之意。

（動作）有二、（一）退左步伸掌。（二）退右步伸掌、

倒攆猴式圖

（圖解）（一）由前式右足不動。左足向後退半步。左手順耳邊前伸至極處。五指尖上指。掌心吐力。腕與肩平。同時右手下落至胯旁。與摟膝拗步姿勢同。（二）左足不動。右足向後退半步。右手由後翻轉向上至耳邊。前伸至極處。指尖上指。掌心吐力。腕與肩平。左手下落至胯旁。與摟膝拗步姿勢同。

(注意) 兩腿彎宜微屈。兩足足尖與踵前後宜成直線。兩足分開之寬度。宜與肩齊。須正身軀。懸頭項。提脊骨以運動督脈。(十二神經)此式動作次數。宜取單數或三或五均可。

(應用) 設敵用拳擊或足踢。即以前手下摟以格攔之。復以後手迎擊其面部。

(16) 斜飛式

(釋名) 此式如鳥之斜展兩翼而飛故名。有左右兩式。但練左式。初習者每易斷勁。不如右式之順也。

(動作) 有二、(一)搭腕、(二)斜飛、

(圖解) (一)由前式俟練至右腿在前時。左手在前不動。右手由後方翻轉向前畫一圓圈形。向左腕下落。(二)約將至左腕時。左手從右腕上挽過。使掌心相對。同時退右步復向右後斜方踏出半步。右手斜向右方。左手斜向左方。若鳥張兩翼狀。目注視右手。

斜飛式圖

（注意）須以腰身運動手足。

（應用）此式爲騰手法。如右手與敵左手相搭。即以左腕上挑敵腕。以右手進擊之。

（17）提手上式

（18）白鶴展翅

（19）白鶴亮翅

（20）摟膝拗步

以上四式均見前

（21）海底針式

海底針式圖

（釋名）海底者、人體之穴名、海底針、即手向海底點刺之意。

（動作）有二、（一）提步摟手、（二）海底針刺、

（圖解）（一）左手摟膝同時收左足。足尖點地。（二）右腿下屈。坐身。右臂沿左膝內向下直伸指尖下指。此

時左手或捬右肱。或沿胯後撤均可。

（注意）脊骨務須直立。不得屈曲前傾。手下指時。略含點刺之意。此式練習脊骨及膝之伸縮力。

（應用）敵用右手擊來。卽以左手向旁摟開。以右手還擊敵胸。如敵用左手握吾右腕時。則轉腕向下直指。則吾勁前發。敵必倒矣。

(22)扇通背式

（釋名）扇通背者、擬脊椎骨爲扇軸。兩臂爲扇幅。如扇之分張狀。通背者、使脊背之力。通於兩臂之謂也。

（動作）有二、(一)立身合腕、(二)通背掌、

（圖解）(一)立身兩腕相抱。(二)左足前進一步。左臂向前直伸。右臂彎曲上抬。手背覆額。此時須正身。兩腿成騎馬式。惟左足尖須前向。

（注意）運勁時。左掌心之力與左肋骨相

扇通背式圖

應作向前之勢。同時右臂之力。須通於左手。此式練腿力及肩背力。

(應用) 敵以右手擊來。即以右手反刀敵腕上提。以左掌擊敵脅下。

(23) 彎身鎚式

(釋名) 彎身鎚者、腰部後彎。使身折疊。復用腕進擊之謂。此爲太極拳五鎚之一。

(動作) 有二、(一)肋下交叉手、(二)彎身鎚、

彎身鎚式圖

(圖解) (一)由前式身向右轉。屈左腿。兩手相合下落。兩腕相搭於左肋下。全身重點寄於左足。(二)左手不動。提右足向右後方斜移半步。身隨右轉。右手掌心向上作拳。屈肘彎身。肘浮依右肋。拳由上落下。與肘成水平爲度。左手當胸作掌。指尖向上。食指約對鼻準。目前視。步爲丁八步。

(注意) 轉身時。手腿動作須以腰脊爲樞紐。方能靈活無滯。

(應用) 敵人自身後一手按腕。一手按肘。將擲吾時。卽向後蹲身屈肘。擒制敵臂。乘勢抬步握拳迎擊。

(24)卸步搬攔鎚式

(釋名) 搬攔鎚已說明於前。卸步者、將步向旁挪移。與退步之向後退者不同。

(動作) 有二、(一)裏搬手、(二)前擊鎚、

卸步搬攔鎚式圖一

卸步搬攔鎚式圖二

(圖解) (一)左手內搬。左足不動。右足向右卸半步。右拳隨之由內向外平運。其路線成一圓形。遂轉右腕。虎口向上。(二)右拳前擊。與進步搬攔鎚式同。

（注意）　手腕宜隨步動作。

（應用）　搭手時。敵設用力上抬。卽卸步以緩化敵力。乘勢進擊其胸。

（25）攬雀尾式　（見前）

（26）單鞭式　（見前）

（27）雲手式

（釋名）　雲手者、手之運動如雲之回旋盤繞之意。其左右手運行。與少林拳術之左右攀援手同。此式於太極拳中最爲重要。

（動作）　有三、（一）原地雲手、（二）移步右雲手、（三）移步左雲手、

（圖解）　（一）左手不動。右手下落。自右下方向左畫圓圈形。其運動路綫。右臂圓轉向下經過雙膝。復向上由臍左上升。繞過頭項至右額角停。左手俟右手運行至左肩時。卽下降。掌心向內。自左下方向右上升。畫圓圈形。其運行路綫。左臂向下圈轉。經雙膝。向右上升。至右脅稍停。（如圖一）（二）接上動作。右手下落。仍向左畫圓圈形。繞過頭項至右額角稍停。與原地雲手下降時同。惟左手運行將至右肋時。右足應隨右手向左挪移半步。左手於右

雲手式圖一

雲手式圖二

手向下運行時。卽向上繞頭頂至左額角稍停。(如圖二)(三)左手接上動作下降。繞過雙膝向右上升。至右脅旁。右足向左挪移半步。右手同時繞過頭頂至右額角稍停。左右雲手每手以三次爲度。至末次仍復前單鞭式。

(注意) 雙手運行。速度須等。步須隨身移動。上身不宜搖擺。眼注視在上部運行之左右手。

(應用) 設敵自後襲擊右肩。卽以右手迎之。及觸敵手。卽翻掌發勁擲之。左手亦然。又敵用左手自前面擊來。卽以右手向右運開。乘勢進擊。

(28)左高探馬式

（釋名）高探馬者、身體高聳。向前探出。如乘馬探身向前狀故名。左高探馬。在右分脚前。右高探馬。在左分脚前。

（動作）有二、（一）捋手、（二）撲面掌、

（圖解）（一）收左足。足尖點地。左手外挽下捋。仰手屈肘。置左肋旁。同時右手自右上方下落經過面前。搭於左腕上。成十字手。兩手虎口向上。（二）左手掌心向上。肘向後微撤。右掌心向下。由左掌上面前伸。掌心吐力。食指對鼻準。

左高探馬式圖

（注意）捋手時。足之起落須與手一致。

（應用）設敵以左手進擊吾胸。卽順右手捋敵拗腕。隨手擊之。

（29）右分脚式

（釋名）分脚者、卽用脚向左右分踢之謂。此爲右分脚式。下又有左分脚式。

（動作）有二、（一）撤步搬手、（二）分踢、

右分脚式圖

(圖解)(一)向左後方撤左步。同時雙手後攦或分向外畫一圓圈形。隨向內抱。成十字手式。同時右足收至左足右方。成丁虛步。足尖點地。蓄力待發。(二)兩手分開。手腕與肩成水平。同時右腿向右前方分踢。

(注意)撤步攦手。須手步一致。踢時兩臂水平。後腿微屈。全身重點寄於後腿。

(應用)攦敵之臂。用撲面掌時。如敵順勢用肘或臂上抗。即用下纏手由內分手外擲其臂。乘勢前踢。

右高探馬式圖

(30)右高探馬式

(釋名)見左高探馬式。

(動作)有二、(一)收步合手、(二)撲面掌、

(圖解)(一)右腿收回原地。足尖點地。兩臂由外下落向懷內抱。兩腕相搭作十字手式。

(二)同左高探馬式第二動作。

(注意)　同左高探馬式。

(應用)　同左高探馬式。

(31)左分脚式

(圖解)　已於右分脚式説明手脚之動作與右分脚同。惟左右互易。

左分脚式圖

(32)轉身蹬脚式

(釋名)　轉身蹬脚者、身向後轉。復以足踵前蹬也。

(動作)　有二、(一)轉身、(二)蹬脚、

(圖解)　(一)收左足。足尖點地。右足立地。足尖隨身向左轉。同時兩臂由外下落向懷內抱。兩腕相搭作十字手式。屈右足蹲身。左足尖點地。目左視。(二)身上聳。兩手左右分開。左足同時向左前蹬。足踵用力。

轉身蹬脚式圖

（注意）轉身時。身須直立不可前俯。

（應用）設敵由身後襲擊。卽轉身避過。並乘勢用脚前蹬。兩手隨向左右分開。以防敵之摟腿也。

（33）落步摟膝拗步式

（釋名）落步摟膝拗步者、承前式。左足向前落步。隨以左手摟膝之謂也。餘與前摟膝拗步式同。

（34）進步栽鎚式

（釋名）進步栽鎚者。步向前進。同時將拳由上下擊。如栽植之狀故名。爲太極拳五鎚之一。

（動作）有二、㈠並步摟膝、㈡開步摟膝栽鎚、

（圖解）㈠足進半步。屈左腿。右手下摟至

進步栽鎚式圖

太極拳勢圖解

膝。左手從後下方上舉至耳邊。屈臂向前。掌心內向稍停。(二)進左步左手下落。向前外摟。同時右手作拳。手心向內。向下方斜擊。左手撫右腕以助其勢、左腿前弓。右腿彎微屈。作弓箭步亦可。

(注意)　頭頂不可傾斜。冒過足尖。栽錘須用脊骨力。摟左膝時。左手宜浮靠左膝。

(應用)　設敵以右拳迎擊吾胸。即以左手向外摟開。隨以右手進擊敵面部。倘敵以左手內握吾腕。即覆手作拳前擊其腹。

(35)翻身彎身鎚式(與前彎身鎚式同惟加一翻身動作而方向不同耳)

翻身彎身鎚式圖

(36)二起脚式

(釋名)　二起脚者、左右脚連續起踢也。

(動作)　有二、(一)捋手前踢、(二)落步前踢。

(圖解)　(一)由前翻身彎身鎚式。左手屈肘仰掌收回。貼於左肋。右手前伸。(同撲面掌)左腿前踢。如彈腿式。（二）左足落下。兩手由右上方向左下方下攔。左右甫及地時。右足提起前踢。兩臂前伸。兩掌拍右脚背。

（注意）第二動作之路線宜成圓圈形。

（應用）敵用左拳當胸擊來。即以左手進握其腕。以右手迎撲其面。乘其不意。起左腿踢之。設敵退避或下格吾足時。則復躍起換右腿踢之。

二起脚式圖

左打虎式圖

（37）左右打虎式

（釋名）此式氣象凶猛。狀類打虎。故名。

（動作）有二、（一）左打虎式、（二）右打虎式、

（圖解）（一）由前式左足向左後方斜撤半步。弓膝作左弓箭步樁。身左傾。半面向左。右足

隨之後撤半步。落於前式左足所在地。同時、左臂由腹前、向左後撤至脅下。握拳由外上舉。仰拳（虎口向後）覆左額側。右臂隨同後撤、覆拳橫置左脅下。（虎口貼左脅）（二）右足右移半步弓膝作右弓箭步樁。身右傾。半面向左。同時兩拳下落經小腹前。至右脅下。左臂覆拳橫

右打虎式圖

置右脇下。右拳由外上舉。仰拳覆右額側。

（注意）左右兩式拳之運行路線。宜成左右兩圓形。其交叉綫。在大腹之前。

（應用）敵以雙手握吾之臂。卽將臂後撤上轉。復用他手由脇下穿。替出所握之臂。迎頭擊之。

（38）披身踢脚式

（釋名）披身踢脚者、身後傾作斜披勢。起脚前踢也。

（動作）有三、（一）披身搬手、（二）十字手、（三）分手前踢、

披身踢脚式圖

（圖解）（一）由前左足向左方斜後撤半步。身向左後坐。同時兩手作掌。由右向左運行半圈。左手置胸左側。右手置胸前。食指約對鼻準。（二）撤右脚至左足右側。足尖點地。左腿下蹲。同時撤右手搭左腕下。左手稍向前伸。兩掌向胸作十字手。（三）兩手分向前後展開。同時起右脚前踢。

（注意）披身、須以腰爲樞紐。運動雙臂。起脚前蹬時。左腿宜微屈。使重心寄於左足。

（應用）敵以左手當胸擊來。即披身用手擱敵之臂。復以右手向外挑擊。同時起右脚踢敵胸脇。

（39）雙風貫耳式

（釋名）此式以兩拳從側方貫擊兩耳。敏捷如風。故名。

（動作）有二、（一）落步鎖手、（二）分手雙貫、

雙風貫耳式圖

（圖解）（一）由前式右足向前落下。約離後足一步。膝前弓。同時兩臂由外方向內平運。至膝前。雙腕交义。（左腕在上虎口向上）（二）身後撤。腿後坐。雙手（掌心向上）向左右分開。至胯側作拳。由內而外。向前上方運行。至與肩成水平時。兩拳相遇約離四五寸。此時覆拳垂肘。兩臂水平。雙臂內彎成楕圓形。

（注意）雙臂進退須與兩腿一致。活潑無滯。

（應用）敵以拳當胸擊來。即以雙手分格。乘勢進擊敵之雙耳。

（40）進步蹬脚式

（釋名）此式先向前進步。次起脚前踢。故名。

（動作）有二、（一）進步合手、（二）分手蹬脚、

進步蹬脚式圖

（圖解）（一）由前式右腿伸展。左足趁勢向前進步。落步於右足前。蹲身。足尖點地。（身卽隨右足尖向右轉九十度）兩手作掌。（二）右腿伸展。身起立。左腿同時上提前蹬。兩手隨同向左右分展。

（注意）蹬脚時、須足踵吐力。右腿宜微屈。使全身重點集于右足。

（應用）設以左手擊敵。敵以右手自下托吾肘時。應卽蹲身向外下纏敵臂兩手。起左足前蹬敵脇。

（41）轉身蹬脚式

（42）上步搬攔鎚式

（43）如封似閉式

（44）十字手式

（45）抱虎歸山式

（46）斜單鞭式

以上六式均見前

（47）野馬分鬃式

（釋名）此式運動狀態。如野馬奔馳。兩手分展、如馬之頭鬃左右分披。故名。

（動作）有二、（一）擰身合手、（二）上步分手、

野馬分鬃式圖一

（圖解）（一）由前斜鞭式。兩足尖向右方移轉約九十度。身隨之向右轉。屈身。雙手內抱作十字手。（二）右足前進半步。膝前弓。全身重點寄於右足。同時右手向右前方。左手向左後方分展。遙遙相對。若鴈之展翼。此爲右式。左式動作同右式。惟肢體左右互易。按拳路練習言之。

本式動作。宜取奇數。如右式二次。左式一次。但第一次動作。只前進半步。餘均前進一步。

野馬分鬃式圖二

玉女穿梭式圖一

（注意） 兩臂分合。務須腰胯一致。全身動作須舒展活潑。

（應用） 敵直擊吾胸。卽以拗手進按敵腕。隨進順步至敵腿後彎。伸順臂自敵腋下斜上挑擊。

（48）玉女穿梭式

（釋名） 此式先前進。次後轉。再後轉。週行四隅。連續不絕。如織錦穿梭狀。故名。

（動作） 有二、（一）擰身合手、（二）曲肱探掌、

（圖解） 此式在拳路中向四隅運動。共分四次。每次動作有二。身有轉身回身之別。一三兩次爲回身。二四兩次爲轉身。每次所對方向。

玉女穿梭式圖二

玉女穿梭式圖三

有一定順序。如自南而北演習。則先西北。次西南。次東南。次東北。（第一次運動）（一）如野馬分鬃式第一動。（二）左足向左前方踏出一步。膝前弓。身前傾。右手自左腋下向前探出。掌心吐力。（第二次運動）（一）合手回抱胸前。作十字手。身向右後轉。（二）向右斜方踏出一步。手之動作、如第一次運動。惟左右互易。（第三次運動）左足向左橫踏一步。手之動作、如第一次運動。（第四次運動）身向右後轉。手之動作、如前第二次運動。

（注意）轉身時。須腰步相隨一致。運動方向雖斜。而身體姿勢仍宜中正毋欹。

（應用）敵以拗手從後方側面擊來。即回

玉女穿梭式圖四　　下勢圖

身以拗手傍纏敵腕。隨進順步。以順臂上棚敵臂。伸拗手擊敵胸腋。

(49)單鞭式

(50)雲手式

以上二式均見前。

(51)下勢式

(釋名)　下勢者、身體下降之意。故名。

(動作)　有二、(一)坐身收手、(二)立身伸臂、

(圖解)　(一)由單鞭式屈右腿下蹲。伸左腿伏地。(名半步叉椿步)坐身於後足。後臂不動。(亦有彎屈與前手相抱作琵琶式者)、前臂屈肘後撤。至右胯彎。(腿膪)伸掌前指。又前臂後撤時。身手路

線成上半圓形。(二)弓前腿。後腿伸開。身因之起立。左臂隨由上方前伸。運動路線作下半圓形。與第一動合成正圓形。(還原單鞭式)

(注意)　蹲身時。脊骨須直立。不可前傾。膝臂屈伸與身之起落。務須一致。

(應用)　敵以雙手握吾臂。或前撲吾身。不能抵抗時。則用此式坐身揉避。變化敵力。令其落空。即乘勢前擊。

(52)左右金雞獨立式

(釋名)　此式一足立地。一足提起。手臂上揚。作展翅勢。狀若金鷄。故名。

(動作)　有二、(一)前進提腿擊掌、(二)退步提腿擊掌、

金雞獨立式圖一

(圖解)　(一)由前下式。右手由後向前旋轉上舉。至胸前。經過面部。至頭頂時。掌心翻轉向外。圈右臂成半圓形。置右額側。同時右腿屈膝上提。至膝蓋與右肘相接爲度。左腿直立。左臂下垂。掌心向內。指尖指右足左側。(二)右足下

金雞獨立式圖二

落。左手左足上提如第一動作。右臂下垂。指尖指左足右側。

（注意）此式運動樞紐在腰頂。全身重點寄於一足。務使穩如山嶽。不可動搖。手足起落。尤須一致。

（應用）設以拳掌進擊敵胸。敵以手格攔。應即以手向上挑開敵手。以後腿之膝衝敵小腹。並以前手同時進擊。

（53）倒攆猴式

（54）斜飛式

（55）提手上式

（56）白鶴亮翅式

（57）摟膝拗步式

(58)海底針式
(59)扇通背式
(60)上步搬攔鎚式
(61)上步攬雀尾式
(62)單鞭式
(63)雲手式
(64)高探馬式
以上各勢均見前
(65)十字擺連腿式

(釋名)　拳術名詞以伸順拳踢拗腿爲十字腿(如彈腿之第二路是)旁踢爲擺連腿。此式兼具故名。

(動作)　有四、(一)穿手、(二)撲面掌、(三)轉身舉掌、(四)擺踢、

十字擺連式圖

（圖解）（一）由高探馬式。左足前進半步。左手仰掌。由右手腕上面穿出。右手掌心向下。同時隨右臂抽回。屈肱置左腋下。（二）左掌內運下合。掌心向前吐力。（三）坐左腿。向右後方轉身。略舒右腿。如丁虛步。左臂由頭左上舉。圈置頭上。掌心向前。（四）右足由左向右擺踢。同時左掌由右向左拍右足面。左臂下垂。掌心向下。

（注意）轉身後。須以全身重點寄於左足。方可將右足提起。右足運動路綫。宜爲正圓形。

（應用）敵由後襲擊。即轉身以手格攔。乘勢以足側踢之。

（66）摟膝指襠鎚式

（釋名）此式於摟膝後。乘勢用拳進擊敵襠。故名。此爲太極拳五鎚之一。

（動作）有三、（一）落步摟膝、（二）進步摟膝、（三）指襠鎚、

摟膝指襠鎚式圖

（圖解）（一）由前十字擺連腿。右足落地。右手摟右膝蓋。作右摟膝抝步。（二）左足前進一步。右手摟左膝蓋。（三）探身弓前膝。右手握拳。（虎口向上）前伸斜下指。左手置左膝旁。或撫右臂助勢。均可。

（注意）　拳前擊時。力須由背脊發出。右肩須探出。右足宜直伸。

（應用）　敵以左右手足連擊下部。應以左右手格攔。乘勢進擊敵之下部。

（67）上步攬雀尾式

（68）單鞭式

（69）下勢式

以上各式均見前

（70）上步七星式及退步跨虎式

（釋名） 拳術家以兩臂相挽、兩拳斜對、名七星式。兩臂分張。兩手分作鉤掌。雙腿蹲屈。一足立地。一足提起。足尖點地。名跨虎式。此兩式有聯合練習之必要。故合之。

（動作） 有二、（一）上步七星、（二）退步跨虎、

（圖解） （一）由下勢左膝前弓。右足前進。貼左足踵。足尖點地。左手握拳當胸。右手由後向前握拳隨右足前進。經過右胯旁。由左腕下前擊。與左腕交叉作十字手式。（二）右足退後半步屈膝下蹲。左足收回至右足側。足尖點地。成丁虛步。雙臂相挽內抱。右手從左臂內掏出。向右側伸展。掌心前向。同時左手作鉤。向左下方斜摟。左膝上升。五指作猴拳。指尖後指。兩臂宜平。

（注意） 七星式。全身重點在左足。胯虎式

七星式圖

退步跨虎式圖

全身重點在右足。

（應用）（一）上步七星式。設敵以拳當胸擊來。應以左臂上架。或外攔。隨進右足。以右手從左手下擊敵胸部。（二）退步胯虎式。用前式時。設敵以手下壓。或外摟。及前踢。即以左手下摟敵手或足。抽出右手。推敵胸肩。

（71）轉身擺連式

（釋名）轉身、動作名。轉身擺連者、轉身蓄勢。藉起擺連腿也。（擺連腿解釋見前）

（動作）有二、（一）轉身合手、（二）擺連腿、

轉身擺連式圖

（圖解）（一）由前胯虎式。右後轉身。上左步。雙手內合。當胸作十字手形。（二）起右足。由左向右擺踢。雙臂前伸。雙手自右向左拍右足背。收置腰左右。此時右足落地。足尖點地近左足側。

（注意）上左足時。宜足尖內向。以便迴轉。

（應用） 敵自左側擊來。卽閃身上左足以避之。誘敵追襲。乃轉身起右足。從旁踢敵脇部。

（72）彎弓射虎式

（釋名） 此式取人在馬上彎弓下射之意。故名。

（動作） 有二、（一）開步曲肱、（二）舒臂前伸、

（圖解） （一）由前式右足向右前方踏出一步。身右前傾。屈雙臂作拳內抱。由左腰際過臍前。向右運行至右腰旁。雙臂上舉。右臂肩肘相平。覆拳。（虎口向下）近右腮。指左前方。勢如持箭。左臂屈肘近脇。舉手當胸。雙目前視。勢如握弓。（二）拳向左下方略爲旋轉。右上左下相對。兩臂伸舒。

彎弓射虎式圖

（注意） 雙拳前擊時。須隱含螺旋之意。

（應用）敵從右搭吾右臂下按。即隨其動作半圓形。以揉化其力。乘其力懈。而前擊之。

（73）合太極

（釋名）此爲太極拳路練畢還原之意。故名。還原之法。人各不一。有加以攬雀尾、撲面掌等數式方還原者。有再作一搬攔錘、如封似閉、二式者。均爲原路所無。茲不贅述。

（動作）有二、（一）並步合手、（二）還原立正、

（圖解）（一）由射虎式上左步並於右足。轉身向右。交手當胸。（二）雙手放下。還原立正式。

合太極

第三章　論太極拳推手術

推手、或曰搭手、一曰靠手、各派拳術家多有之。以練習近身用着之法者也。太極拳術以懂勁爲拳中要訣、而懂勁以使皮膚富感覺力爲初步。此感覺力練習之法、在二人肘、腕、掌、指、互搭。推盪往來。以研磨皮膚。由皮膚壓迫溫涼之覺度。以察知敵勁之輕、重、虛、實、及經過、方位。久之感覺靈敏。黏走互助。微動即知。斯爲懂勁矣。太極拳經曰。『懂勁後愈練愈精、』習太極拳者。不習推手。等於未習。習推手而未能懂勁。則運用毫無是處。嗚呼。升階有級。入室知門。學者於推手術。曷注意焉。

推手術。有單搭手式、雙搭手式之別。(見後)單搭者。隻手單推。雙搭者。雙手並用。此均指搭外而言。(以胸懷爲內、外指臂之外部也。)又有所謂開合手者。則一方兩手均在內。一方均在外。互換爲之。往復雙推也。單推手。研手門、及閩省拳靠手、五行手、(其手分金、木、水、火、土。五者互相生尅運化)多用之。余幼從劉師敬遠先生習單推手術。稍有心得。嘗取太極拳各姿勢。參酌各家。一一爲之規定練習方法。編成推手術。以輔原來四正、四隅、各方法之不足。暇當另爲編製。以享讀者。茲僅擇堪爲太極正隅各手之初步者。略爲述及。取便學者云爾。

第四章　推手術八法釋名

掤、捧也上承之意、膨也。如蓄氣於皮球中。用力按之則此按彼起膨滿不已。令力不得下落也。（詩鄭風）抑釋掤忌杜預云箭筩也。又通作冰。（左傳昭二十五年）執冰而踞。（註）箭筩蓋可以取飲又以手復矢亦曰掤。太極功搭手訣內逆敵之勢承而向上使敵力不得降者皆謂之掤。

攦、讀作呂字典中無此字疑係攄之訛舒也。（班固答賓戲）獨攄意乎宇宙之外。又布也。（司馬相如封禪書）攄之無窮。又散也。（楊雄河東賦）奮六經以攄頌。又猶騰也。（張衡思玄賦）八乘攄而超驤。太極功搭手時。凡敵掤擠我時。用攄字訣以舒散其力使敵力騰散而不得復聚者皆是。

擠、（說文）排也推也以手向外擠物前進也。（左傳）小人老而無知擠於溝壑矣。（史記項羽本紀）漢軍卻為楚軍擠。（莊子人間世）其君因其修以擠之。凡以手或肩背擠住敵身。使不得動。從而推擲之皆擠也。

按、（說文）下也、（廣韻）抑也、（梁簡文帝箏賦）陸離抑按。磊落縱橫（爾雅釋詁）止也。（史記周本紀）王按兵毋出。（詩大雅）以按徂旅。釋遏止也。（前漢高帝紀）吏民皆按堵如故。（註）按次第墻堵不遷動也。又據也。（史記白起傳）趙軍長平以按據上黨民。又撫也。（史記平原君傳）毛遂按劍歷階而上是也。又按摩也。古有按摩導引之術。（前漢藝文志）黃帝伯岐著按摩十卷。蓋太極拳術。遇敵擠進時。用手下按。遏抑以制止之。使不得逞。謂之按。

採、採取也。（晉書）山有猛虎。藜藿爲之不採。又擇而取之曰採。太極拳以採制敵之動力爲採。如靜坐家抑取身內之動氣。爲採取也。陰符經曰。天發殺機。悟此則思過矣。

挒、捩也。拗也。（韓愈文）捩手復羹。又紾也。轉移之意。太極拳以轉移其力。還制其身。謂之挒。又挒去之意。

肘、臂中部彎曲處之骨尖曰肘。拳術家以此處擊人爲肘。蓋動詞也。太極拳用肘之法甚多。本書僅就推手時便於應用者略述及之。

靠、倚也。依也。依附於他物也。太極拳近身時。以肩胯擊人曰靠。有肩靠胯打之稱。

第五章 太極拳應用推手

第一節　太極拳之樁步

太極拳術之樁步。多用川字式者。由立正姿勢。左足向左前方踏出一步。兩足尖方向均向前。其左右距離。以肩爲度。身下蹲。兩膝微屈。使全身重點。寄於後足。若丁虛步然。惟前足尖上翹。或平置於地。微不同耳。上體宜立。腰空。胸氣注小腹。頭正直。頂虛懸。尾閭中正。精神貫頂。脊背弓形。兩臂略彎。向前平舉。手掌前伸坐腕。指尖微屈分張向上。前手食指約對鼻準。後手約居胸前。掌心參差遙對。若抱物然。削肩而垂肘。其肩肘腕與胯膝脚三者相合。全身宜靈活無滯。各逞自然狀態。(右式同此)斯爲善耳。

第二節　單搭手法

兩人相對立。各右足向前踏出一步。右手自右脇傍作圓運動。向前伸舉。如前之樁步姿勢。兩手腕背相貼。交叉作勢。是爲單搭手式。

第三節　雙搭手法

此式如單搭手式之作法。惟以在後之拗手前出。各以掌心拊相手(即對面之人)之臂彎處。四臂相搭。共成一正圓形。以兩腕相搭處爲圜心。兩人懷抱中所占據之部分。各得此圜之半。儼如雙魚形太極圖之兩儀焉。是爲雙搭手式。

第四節　單手平圓推揉法

兩人對立作右單搭手式（一）甲右手手掌下按乙右腕。向乙胸前推。乙屈右肱。手向己懷後撤。平運退揉。作半圓形。手腕經左肩下向右運行。至胸骨前。（二）乙身向後坐。肘下垂。覆手貼於脇傍。手腕外張。脫離甲手之腕。還按甲腕。（三）乙手再向甲胸前推。如（一）之動作。（四）甲手退揉。如（二）之動作。亦成半圓形。往復推揉。俟熟習後再習他式。此爲推手法基本動作。左搭手式與右搭手式動作相同。惟左右互易耳。

第五節　攦按推手法

兩人對立作雙搭手右式、（一）甲右手手掌下按乙右腕。左手按乙之右肘。向乙胸分推作按式。（二）乙屈右肱。手向懷內後撤。平運退揉。左手捎甲之右肘後。右手腕經左肩下向右運行。左手隨之。向右下方屈肱作攦。雙肘下垂。（三）乙雙手按甲之肘腕。向甲前胸推作按式。如（一）之動作。（四）甲雙手退攦。如（二）之動作。

第六節　單手立圓推手法

兩人對立作右單搭手式。(一)甲以右手掌緣。下切乙腕。(乙隨甲之切)指尖向乙腹部前指。(二)乙屈肱隨甲之切勁。由下退揉畫。立半圓形。經右脇傍上提。至右耳側。(三)乙右手接前之動作。作上半圓形。伸臂前指甲額。(四)甲身向後坐屈右肱。手貼乙腕。隨其動作。向身側下領。至脇傍作前推勢。

附注、此式可練習太極拳中倒攆猴。及下勢二姿勢。如甲動作卽做倒攆猴勢。乙卽做下勢之動作也。

第七節　攌擠推手法

兩人對立。作右雙搭手式。(一)甲坐身立左肘。向後斜攌乙右臂。(二)乙趁勢下伸右臂。進身向甲拊肘手之接觸點前靠。並以左手拊內臑內外擠之。(三)甲俯身向前以緩乙力。幷橫左手以尺骨、或腕骨、搭乙之上膊骨中間處。使乙臂貼身。幷以右手由肱內拊其接觸點。前擠之。(四)乙揉身向內走化甲力。坐身立左肘向後斜攌甲之右臂。如(一)甲之動作。(五)甲如(二)乙之動作。(六)如(三)甲之動作。

第八節　單壓推手法

兩人對立作右單搭手式。(一)甲右手貼乙右腕。向外平運。隨卽抽撤。翻手下壓乙腕。仰掌屈肱。以肘近脇。(肘彎宜成鈍角)(二)甲因前動作。仰手壓乙腕。伸臂向乙腹前插。(三)乙隨甲前進之力。覆手平運屈肱退後。隨之。俟甲指將插至腹前時。吸身垂肘。翻手下壓甲腕。如(一)甲之動作。(四)乙伸臂前插甲腹。如(二)甲之動作。左式同此。

第九節　壓腕按肘推手法

兩人對立。作右雙搭手式。(一)(二)甲壓乙腕前插如前。惟以左手掌指下按乙肘助力。(三)(四)乙退後覆腕抽撤時。左手掌心向上仰捧乙肘。爲不同耳。

第十節　四正推手法

四正推手者。卽兩人推手時。用攦、擠、按、掤、四法。向四正方周而復始作互相推手之運動也。作此法時。兩人對立。作雙搭手右式。(一)甲屈膝後坐屈兩臂肘尖下垂。(作琵琶式)兩手分攬乙之右臂腕肘處。向懷內斜下方攦。(二)乙趁勢平屈右肱。成九十度角形。向甲胸前前擠。搭其雙腕。並以左手移撫肱內。以助其勢。(三)甲當乙擠肘時。腰微左轉。雙手趁勢下按乙左臂。(四)乙卽以左臂擠推。分作弧綫。向上運行。掤化甲之按力。同時右臂亦自下纏。

上托甲之左肘。以助其勢。（五）乙掤化甲之按力後。卽趁勢攦甲之左臂。（六）甲隨乙之攦勁前擠。（七）乙隨甲之擠勁下按。（八）甲卽掤化乙之按力後攦。自此周而復始。運轉不已。是謂四正推手法。

第十一節　四隅推手法

四隅推手者。一名大攦。卽兩人推手時。用肘、靠、採、挒、四法。向四斜方周而復始作互相推手之運動。以濟四正之所窮也。作此法時。兩人南北對立。作雙搭手右式。（一）甲右足向西北斜邁一步。作騎馬式。或丁八步。右臂平屈。右手撫乙之右腕。左臂屈肘。用下膊骨中處。向西北斜攦乙之右臂。（二）乙卽趁勢左足向左前方橫出一步。移右足向甲襠中。插襠前邁一步。同時右臂伸舒向下。肩隨甲之攦勁。向甲胸部前靠。左手撫右肱內輔助之。此時甲、乙仍相對立。乙面視東北方。（三）甲以左手下按乙之左腕。右手按乙之左肘尖下採。同時左足由乙之右足外。移至乙之襠中。（四）乙隨甲之採勁。左腿向西南方後撤作騎馬式。左臂平屈。左手撫甲之左腕。右臂屈肘用下膊骨中處。向西南方斜攦甲之左臂。（五）甲趁勢右足前出一步。移左足向乙襠中。插襠前邁一步。同時左臂伸舒向下。肩隨乙之攦勁。向乙胸部前靠。右手撫左肱內以輔助之。此時甲乙仍相對立。甲面視東南方。(六)甲左臂欲上挑。乙卽隨甲之挑勁。左手作掌向甲面部撲擊。右手按甲之左肩斜向下捌。(七)甲隨乙之捌勁。撤左足向東北方邁。左手撫乙之左腕。右臂屈肘向東北斜攦乙之左臂。(八)乙趁勢上右步。移左足。向甲襠中前邁。左臂隨甲之攦勁。用肩向甲胸部前靠。右手輔之。面視西北方。(九)甲以右手下按乙之右腕。左手按乙之右肘尖下採。同時右足由乙左足外。移至乙之襠中。(十)乙隨甲之採勁。撤右足向東南方邁。右手撫甲之右腕。左臂屈肘向東南斜攦甲之右臂。(十一)甲趁勢上左步。移右足。向乙襠中前邁。右臂隨乙之攦勁。用肩向乙胸部前靠。左手輔之。面視西南方。(十二)甲右臂欲上挑。乙卽隨甲之挑勁。右手作掌。向甲面部撲擊。左手按甲之右肩斜向下捌。甲退右腿。雙手攦乙之右臂腕肘處。還右雙搭手式。此爲一度。可繼續爲之。是謂四隅推手法。

跋

中國拳術發源於戰國時代。歷漢魏唐宋。世有傳人。然皆口傳心授、隱秘其法、不以著書傳。世稱漢志所載手搏劍道。其書久佚。至明代戚南塘紀效新書。茅元儀武備志。始載劍經、拳勢、棍法、槍論。或詳或略。然後人講武術者。莫能出其範圍。至黃百家宗內家以論拳。吳殳錄手臂以言槍。則詳而精矣。前清時傳習拳棒有禁。故私家授受。絕少刻本。其所傳皆以淺俗歌訣記之。不能詳言其理法。蓋傳習者。多非文人。勢使然也。庚申孟夏。遇許禹生先生於塗。約余至其所立體育學校觀馬子貞新武術隊演技。余以誤時。未得縱目。嗣後時與許君過從。因得觀許君所著太極拳經註及圖解二書。余於是始悉立校顛末。及注重太極拳之深識。余固素知許君精於技擊者。而不期其學深邃如是之極也。太極拳即世所稱內家拳法。與少林分爲二派者也。內家之學。名冠海內。然習之者。多不盡其術。且相傳秘其要法。後學更無從問津。此書出而慕內家者得有塗轍。眞空前絕後之作也。然吾聞之學業技能。均無止境。深冀許君由圖解之蟲迹。研經註之精理。使內家與少林並稱於世之所以然。筆之於書。以津逮後學。較之固守一先生之說。姝姝自悅。以爲盡內家之能事者。其度量廣狹何如

哉。余與許君累世交誼。不敢貢譽。故以質道之言。書爲跋語。仲瀾氏瑞沅謹跋

中華民國十年十二月初版
中華民國十四年五月再版

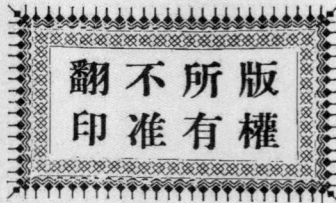

太極拳勢圖解一册
定價大洋六角

著作者　古燕許龗厚

發行者　體育研究社　北京西單牌樓　北西斜街五號

印刷者　京華印書局　北京虎坊橋　電話南局一三八　六九一

辛酉七月

太極拳勢圖解

傅增湘

[illegible]

（封面）辛酉七月[①]

太极拳势图解[②]

傅增湘

注释

① 辛酉七月：即1921年7月。

② 许禹生著《太极拳势图解》，封面由傅增湘题写。傅增湘曾担任北洋政府教育总长，傅支持许北京体育研究社的多次提案：支持中国“旧有体育”（武术）进学校；支持创办“北平体育讲习所”，培养武术师资人才；拨款支持武术研究刊物《体育季刊》兴武术研究之风。从封面题写可见，民国初期，中国武术重整旗鼓，以及许禹生推广武术的活动，都得到教育界精英的赞许、支持。

新中国成立后，翻印《太极拳势图解》时，北中本、山科本都删去了傅题写的封面，这次校注本恢复历史原貌。

知柔知刚
万夫之望

傅增湘[1]题

注 释

① 傅增湘：1872—1949 年，四川泸州江安人（今属宜宾）。字沅叔，别署双鉴楼主人、藏园居士、藏园老人、清泉逸叟、长春室主人等。

傅增湘工书，善文，精鉴赏，富收藏。以藏书为大宗，一生藏宋金刻本一百五十余种，四千六百余卷；元刻本善本数十种，三千七百余卷；明清精刻本、抄本、校本更多，总数达二十万卷以上，是晚清以来继陆心源皕宋楼、丁丙八千卷楼、杨氏海源阁、瞿氏铁琴铜剑楼之后的又一大家。他无论是在藏书、校书方面，还是目录学、版本学方面，堪称一代宗主。著有《藏园瞥目》《藏园东游别录》《双鉴楼杂咏》等。

傅增湘先生的书法以楷书和行书为主。楷书兼容欧、柳，晚年又间魏碑笔意，字迹端庄典雅。行书以二王为基础，融唐碑笔意，于俊秀中添加了豪气，在转折处颇见楷书功底。傅增湘为许禹生《太极拳势图解》题写的书名和题词“知柔知刚，万夫之望”，即是书法佳品。

题词

教育三纲，体育特重。康强其身，智德可用。鸿范[1]曰弱，六疾是统。《小雅》[2]所讥，无拳无勇。五禽体戏[3]，华佗遵奉。陶侃[4]文士，百甓[5]日拥。古义不匮，新知尤众。手此一编，病夫无恐。

蔡元培[6]

注 释

① 鸿范：谓治理天下的大法。《史记·宋微子世家》："在昔鲧陻鸿水，汩陈其五行，帝乃震怒，不从鸿范九等，常伦所斁。鲧则殛死，禹乃嗣兴。"裴骃集解引郑玄曰："天以鲧如是，乃震动其威怒，不与天道大法九类，言王所问所由败也。"

②《小雅》：诗经的一部分，为先秦时代华夏族诗歌，共有七十四篇，创作于西周初年至末年，以西周末年厉、宣、幽王时期为多。《小雅》中一部分诗歌与《国风》类似，其中最突出的，是关于战争和劳役的作品。《诗经》是中国文学史上第一部诗歌总集。

③ 五禽体戏：五禽戏，是由东汉末年著名医学家华佗根据中医原理，模仿虎、鹿、熊、猿、鸟五种动物的动作和神态编创的一套导引术。“禽”指禽兽，古代泛指动物；“戏”在古代是指歌舞杂技之类的活动，在此指特殊的运动方式。2011 年 5 月 23 日，华佗五禽戏经国务院批准列入第三批国家级非物质文化遗产名录。

④ 陶侃：陶侃（259—334 年），字士行（一作士衡）。本为鄱阳郡枭阳县（今江西都昌）人，后徙居庐江浔阳（今江西九江西）。东晋时期名将。

⑤ 百甓：出自典故“陶侃运甓”，用来形容不安于悠闲的生活，励志勤力，磨炼自己。见《晋书》卷六十六《陶侃列传》。

⑥ 蔡元培：1868—1940 年，字鹤卿，又字仲申、民友、孑民，乳名阿培，并曾化名蔡振、周子余，汉族，浙江绍兴山阴县（今浙江绍兴）人，原籍浙江诸暨。中华民国首任教育总长，1916—1927 年任北京大学校长，革新北大开学术与自由之风；1920—1930 年，蔡元培同时兼任中法大学校长。他早年参加反清朝帝制的斗争，民国初年主持制定了中国近代高等教育的第一个法令——《大学令》。

北伐时期，国民政府定都南京后，他主持教育行政委员会、筹设中华民国大学院及中央研究院，主导教育及学术体制改革。1928—1940 年专任中央研究院院长，贯彻对学术研究的主张。蔡元培数度赴德国和法国留学、考察，研究哲学、文学、美学、心理学和文化史，为他致力于改革封建教育奠定了思想理论基础。1940 年 3 月 5 日在香港病逝，葬香港仔山巅华人公墓。

题词

在昔角牴[1]，意存钓奇[2]。曳牛搏猏[3]，徒勇何为。嗟彼武术，损益然疑。发挥光大，其在是时。教诲有度，调一罄宜[4]。桓桓学子，天马得羁[5]。克刚克柔，以遨以嬉。筋骨互运，心力互追。著者楮墨[6]，法无所遗。流传万本，并诏来兹。表斯微尚，请鉴于诗。天之方懠，无为夸毗[7]。

袁希涛[8]

注释

① 角牴：即角抵。角抵一词来源于“以角抵人”，是一种类似现在摔跤、相扑一类的两两较力的活动。角抵最初是一种作战技能，后来成为训练兵士的方法，又演变为民间竞技，带有娱乐性质。

② 钓奇：谓谋取巨利。司马贞索隐：“钓者，以取鱼喻也。奇即上云‘此奇货可居’也。”

③ 摶猏：原文为“摶豣”，摶，简体为“抟”，音 tuán，此处应为“搏”之误。豣，音 jiān，或 yàn，同“猏”字，《广韵》俗“豜”字，三岁大猪。

④ 罄宜：罄，音 qìng，“尽”之意。“罄宜”就是“尽宜”的意思。顾炎武认为，“罄无不宜，宜室家，宜兄弟，宜子孙，宜民人也”。

⑤ 天马得羁：“天马”在古文献中多为星辰的名字，也可作“神马”之意。汉武帝时代称西域汗血马为“天马”。“弗羁”出自唐代司空图的《二十四诗品》：“惟性所宅，直取弗羁，控物自富，与率为期”。“天马弗羁”，通常解释是天才的人物天马行空，不受羁束。“天马弗羁”用于形容诗文，表气势豪放之意，而用于比喻人则有浮躁、不踏实之意。其实，“弗”，据《汉典》是两根不平直之物，以绳索束缚之，使之平直，其本意是“矫枉、校正、有所约束”。袁希涛此处用“桓桓学子，天马得羁”，用意或许是：太极拳能使勇武的学子，不仅可以学到健体与自卫的本领，还可以修身立命，提升涵养品质。

⑥ 楮墨：楮，音 chǔ，楮树，乔木，树皮是制造纸的原料，这里作纸的解释。楮墨，纸和墨，也指诗文书画，如“一生常耽楮墨间”。

⑦ 天之方懠，无为夸毗：语出《诗经·板》。懠，音 qí，愤怒。夸毗，音 kuā pí，是单个汉语词汇，意指以谄谀、卑屈取媚于人。

⑧ 袁希涛：1866—1930 年，江苏宝山（今属上海市）城厢人。字观澜，又名鹤龄。清末民初教育家。

清光绪二十三年（1897 年）袁希涛考中了举人，在上海广方言馆任汉文教习，从此时接触新学并注重教育。

1911 年，辛亥革命后，袁希涛与黄炎培一起参与江苏省教育设施事宜。1912 年，应教育总长蔡元培之邀约，赴北京任教育部普通教育司司长，主张高等师范学校国立。1918 年，第一次世界大战，我国对德宣战，他主持收德人创办的同济医工学堂（现同济大学）为国立同济大学，在吴淞建校，任同济大学第五任校长。后又在吴淞积极参与筹办复旦公学（现复旦大学），担任复旦公学第一任教务长，辅助马相伯先生。筹设复旦公学，累积负债六千余两，无人承担，都由他逐年偿还。

袁希涛晚年在人文社编审史料，著作有《义务教育商榷》《新学制与各国学制比较》《欧美各国教育考察记》《游五台山记》等。

袁希涛于1930年8月29日病逝。黄炎培先评价他："谋己不工，谋人则忠，其识通，其抱冲，其建于群也丰，吁不得于一国而一省而一里一井，苟死而教育成也。先生其瞑。"

题词

屹矣金台[①]，燕赵旧都。武勇是尚，施及吾徒。觥觥[②]国技，与古为新。数典而忘，乃乞诸邻。北方之强，谁与首倡。许子之功，颉颃[③]马帐[④]。首善结社，声气应求。精研三育，同泽同仇。不有高文，何以行远。一纸风传，桑榆[⑤]非晚。武士有会，斯道以传。强国之容，请视此编。

刘 潜

注 释

① 金台：人物真伪不祥，北宋武学奇才，是传说中中国武学第一人，号称武功古今天下第一，有“王不过项，将不过李，拳不过金”之说。

② 觥觥：音 gōng gōng，勇武的样子，出自章炳麟《山阴徐君歌》：“觥觥我君，手执弹丸。”

③ 颉颃：音 xié háng，原指鸟上下翻飞，引申为不相上下，互相抗衡。

④ 马帐：指通儒的书斋或儒者传业授徒之所。《后汉书·马融传》：“融才高博洽，为世通儒，教养诸生，常有千数……善鼓琴，好吹笛，达生任性，不

拘儒者之节。居宇器服，多存侈饰。常坐高堂，施绛纱帐，前授生徒，后列女乐，弟子以次相传，鲜有入其室者。”元·丁复《送客》诗：“马帐朋方集，麟经讲未残。”清·赵翼《王梦楼挽诗》：“生有笙歌矜马帐，死犹诗句在鸡林 。”余疚侬《步石予先生送行原韵》：“吴门风雨今三载，马帐笙歌旧念年。”

⑤ 桑榆：日落时光照桑榆树端，因以指日暮。比喻晚年、垂老之年。

按：以上傅增湘、蔡元培、袁希涛、刘潜四人题词曾在 1918 年《体育季刊》第一期上发表。

序

往尝读周礼及司马法之军制，试以次国二军为平均率，则每国当有二万五千人之兵额，百国即有二百五十万人。若以千八百国计，则胜兵者殆四千万，当今全国男子总数十之五矣。又尝读《战国策》，齐、秦、燕、赵、韩、魏、楚七国，国必有带甲百万，技击数十万，苍头数万。若以今全国男子二万万例之，则吾国当有胜兵之男子千万矣。日俄之战，旅顺、辽阳诸役，肉搏相争，论者以日之胜俄，归功于柔道（见日人所著肉弹）。柔道者，即吾技击相传之一。故吾而不欲自卫则已，苟欲自卫，则德育、智育、体育三者之中，尤以体育为最要。自秦政一统，世主忘人民之尚武，去古者兵农合一之时益远。国人多偷惰委靡，霸天下者乃大欢。适以与东西列强接触，遂不寒而栗，不吹而僵，谁之咎也！民国成立，识时之士，渐知拳术之为国魂。许君禹生，于各术靡不通晓，而尤精太极一门，一麟曾入其社，为特别社员，时时承许君教益。一日出所著《太极拳图说》见示，余缙[1]阅一过。以科学分析之眼光，发明其先后疾徐之序，而为图以表之。大则可强国强种，小则可却病延年。前见徐君棫所撰拳术与力学之关系，借力学杠杆之理，解太极避实击虚之法，艺而几进乎道。惜其书仅一见于《体育季刊》[2]中，未窥全豹。今许君图解，裒然完帙[3]。其视徐君所撰，如车有轮，如鸟有翼，即孱弱如不佞，亦能振懦而起衰，世之学者，可以兴矣。但使吾国男女四万万人，分其饮博徵逐[4]之精神，以从事于此道，即有百分之一，锲而不舍，已足抵成周兵额十分之一。且此四百万者，皆非游手坐食之徒，何渠不足以自卫耶！质诸许君，以为何如。

中华民国十年孟秋吴县张一麐[5]序

注释

① 缗：同"翻"。

②《体育季刊》：由许禹生组织的北京体育研究社创办，1917 年 2 月出版第一期，9 月出版第二期，1919 年 4 月出第三期，1920 年 6 月出第四期。《太极拳势图解》的部分内容，如"太极拳经详注""太极拳术单式练习法"等，已先于《体育季刊》上发表。

③ 裒然完帙：裒然，音 yòu rán，美好出众的样子；帙，音 zhì，书、画的封套，用布帛制成；完帙，一本完好无缺的书或者画作品。

④ 饮博徵逐：饮博，饮博游戏。徵，约之来；逐，随之去。徵逐，往来频繁。

⑤ 张一麐：生于 1867 年，卒于 1943 年，江苏吴县（今苏州）人，字仲仁，号民佣，一号公绂、江东阿斗、大圜居士、红梅阁主等。张一麐雅好藏书，早年曾收藏有海宁藏书旧家许克勤藏书，在北京任职时，又陆续购藏有名家文集和方志，先后逾万册，分别藏于北京和吴县的古红梅阁中。他生前好为诗，善谈兵。抗日战争开始后，凡事都以诗记之。著有《心太平室诗文钞》《现代兵事集》《古红梅阁别集》等。

序

拳技有内外两家[1]。外家祖达摩[2]祖师，曰少林派。内家祖张三丰[3]先生，曰武当派。其所资为师承之具者，不外乎着与劲。形于外者为着，蕴于内者为劲。着其质也，劲其气也。着其体也，劲其用也。气质兼修，体用皆备，而后可以言拳。外家与内家之别，即以着与劲二者言之。外家精于着，内家邃于劲。犹汉儒之重训诂[4]，宋儒之明性理[5]，虽各有独到之处，要亦并行而不悖。世人不察，以为外家主刚，内家主柔，乌知刚柔不可偏重，且亦未尝须臾离哉。太极十三式，传自张三丰，张固道家者流，故其论太极拳曰："人刚我柔谓之走，我顺人背谓之黏。"又曰："由着熟而渐悟懂劲，由懂劲而阶及神明。"走也、黏也，皆当于劲中求之。必也感觉灵敏，无有窒碍，而后可谓之懂劲；必也随机因应，一任自然，而后可谓之阶及神明，与老子所谓"常无欲以观其妙，常有欲以观其徼"之旨，正无以异。拳家论劲，至此境界，亦可谓臻无上上乘矣。惟其陈义极高，说理极细，故习之者殊难计日程功。尝见有人以为习太极拳只须懂劲，好高骛远，专致力于推手，而于身手步法，略不注意。习之数年，疲弱如故，甚至不能与习他拳数月者一角。此皆误于内家主柔之说，而不求姿势正确着法纯熟之所致也。禹生同学治斯道垂三十年，更能博通内外诸家，识其精义，因强其著书，以飨同志。详其动作，志其应用，而于推手法尤为重视。三易稿而后书成，名之曰《太极拳势图解》。读者苟能悉心体会，豁然贯通，着既熟矣，更习推手，以求懂劲，自不难阶及神明。即使无暇更习推手，亦当使此十三式着着皆能任意运用，游刃有余，始可谓极熟着之能事，此禹生之所志也。沧海横流，万方多难。明达之士，多逃于释老[6]以自晦。其亦有闻风兴起，由艺而进于道者乎？是书或亦津梁[7]之一也。

民国十年岁次辛酉孟秋湘潭杨敞[8]序于都门

注释

① 拳技有内外两家：其出处是根据《王征南墓志铭》中说的“少林以拳勇名天下，然主于搏人，人亦得以乘之。有所谓内家拳者，以静制动，犯者应手即仆，故别于少林为外家”，《宁波府志》张松溪传“盖拳勇之术有二：一为外家，一为内家。外家则少林为盛，其法主于搏人，而跳踉奋跃，或失之疏，故往往为人所乘。内家则松溪之传为正，其法主于御敌，非遇困危则不发，发则所当必靡，无隙可乘，故内家之术为尤善”而来。此种将拳术划分“内家”与“外家”的说法，对武术史的研究影响颇深。

② 达摩：原名菩提多罗，后改名菩提达摩，自称佛传禅宗第二十八祖，是大乘佛教中国禅宗的始祖，故中国的禅宗又称达摩宗。他生于南天竺（印度），刹帝利族，传说他是香至王的第三子，出家后倾心大乘佛法，从般若多罗大师。南朝梁·普通年中（520—526 年，一说南朝宋末），他自印度航海到达广州，从这里北行至北魏，到处以禅法教人。少林等外功拳尊达摩为祖师。

③ 张三丰：又名张三峰，是颇有争议的人物。传说生于南宋理宗淳祐七年

(1247 年)，名君实，字全一（此为一说，另一说法为君宝），别号葆和容忍。元末明初儒者、武当山道士。善书画，工诗词。另有一说其为福建邵武人，名子冲，一名元实，三丰其号。也有人说他 1264 年出生于今阜新蒙古族自治县塔营子乡。

张三丰被尊为武当派开山祖师，明英宗赐号“通微显化真人”；明宪宗特封号为“韬光尚志真仙”；明世宗赠封他为“清虚元妙真君”。

有学者研究认为：“三”与“丰”暗合八卦乾坤二象，故借用三丰为太极文化的符号，并非指具体的人物。太极拳界附会仙说尊三丰为祖师，是民间崇拜真武大帝的移情替代，是一种信仰崇拜。

④ 训诂：对字句（主要是对古书字句）作解释。

⑤ 性理：人性与天理。指宋儒性理之学。宋·陈善《扪虱新话·本朝文章亦三变》：“唐文章三变，本朝文章亦三变矣，荆公以经术，东坡以议论，程氏以性理，三者要各自立门户，不相蹈袭。”明·李贽《与友人书》“（利西泰）凡我国书籍无不读，请先辈与订音释，请明于‘四书’性理者解其大义，又请明于‘六经’疏义者通其解说。”孙犁《秀露集·关于儿童文学》：“他们有时教子弟性理之学。”

⑥ 释老：释迦牟尼，代指佛教。

⑦ 津梁：出自《国语·晋语二》：“岂谓君无有，亦为君之东游津梁之上，无有难急也。”意思是在桥梁之上，便可接引而过，化解了所有的障碍。“津梁”即一个便利通向彼岸的桥梁。

⑧ 杨敞：1886—1965 年，字季子，湖南湘潭人，精八卦掌、岳氏散手，是北京体育研究社骨干，编译部主任；又是清末民初著名的诗人，曾写有“当初谁知太极拳，谭公疗疾始流传。公令推行太极拳，而今武术莫能先。谁知豫北陈家技，却赖冀南杨氏传。”“都门太极旧尊杨，迟缓柔和擅胜场。不意陈君标异帜，缠丝劲势特别强。”等诗句，杨敞的诗文在武术界广为传播，影响颇大，对研究太极拳史颇有参考价值。

杨敞之友毓璩，寡交游，曾说：“交不贵多，得一人可胜千百人。予生平知己，杨季子一人而已。”

自序

余幼孱弱多疾病，因遍阅养生之书，节饮食，慎起居，若是者累年，卒未收效。寻得《华陀五禽经》[①]《达摩易筋经》[②]《八段锦》[③]诸书，从事练习，然均有图无说，精意不传，勉强摹仿，效亦甚鲜[④]，遂未竟学。后乃从事外家拳术，习技击，事跳跃，于是身体稍壮，然苦于锻炼之猛，稍辍而疾复作[⑤]矣，始知亦非良法。最后得内家拳术，即世所谓太极功者。俯仰屈伸，以意导气，简而易习，柔而省力。习未期年，而宿疾尽愈，效至巨矣。其拳每势运动，均有节拍可循，而前后联络，宛如一气呵成。呼吸与动作，相为激荡，气血筋骸，活泼无滞，殆深得古导引术之意者。其动作之刚柔进退，阴阳虚实，实合周易太极之理。而对敌之时，因势利导，应机而发，批隙导窾[⑥]，悉中肯綮[⑦]，诚庄子所谓技而近乎道者也。因为图解，公之于世。虽于古人之意未必尽合，而善习者未始不可借为入道之阶，阅者勿专视为拳技也可。

中华民国十年秋古燕许龗厚叙于京师体育研究社

注释

①《华陀五禽经》：又称华佗五禽戏，是由东汉末年著名医学家华佗根据中医原理，以模仿虎、鹿、熊、猿、鸟五种动物的动作和神态编创的一套导引术。“禽”指禽兽，古代泛指动物；“戏”在古代指歌舞杂技之类的活动，在此指特殊的运动方式。

②《达摩易筋经》：少林寺众僧演练的最早功法之一。经过千余年之实践证明，确有养生之益，传说是达摩所创。习练此功，可以使人体的神、体、气三者周密地结合起来，使五脏六腑、十二经脉及全身得到充分的调理，有平衡阴阳、舒筋活络之功能，从而达到健体、抗疫祛病、抵御早衰、延年益寿之目的。

③《八段锦》：在我国古老的导引术中，八段锦是流传最广、对导引术发展影响最大的一种。八段锦有坐八段锦与立八段锦、北八段锦与南八段锦、文八段锦与武八段锦、少林八段锦与太极八段锦之别。

④ 鲜：本版此字印为“尠”，尠，音 xiǎn，合成字，同“鲜”，指稀有的、罕见的。

⑤ 复作：本版此二字残缺，疑为“复作”，再版中均印为“又作”。

⑥ 批隙导窾：音 pī xì dǎo kuǎn，出自《庄子·养生主》，批，击；隙，空隙；导，就势分解；窾，骨节空处。比喻善于从关键处入手，顺利解决问题。

⑦ 肯綮：音 kěn qìng，典出《庄子集释》卷二上《内篇·养生主》。“肯，著骨肉。綮，犹结处也。”后遂以“肯綮”指筋骨结合的地方，比喻要害或最重要的关键。

凡 例

○ 本书各章，前经登入《体育季刊》，原拟俟全书登毕，再行汇集出版，嗣因阅者时加督促，仓卒付印，冗滥阙略之处，在所不免，倘蒙方家锡[①]以教言，实所庆幸。

○ 本书分上下两编，上编系说明太极拳之由来及其原理，下编系就太极拳路各姿势绘图说明，并附推手诸法。

○ 本书博采众长，不拘己见，于拳势纯取开展姿势，以便学者。

○ 太极拳最重联贯，本书为便于解释起见，将各势动作分段说明，学者练习时，仍宜连续行之。

○ 本书说明拳式动作，多取通行术语，间有创制者，务期适合原意。

○ 本书采入太极衍易各图，专取可以印证拳术之处，以资阅者参考。

○ 编辑是书时，北京体育研究社教员纪子修[②]、杨梦祥[③]、吴鉴泉[④]、刘恩绶、刘彩臣诸君，均备咨询，社员郭志云、郎晋墀二君，担任绘图，杨季子、叶鹰唐二君，担任修正，伊见思、许小鲁二君，担任校刊。

编者识

注 释

① 锡：通“赐”。《尔邪释诂》：锡，赐也，锡即赐之假借。《公羊》庄元年传：“锡者何？赐也。”

② 纪子修：字子修（1845—1922 年），满洲正白旗人，自小喜欢武技，年少时曾学习弹腿及花拳，同治四年（1865 年），入清廷军营当卫士，从雄县刘仕俊学岳氏散手，习之九年，技乃大成。纪子修功夫精到，更会虎纵及过车等功夫，臂能承车，人称“铁臂纪”。

同治六年（1867 年），纪子修以技擢护军校，从杨露禅学太极十三式，勤练不辍，遂将太极拳之绵柔与岳氏散手之刚整汇为一体，刚柔并济，功夫更上一层。除此以外，纪子修还精于形意、八卦等技。民国五年（1916 年），纪子修与吴鉴泉、许禹生、刘恩绶、刘彩臣、姜殿臣、孙禄堂、杨少侯等人共组北京体育讲习所，提倡研究国术并在高等师范学校、医学专门学校、京师第一中学校、北京体育学校等校教授武术。

③ 杨梦祥：即杨兆熊（1862—1930 年），字梦祥，晚字少侯，杨澄甫之长兄。七岁时即习家传太极拳术。性情刚烈直快，好胜要强。推手时喜发人，亦精擅散手，有乃伯遗风，功属杨门上乘。拳架小而刚，动作快而沉，处处求紧凑。其教人者亦然。因好出手即攻，学者多不能受，故从学甚少。对于借劲、化劲、冷劲、截劲等，确有深功。惜不愿多传，故知之者稀。有一子，名振声。

④ 吴鉴泉：1870—1942 年，本名乌佳哈拉·爱绅，满族，河北大兴人。民国后随汉人习俗改姓“吴”（因为“吴”与“乌”谐音），他的父亲吴全佑是太极拳高手。吴鉴泉自幼跟父亲学习小架太极拳，1912 年，在北京体育研究社教授太极拳。1928 年，被上海精武会和国术馆聘为教授。1933 起，创设鉴泉太极拳社。

按：关于吴鉴泉的太极拳的传承问题，于志钧在《中国传统武术史》第 324 页，把吴图南说成是“宋氏太极拳的传人”，“鉴泉先生承父（全佑）学，后拜宋书铭先生为师学习宋氏太极功，深得奥妙。”“他们的太极拳就由杨氏改为宋氏”。

那么，吴式太极拳真的是由“杨氏改为宋氏”，成为“宋氏太极拳”的吗？看吴鉴泉的学生徐致一的回答，见1935年12月22日《徐致一关于太极拳派分问题复函田镇峰》：“不过兄说上海有一个吴派，我却不能不说明几句，吴（鉴泉）先生的功夫不够成派，及吴先生的成派，是不是公认的事实，我在此不想说它，我所要说明的，是吴先生常常对人说，他的太极拳是从杨家学来的，可见得吴先生自己没有称派的意思（至少没有表示）。至于吴先生的学生们，据我所晓得的，也没有说吴先生的太极拳与人不同，应该自己成一派的。学生中赞美吴先生功夫好的，却不能说没有，但说得过于离奇的也没有，如果外面有人说上海吴派，只能认为外界代吴先生造作派别，吴先生同他的学生们，都不应该负责的，兄说对不对？”

因此，吴鉴泉即使曾向宋书铭以后辈礼向长者请教，但并不等于改换门庭，谈不上“他们的太极拳就由杨氏改为宋氏”。“吴先生常常对人说，他的太极拳是从杨家学来的”，说明他并没有数典忘祖，他的拳并没有“由杨氏改为宋氏”。

著者肖像

第一二九页

太极拳势图解目次

上编

下编

注　释

① 别：原文写作"彆"，简体作"别"，陈微明1925年出版的《太极拳术》等都改作"撇"，本书统作"撇"。

② 第二版"上步搬拦锤式"顺序编号为(60)，而以后再版中，在"扇通背式"与"上步搬拦锤式"之间，补增了"(60)撇身锤式"一式。"上步搬拦锤式"改作(61)，其他顺延。原第二版全套收尾为"(73)合太极"，以后再版为"(74)合太极"。核对"第一章 太极拳路之顺序及运动部位图"，在"扇通背式"与"上步搬拦锤式"之间，原本是有"撇身锤式"一式，是第一版在编写动作顺序目录时遗漏的。

③ 原文"连"，后都改作"莲"。

按：《太极拳势图解》太极拳目录73式，实际74式，漏写(60)撇身锤式。但根据陈微明先生在《太极剑》一书中披露"杨澄甫先生所授太极拳长拳目录”是59式，而且有几式名称也有不同，套路结构也相差很大，说明杨澄甫早期的拳架与中年的(1921年)也有许多不同，杨澄甫的大架不是一下子形成并定型的，是经过一段时间不断调整磨合，逐步完善的。下面将目录抄录附后，并附陈微明《太极拳术》的拳架目录，供读者分析研究。

杨澄甫所授太极拳长拳目录：

揽雀尾、云手、搂膝拗步、琵琶式、进步搬拦锤、播箕式、十字手、抱虎归山、单鞭、提手、肘下锤、搂膝打锤、转身蹬脚、进步指裆锤、野马分鬃、进步揽雀尾、单鞭、玉女穿梭、揽雀尾、转身野马分鬃、转身单鞭下式、金鸡独立 倒撵猴头、斜飞式、提手、白鹤晾翅、搂膝拗步、海底珍珠、扇通背、撇身锤、上步搬拦锤、进步揽雀尾、单鞭、云手、单鞭、高探马、左右蹬脚、转身蹬脚、左右搂膝、双叉手、转身踢脚、左打虎式、双风贯耳、左蹬脚、转身蹬脚、上步搬拦锤、上步揽雀尾、高探马、十字腿、上步揽雀尾、单鞭下式、上步七星、下步跨虎、转身摆莲、弯弓射雁、上步搬拦锤、播箕式、十字手、合太极。

陈微明《太极拳术》(1925年版)目录：

太极起式、揽雀尾、单鞭、提手、白鹤亮翅、搂膝拗步、手挥琵琶、左右搂膝拗步、手挥琵琶、进步搬拦锤、如封似闭、十字手、抱虎归山、肘底看锤、左右倒撵猴、斜飞式、提手、白鹤亮翅、搂膝拗步、海底针、扇通背、撇身锤、上步搬拦锤、揽雀尾、单鞭、左右云手、单鞭、高探马、左右分脚、转身蹬脚、左右搂膝拗步、进步栽锤、翻身白蛇吐信、上步搬拦锤、蹬脚、左右披身伏虎式、回身蹬脚、双风贯耳、左蹬脚、转身蹬脚、上步搬拦锤、如封似闭、十字手、抱虎归山、斜单鞭、左右野马分鬃、上步揽雀尾、单鞭、玉女穿梭、上步揽雀尾、单鞭、云手、单鞭下势、金鸡独立、倒撵猴、斜飞势、提手、白鹤亮翅、搂膝拗步、海底针、扇通臂、撇身锤、上步搬拦锤、揽雀尾、单鞭、云手、单鞭、高探马、十字腿、搂膝指裆锤、上势揽雀尾、单鞭下势、上步七星、退步跨虎、转脚摆莲、弯弓射虎、上步搬拦锤、如封似闭、十字手、合太极。

上编

第一章　绪言

昔河出图而八卦[①]画，洛呈书而九畴[②]叙，孔子因之以作《周易》[③]，《易》虽本诸卜筮之说，而万事之理，则已悉具其中矣。然因卦作说，无提纲挈领之要，后人不能融会贯通，各执一说，每入歧途。周子忧之，默契道体，根极要领，作《太极图说》[④]，使天理之微，人伦之著，事务之众，鬼神之幽，莫不洞然，毕贯于一，诚言哲学者之鼻祖也。我国拳术发明最早，而迄今反无统一之术者，盖缘后世学者，言术而不言理，视为技艺，而不用作锻练身心之具耳。考拳术之由来，盖出于古之导引术，当上古医药尚未发明，人偶为六气所中，荣卫失宜，气血聚而为病，则屈伸俯仰，以意导气，舒其所凝滞之处，使通畅焉，则疾自愈，故名为导引。昔伏羲命阴康作大舞，展舒肢体，以愈民疾。黄帝作《内经》，采按摩导引诸法，以继针砭酒醴之所穷，盖皆本体育原理，以运动战胜疾病也。庄子曰："吐故纳新，熊经鸟申"，则合于呼吸运动矣。汉华陀因推广之，以作五禽经（虎、鹿、猿、熊、鸟是也）。其谓吴普之言曰："人体欲得劳动，但不当使极耳。动则谷气得消，血脉流通，病不得生，譬如户枢终不朽也。是以古之仙者，为导引之事，引挽要体，动诸关节，以求难老。

吾有一术，名曰五禽之图，觉体有不快，则起作一禽之戏，怡而汗出，即轻便而欲食矣。”吴从而学之，年九十余而耳目聪明。少林寺僧人承其意，融合达摩所传散手而作五拳（龙、虎、豹、蛇、鹤），然注重应用（详少林拳术秘诀），已失体育之原意矣。然宋元以来，言技艺者多祖述之，自寺焚之后，僧徒星散，黠者巧为附会，各执一是，派别繁多，而少林真传，反因之湮没。元之季世，有隐君子者，曰张三丰先生，本儒家太极之理，融会各家之长，纳五行八卦于拳术步法方位之中，而以太极之阴阳、刚柔、动静喻其作用，提纲挈领，名为内家，盖所以别于方外也。就着势言之，太极拳固无异于各家拳术，然其运动行气，纯以虚静胜人，注重精神上之修养，坚凝意志，增进智慧，则非外功拳术专从事于筋肉锻炼者所可同日语也。素习外功拳术者，倘稍师其意，亦能不劳而获。由是观之，易学得太极图说而众理一贯，拳术得太极功而各家统一矣。其拳经传于世者，约有数种，然抄袭相传，鱼鲁莫辨，壬子岁会嘱关君葆谦校订。近本社附设体育学校，授课之暇，因取原书加以注释，并就其拳中姿势绘图著说，以示学者。倘亦取行远自迩、登高自卑之意云尔。

注释

①八卦：八卦是中国文化的基本哲学概念。八卦的形成源于河图和洛书。河图者，根据中国民间传说，“龙马出河，遂则其文以画八卦”。伏羲氏在天水卦台山始画八卦。洛书者，大禹治水时，神龟负文而列于背，有数至九，禹遂因而第之，以成九类。刘歆曰：“伏羲氏继天而王，受图而画之，八卦是也。禹治洪水，赐洛书，法而陈之，九畴是也。”所谓八卦就是八个不同的卦相，表示事物自身变化的阴阳系统，用“—”代表阳，用“--”代表阴。八卦其实是最

早的文字表述符号。

对于八卦不要有过多神秘色彩。八卦在中国文化中与“阴阳五行”一样是用来推演空间时间各类事物关系的工具。每一卦象代表一定的事物。乾代表天，坤代表地，巽（xùn）代表风，震代表雷，坎代表水，离代表火，艮（gèn）代表山，兑代表泽。八卦互相搭配又变成六十四卦。

八卦在太极拳法，以象掤、攦、挤、按、採、挒、肘、靠八劲。

② 九畴：传说中天帝赐给禹治理天下的九类大法，即《洛书》。

九畴，即戴九履一，左三右七，二四为肩，六八为足，五居中。在太极拳法，即九掤，一攦，三挤，七按，为四正。

③《周易》：《周易》是《易经》其中之一，《易经》包括夏代的《连山》、商代的《归藏》及周代的《周易》。《周易》相传系周文王姬昌所作，内容包括《经》和《传》两个部分 。《经》主要是六十四卦和三百八十四爻，卦和爻各有说明（卦辞、爻辞），作为占卜之用。《周易》没有提出阴阳与太极等概念，讲阴阳与太极的是被道家与阴阳家所影响的《易传》。《传》包含解释卦辞和爻辞的七种文辞共十篇，统称《十翼》，相传为孔子所撰。

④《太极图说》：《太极图说》是中国宋代周敦颐为其《太极图》写的一篇说明，全文249字。该文认为，“太极”是宇宙的本原，人和万物都是由阴阳二气和水火木金土五行相互作用构成的。五行统一于阴阳，阴阳统一于太极。文中突出人的价值和作用，该文主张“惟人也，得其秀而最灵”。在人群中，又特别突出圣人的价值和作用，认为“圣人定之以中正仁义，而主静，立人极焉”。该文对后世影响很大，版本很多，朱熹《近思录》、黄宗羲等所编《宋元学案》等尽皆收入。

《太极图说》原文：无极而太极，太极动而生阳，动极而静，静而生阴，静极复动，一动一静，互为其根，分阴分阳，两仪立焉。阳变阴合，而水火木金土五气顺布，四时行焉。五行一阴阳也，阴阳一太极也，太极本无极也。五行之生也，各一其性。无极之真，二五之精，妙合而凝。乾道成男，坤道成女，二气交感，化生万物。万物生生而变化无穷焉。惟人也得其秀而最灵。形既生矣，神发知矣。五性感动而善恶分，万事出矣。圣人定之以中正仁义而主静，立人极焉。故圣人与天地合其德，日月合其明，四时合其序，鬼神合其吉凶。君子修之，吉；小人悖之，凶。故曰：立天之道，曰阴与阳。立地之道，曰柔与刚。立人之道，曰仁与义。又曰：原始反终，故知死生之说。大哉易也，斯之至矣！

按：《太极图说》在太极拳理论形成史上的影响重大，亦是太极拳之所以被称为太极拳的缘由。《太极图说》上半篇论天道，下半篇论人道，而天人一体，二者共同描述作者对宇宙运行的理解。

《太极拳论》一开始就引入“无极”和“太极”的哲学原理，对太极拳的理论依据进行阐释，就过程的演化而言，“无极”指尚未分化的原始混沌状态，即包含无限可能“无形无象，无可指名”的“无规定性”；“太极”则指开始了阴阳分化的具体运行状态，即具有某种方向的“有规定性”。朱熹云：“物物有一太极，人人有一太极。”任何一个具有规定性的东西都可以把它理解为一个太极。中国文化认为，人体内外均是统一同构、全息对应并具有相同的演化运行规律。传统武术理论也喜欢运用所谓太极阴阳变化的相互关系——互根、消长、转化——来说明招式动作、行功走架、劲路运转、敌我关系、意念变化、文化意蕴等方方面面的基本规律和操作原则，并以此来解释、整理、规范武技功法，及总结武术实践各方面的主要经验。

关于“无极”和“太极”的关系，古人是有激烈争论的，其中最有名的是朱熹与陆九渊之辩，这也影响着后人对此的理解。如吴图南说：“太极之先，本为无极。鸿蒙一气，混然不分。故无极为太极之母，即万物先天之极。”许禹生在《太极拳势图解》第六章中认为：“案周濂溪《太极图说》，‘无极而太极’注云：‘上天之载，无声无臭，而实造化之枢纽，品汇之根柢也。故曰“无极而太极”，非太极之前，复有无极也。’此云无极而生，究有语病。”许禹生注解“太极者，无极而生”时说又道：“太极为天地万物之根本，而太极拳则为各拳之极至也。无极而生者，本于无极也。”陈微明注释时也说：“阴阳生于太极，太极本无极。太极拳处处分虚实阴阳，故名曰太极也。”

关于“无极”与“太极”的争论，在《一多庐太极体悟录》卷四中二水居士有一段有趣的叙述：“八百三十余年前，江西上饶的鹅湖寺，有一群读书人围绕着‘太极’与‘无极’的问题，展开了一场辩论会。反方是以陆九渊为首的陆氏兄弟，首先发难的是陆子美。他说：‘今于上又加无极二字，是头上安头，过于虚无好高之论也。’‘无极二字出老子，非周子之言’。而正方的朱熹则认为，太极而无极，非太极之外，复有无极也。倘若不言无极，人多误认太极同于一物，‘不足为万化之本’，另外，倘若不言太极，‘则无极沦为于空寂，而不能为万化之根。’争吵了三天三夜，这群斯文的读书人终究不欢而散。八百年后的某一天，长沙马王堆出土了帛书《周易》，人们发现，那群读书人苦苦争论的‘太極’这一概念，原本只是‘大恆’两字的误植。由此演绎出来的‘无极’，也成了无稽之谈。历史，常常会开一些不大不小的玩笑，以讹传讹或者误打误撞，也能成为经典，并由此对后人产生深远的影响力。周子的《太极图说》如是，王宗岳的《太极拳论》复如是，武禹襄借用王宗岳的‘太极拳’三字，称呼他从杨露禅身上学得的‘绵拳’，并以此借壳上市，亦复如是。”当然，就今人而言，我们可不必理会这些辩论的孰是孰非了。

太极拳的发展肯定与阴阳八卦有关联，但太极拳未必是按照八卦的卦象一一对应而发明的，可能是太极拳发明的过程，不断有文人用八卦的理论来诠释太极拳。许禹生认为：“太极拳者，形而上之学也”，“故假借太极之理以说明之”，“非如世俗卜筮迷信者所谓太极也。现在科学昌明，后之学者，能以几何重学等理说明之，而不沾于易象，则所深望也”。这话反映了许禹生内心对中西文化融合的纠结，一方面要继承优秀的中华传统文化，用以来诠释太极拳；而另一方面，也看到传统文化存在某些不足，他希望在说明太极拳之理上，也能吸取西方文化科学的成分，使中西文化在太极拳上得到有机融合。

第二章　太极拳之意义

太极拳者，形而上之学[①]也。法易中阴阳动静之理，而运劲作势，纯任自然，无中生有，所谓无极而太极也。至其运用圆活，如环无端。莫如所止，则又所谓太极本无极也。势势之中，着着之内，均含一圆形，故假借太极之理以说明之，而以阴阳、动静、刚柔、进退等喻其作用焉，非如世俗卜筮[②]迷信者所谓太极也。现在科学昌明，后之学者，能以几何、重学等理说明之，而不沾于易象，则所深望也。

注释

① 形而上学：形而上学源于中国传统文化。原话是“形而上者谓之道，形而下谓之器”。物质是器，物质表象叫作形，物质表象涵盖的规律是道，是哲学。也就是规律哲学一类的东西属于最上层，然后下面是物质的表象，表象下就是赤裸裸的物质。马克思主义哲学源于西方，因此马克思主义的中国化必然涉及语言翻译的问题。马克思主义哲学中国化过程中就借用“形而上学”来指代“用片面、静止、机械的观点看问题”的哲学，用以相对于辩证法之“用全面、运动、矛盾的观点看问题”的哲学。

也就是说，“形而上学”原意可以指代全部哲学，是中性词语；而在翻译马克思主义哲学中，则应用成为贬义的“形而上学”哲学。

总而言之，在传统中国文化中、在传统武术的文字中，“形而上者谓之道，形而下谓之器”的意思，并非贬义。

② 卜筮：古时预测吉凶，用龟甲称卜，用蓍草称筮，合称卜筮。《易·系辞上》：“以制器者尚其象，以卜筮者尚其占。”

第三章　十三式[1] 名称之由来 附八方图、五步图

十三式者，合五行八卦[2]而言之也。太极拳手之运动有八方，足之运行有五步。以掤按挤攦四者，喻乾坤坎离等四正方；以採挒肘靠四者，喻巽震兑艮等四斜角；以进前退后左顾右盼中定五者，喻火水木金土也。或曰五行具五性，应以仰火曰炎上俯水曰润下进木曰屈直退金曰从革定土曰稼穑得五行之正以喻中定五者喻之，其说亦通。

八方图

兑肘	乾掤	巽採
离攦		坎挤
震挒	坤按	艮靠

五步图

	金盼	
火进	土定	水退
	木顾	

注释

① 十三式：现称十三势，以掤按挤攦四者，喻乾坤坎离等四正方；以採挒肘靠四者，喻巽震兑艮等四斜角；以进前退后左顾右盼中定五者，喻火水木金土。

② 五行八卦：八卦五行，是人生成固有之良。必先明知觉运动四字之根由，知觉运动得之，而后方能懂劲，由懂劲后自能接及神明矣。然而用功之初，要知知觉运动，虽固有之良，亦甚难得于我也。

八门五步，掤北、攦南、挤东、按西、採西北、挒西南、肘东北、靠东南，方位，坎、离、震、兑、乾、坤、艮、巽八门。乃为阴阳颠倒之理，周而复始，随其所行也。总之，四正、四隅，不可不知也。夫掤攦挤按是四正之手；採挒肘靠是四隅之手。合隅正之手，得门位之卦，以身分步，五行在意，支持八面五行。进步火、退步水、左顾木、右盼金、定之中土也。夫进退为水火之步；顾盼为金木之步；以中土为枢机之轴，怀藏八卦，脚跐五行，手步八五，其数十三，出于自然十三势也。名之曰八门五步。

按：不少拳家形象地把太极拳描述为“头顶太极、怀抱八卦、脚踩五行”的拳术，这是中国历史积淀下来的逻辑认知框架和文化心理模式。“八门”是指劲走八方，即上肢活动分别按照掤、攦、挤、按、採、挒、肘、靠八种基本手法、劲法，并向“四正、四隅”八个方向展开；“五行”进、退、顾、盼、定则是为自身力量配置的前后左右中五个移动的“方位”，操作上不但是下盘腰腿功夫的运用，而且还得有眼法、身法和心法的支持。“八门五步”共“十三势”的技法结构涵盖了整个太极拳的“手眼身法步、精神气力功”的基本规定，是太极拳的操作主体，而综合起来的“八卦”“五行”理论，实际上同时也就是太极阴阳理论的具体化。

杨家老谱中“八门五步”等学说，是将简单的呈一拳一脚之能的武术形式，上升到了一门营魄抱一、返本归元的性命学问。然而，许多太极拳爱好者，在将掤、攦、挤、按等动作一一对应文王八卦或先天八卦中的卦象时，常是一头雾水、莫名其妙。因为太极拳这种“取象比类”“阴阳颠倒”的思维方法，对初习者而言，仍是比较深奥，因此暂可不必深究，待有了一定的基础，回过头去研究也不迟。

第四章　太极拳合于易象之点 附太极图、衍易图

易也者，包罗万象也。而其扼要之哲理，不出太极一图，太极拳之言阴阳虚实刚柔动静之处，无不则之。但世传太极图有二，一为周莲溪[①]所遗，一则俗传之双鱼形图[②]也。双鱼形图，除可借表明双搭手时之阴阳虚实、盈缩进退外，余无可取。至周氏图则所具之理甚奥，其图说一篇，几尽可为习太极拳者所取法焉。惟因限于篇幅，不能详释，今仅就原图约略言之。此图共分五层，首层圆形，（在平面为圆倘立体时应作球体），此所谓无极而太极也。当行工时，中心泰然，抱元守一，无机心，无朕兆，作虚空相，可谓无极矣。而动静阴阳刚柔进退已悉具其中，实万有之母也，非太极而何？第二层中分圆形为两。阴阳虚实各得其半，所谓动而阳，静而阴，立两仪是也。舒之则为坎离二卦，喻拳之柔中隐刚，动中守静，互为其根之意也。三层五行喻五步，就其阳变阴合言之，如水根于阳，火根于阴，喻进极思退，退极思进也。木性曲直，金性从革，喻拳运劲时之屈伸开合，黏走随抑也。万物均生于土，而位又居中，在人为意。推手时掤、搌、挤、按，互为生克，然不以意贯串之则谬矣。图说云："五气顺布，四时行焉"[③]，盖五行异质，四时异气，而不能外乎阴阳，阴阳异位，

动静异时，而皆不能离乎太极也。第四层喻人，第五层喻物，言无极二五，聚则成形，感而遂通，化生万物，精于太极拳者，一动一静，均合至理。扼枢要，是万殊而一本也。至因敌变化，交互其用，错综其道，而应付无穷，则一本而万殊矣。

周莲溪太极图[4]

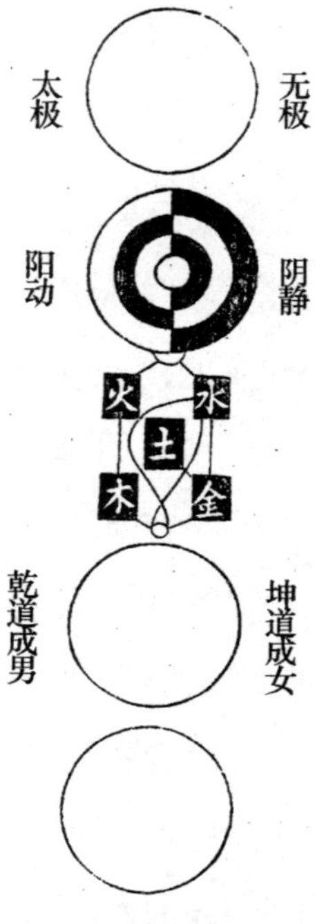

周子曰："圣人定之以中正仁义，而主静，立人极焉。其行之也中，其处之也正，其发之也仁，其裁之也义。一动一静，莫不有以全夫太极之道，而无所亏焉，则无往而不制胜矣。"

邵子衍《易》图言阴阳刚柔动静之处，与周图略异。周言动而生阳，静而生阴。立天之道，曰阴与阳；立地之道，曰柔与刚。邵子观物篇云："动之始则阳生焉，动之极则阴生焉。静之始则柔生焉，静之极则刚生焉。则是动而生阴阳，静而生刚柔也。"立论虽殊，然其言动静之机，阴阳刚柔之分量处，裨益太极拳术匪鲜，要在观者自得之耳。

邵康节[5]之衍易图

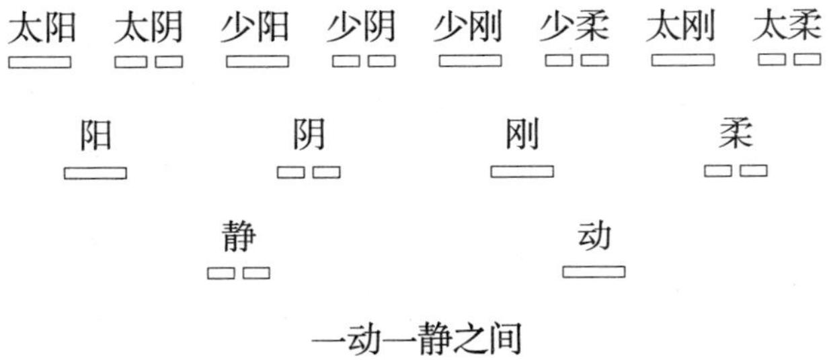

注释

① 周莲溪：周敦颐（1017—1073 年），北宋哲学家。原名敦实，字茂叔，后避宋英宗讳改名敦颐，道州营道（今湖南道县）人。晚年建书堂于江西庐山莲花峰下，命名濂溪书堂，故后人又称濂溪先生。曾官郴州郴县令、大理寺丞、知洪州南昌、国子博士、通判虔州、广南东路转运判官等。神宗熙宁六年病故，赐谥元公，追封汝南伯。

周敦颐学说根植于《周易》，主张以"太极"为理，以"阴阳五行"为气，并以此来解释大自然和人类社会的发展规律，成就为宋明道学家解易之先驱。

周敦颐依据《易传》《中庸》和唐韩愈《原道》，接受道教、佛教的某些思想，把陈抟《无极图》改变为论证世界本体及其形成发展的《太极图》，提出了太极、理、气、性、命等一系列哲学范畴，成为宋明理学的基本范畴。《通书》的基本思想则是把儒家《中庸》中"诚"的思想融入易学之中，将《中庸》《论语》等儒家经典中的理学与哲学问题纳入到易学的体系之中，为宋明理学哲学体系的形成奠定了思想基础。著作有《通书》《太极图说》等，后人编有《周元公集》，存诗28首，赋1篇，文4篇，代表作为《爱莲说》。

② 双鱼形图：俗传之双鱼形图，又称太极阴阳鱼图。人们用以象征阴阳消长转换和对待互根互涵的事物运行机理。

③ 图说云："五气顺布，四时行焉"：出自《图解》"金藏本"（第二版）。而《图解》再版本却载"图说云：'古气顺布，四时行焉'"，这"古"字当是"五"字之误。

④ 周莲溪太极图：周濂溪（敦颐）太极图，与道教的内丹修炼图二者同构，人们用以描述"顺则生人，逆练修仙"的道教生命哲学。借用现代科学的说法，生命的运行是个"正熵"过程，要延长生命则必须引入"负熵"。

《太极图说》原意：

一、造化枢机："无极而太极，太极动而生阳，动极而静，静而生阴，静极复动，一动一静，互为其根，分阴分阳，两仪立焉。阳变阴合，而水火木金土五气顺布，四时行焉。五行一阴阳也，阴阳一太极也，太极本无极也。"

二、资生之源："五行之生也，各一其性，无极之真，二五之精，妙合而凝。乾道成男，坤道成女，二气交感，化生万物。万物生生而变化无穷焉。"

三、主静立极："唯人也得其秀而最灵。形既生矣，神发知矣，五性感动而善恶分，万事出矣。圣人定之以中正仁义，圣人之道，仁义中正而已矣。而主静，立人静焉。故圣人与天地合其德，日月合其明，四时合其序，鬼神合其吉凶。君子修之吉。小人悖之凶。"

四、原始反终：故曰："立天之道曰阴与阳，立地之道曰柔与刚，立人之道曰仁与义。又曰：原始反终，故知死生之说。大哉易也，斯其至矣"。

杭辛斋氏释曰："周子此图，出自希夷，宋儒讳甚深；然希夷亦非自作也，实本诸参同契。"彭晓注《参同契》，有明镜图诀一卷。毛氏奇龄曰："《参同契》诸图，自朱子注后，学者多删之，徐氏注本已亡，他本庞杂不足据，惟彭本有水火匡廓图，三五至精图、斗建子午图、将指天罡图、昏见图、晨见图、九宫八卦图、纳甲图、含元播精图、三五归一图。”今周子之黑白分三层者，即水火匡廓图也。其中间之水火木金土，即三五至精图也。惟图式虽同，尚未有太极之名也。考唐真元妙经品，有太极先天图，合三轮五行为一，而以三轮中一。五行下一，为太极。又加以阴静阳动男女万物之象，凡四大〇，阴静在三轮之上，阳动在三轮之下，男女万物皆在五行之下，则与周子之图名义皆同，但多先天二字耳。然则此图，自道家传出，已无疑义。周子但为之说，并将上下次序略有修改而已。首曰无极而太极，终有语病，当时陆梭山已有疑义，与朱子往反辩论，累数万言。朱子虽曲意回护，并于《太极图说》注中，申明谓非太极之上有无极，但其图明明太极之上有无极，其说终不可通也。其作本义，取邵子先天诸图，而不以此图列诸卷首，殆亦有所悟欤。

杭辛斋（1869—1924 年），名慎修，又名凤元，别字一苇、夷则，浙江海宁长安镇人。清光绪十五年（1889 年）县试第一，补博士弟子员。次年入北京国子监。后考入同文馆，弃科举，习新学，懂阴阳精易学。曾两次被光绪帝密旨召见，并赐“言满天下”象牙章。

⑤ 邵康节：邵雍（1011—1077 年），字尧夫，北宋著名理学家、数学家、诗人，生于林县上杆庄（今河南林州市刘家街村邵康村，一说生于范阳，即今河北涿州大邵村），与周敦颐、张载、程颢、程颐并称“北宋五子”。天圣四年（1026 年），邵雍 16 岁，随其父到共城苏门山，卜居于此地。宋仁宗康定元年（1040 年），邵雍 30 岁，游历河南，因将父母葬在伊水（河南境内南洛水支流）之上，遂而成为河南（今河南洛阳）人。少有志，喜刻苦读书并游历天下，并悟到“道在是矣”，而后师从李之才学《河图》《洛书》与伏羲八卦，学有大成，并著有《皇极经世》《观物内外篇》《先天图》《渔樵问对》《伊川击壤集》《梅花诗》等。宋仁宗皇祐元年（1049 年），定居洛阳，以教授为生。嘉祐七年（1062 年），移居洛阳天宫寺西天津桥南，自号安乐先生。出游时必坐一小车，由一人牵拉。宋仁宗嘉祐与宋神宗熙宁初，两度被举，均称疾不赴。熙宁十年（1077 年）病卒，终年六十七岁。宋哲宗元祐中赐谥康节。

按：这一章“太极拳合于易象之点”涉及内容较为深奥，且囿于篇幅有限，难以用简短的语言来注释。王新午先生在《太极拳阐宗》第二章第二节“太极拳与易象”中，对本章作了极为详细的解释。由于文字较多，本校注不作抄录，烦请读者直接查阅。

对太极拳与易象的问题，学者孙玉奎先生有不同的见解，他认为：周敦颐《太极图说》“‘五行一阴阳也，阴阳一太极也’，这是古人将阴阳、五行、六气、十二经等众多之气，升级到‘太极一气’层次的伟大认识。‘阴阳五行’学说都是古人以类取象之说，不能以科学视之。用现代天文学、物理、生理、医理来看，只不过是‘古董’而已，在电子、航天、信息、现代农业、现代医学、强国强军建设等领域，已经退出了历史舞台。在现代武学领域，如果还将‘阴阳五行’学说奉为拳经，岂不是落后于时代了吗？拳经云：‘内五行要动，外五行要随。’以武学而言，这是前辈武师‘内外如一’的意思，还无可非议。任何学术无不打上时代的烙印，我们也不能脱离时代而非议古人，但是更不能在今世还抱着‘阴阳五行’学说来解释和指导武学的普及和发展，如此下去，岂不是‘抱残守缺’吗？还怎么弘扬和发展中华武术？武学如果不‘与时俱进’，老在‘阴阳五行’里打转转，恐怕难以弘扬。古代武学大师授人，一趟劈拳，起码练一年，根本不给你讲阴阳之理，徒弟不明白也不敢问。老师说‘拳练千遍，拳理自见’，奇迹都是练出来的。后来文人开始学拳，这才有了‘阴阳五行’学说的关联。‘大智有大伪’非虚言也!”

第五章　太极拳之流派[①]

自伏羲画卦，阐明阴阳，而太极之理，已寓于其中。嗣更命阴康作大舞，以宣导湮郁；黄帝作《内经》，采按摩导引诸法，均本太极之理，为无形式之运动。华陀本庄子“吐故纳新，熊经鸟申”作五禽经，以授吴普，是时已开姿势运动之先河矣。唐许宣平许先师江南徽州府歙县人。隐城阳山结庐南阳。辟谷不食。身长七尺六寸，髯长至脐，发长至足，行如奔马。唐时每负薪卖于市中，独吟曰：“负薪朝出卖，沽酒日夕归，借问家何处，穿云入翠微。”李白访之不遇为题诗于望仙桥云所传太极拳术名三世七，因只三十七势而得名，其教练之法，为单势教练，令学者一势练熟，再授一势，无确定拳路，功成后各势自能互相连贯，相继不断，故又谓之长拳。其要诀有八字歌、心会论、周身大用论、十六关要论、功用歌，传宋远桥。

俞氏江南宁国府泾县人所传之太极拳名先天拳，亦名长拳。得唐李道子之传江南安庆人。李居武当山南岩宫，不火食，第日啖麦麸数合，人称之为夫子李云。俞氏所传之人，可知者有俞清慧、俞一诚、俞莲舟、俞岱岩等。

程氏太极拳术，始自程灵洗字元涤，江南徽州府人。侯景之乱，惟歙州得保全者，皆灵洗力。梁元帝授以本郡太守，卒谥忠壮。其拳术得之于韩拱月。传至程珌绍兴中进士，授昌化主簿，累官礼部尚书，拜翰林院学士，追封新安郡侯、端明殿学士致仕。精易理，著有《洛水集》，改名小九天，共十四势。有用功五志，四性归原歌。

殷利亨所传之太极拳术名后天法，传胡镜子扬州人。胡镜子传宋仲殊安州人，尝游姑苏台，柱上倒书一绝云："天长地久任悠悠，你既无心我亦休。浪迹天涯人不管，春风吹笛酒家楼。"，其式法十七，多属肘法，虽其势法名目不同，而其用则一也。

张三丰名通，字君实，辽阳人。元季儒者，善书画，工诗词，中统元年，曾举茂才异等，任中山博陵令。慕葛稚川之为人，遂绝意仕进，游宝鸡山中，有三山峰，挺秀仓润可喜，因号三丰子。世之传三丰先生者，不下十数，均未言其善拳术。洪武初，召之入朝，路阻武当。夜梦玄武大帝授以拳法，旦以破贼，故名其拳曰武当派，或曰内家拳。内家者，儒家之意，所以别于方外也。又因八门五步为此拳中之要诀，故名十三式，言十三法也。后世误解以为姿势之势，则谬矣。传张松溪、张翠山。先是宋远桥与俞莲舟、俞岱岩、张松溪、张翠山、殷利亨、莫谷声等七人为友，往来金陵之地，寻同往武当山，访夫子李先生不遇。适经玉虚宫晤三丰先生，七人共拜之，耳提面命者月余而归，自后不绝往拜。由是而观，七人均曾师事三丰，惟张松溪、张翠山传者名十三式耳。

或曰三丰系宋徽宗时人。值金人入寇，彼以一人杀金兵五百余。山陕人民慕其勇，从学者数十百人，因传其技于陕西。元世祖时，有西安人王宗岳者，得其真传，名闻海内。著有太极拳论、太极拳解、行工心解、搭手歌、总势歌等。温州陈州人多从之学，由是由山陕而流传于浙东。又百余年，有海监张松溪者，在派中最为著名见《宁波府志》，后传其技于宁波叶继美近泉，近泉传王征南[2]来咸，清顺治中人。征南为人勇而有义，在明季可称独步。黄宗义最重征南其事迹见《游侠佚闻录》，征南死时，曾为作墓志铭。黄百家主一，为传内家拳法。有六路长拳、十段锦等歌诀。征南之后，又百年，始有甘凤池[3]，此皆为南派人士。其北派所传者，由王宗岳[4]传河南蒋发[5]，蒋发传河南怀庆府陈家沟陈长兴[6]。其人立身常中正不倚，形若木鸡，人因称之为牌位先生。子二人，曰耿信、曰纪信。时有杨露蝉先生福魁者[7]，直隶广平府永年县人，闻其名，因与同里李伯魁共往师焉。初至时，同学者除二人外皆陈姓，颇异视之，二人因互相结纳，尽心研究，常彻夜不眠。牌位先生见杨之勤学，遂尽传其秘。杨归，传其术遍乡里。俗称为软拳，或曰化拳，因其能避制强硬之力也。嗣杨游京师，客诸府邸，清亲贵王公贝勒多从授业焉，旋为旗营武术教师。有子三，长名锜，早亡；次名钰，字班侯；三名鉴，字健侯，亦曰镜湖，皆获盛名。

余从镜湖先生游有年，念其家世。有子三人，长名兆熊，字梦祥；仲名兆元，早亡；叔名兆清，字澄甫。班侯子一，名兆鹏，务农于乡。当露蝉先生充旗营教师时，得其传者盖三人，万春、凌山、全佑是也，一劲刚，一善发人，一善柔化，或谓三人各得先生之一体，有筋骨皮之分。旋从先生命，均拜班侯先生之门，称弟子云。有宋书铭者，自云宋远桥后，久客项城幕，精易理，善太极拳术，颇有所发明，与余素善，日夕过从，获益匪鲜。本社教员纪子修、吴鉴泉、刘恩绶、刘彩臣、姜殿臣等多受业焉[8]吴为全佑子，纪常与凌君为友。

注释

① 太极拳之流派：北京体育研究社1918年《体育季刊》第一期，刊登郎豫

增撰写的《张三丰传》，他写张三丰“谈及内功拳，始识其精于太极”。本《图解》中提到张三丰“世之传三丰先生者，不下十数，均未言其善拳术。洪武初，召之入朝，路阻武当。夜梦玄武大帝授以拳法，旦以破贼，故名其拳曰武当派，或曰内家拳，内家者”，虽然尚未直接点明张三丰是太极拳创始人，但已经对太极拳历史研究产生了深刻影响，后人越演越烈，不仅将太极拳定为内家拳，又从内家拳推断张三丰为太极拳创始人，以逻辑代替历史，偏离了历史的真实，对太极拳史研究带来不少混乱，也给武术界带来不少矛盾。

许禹生的学生王新午在他的著作《太极拳阐宗》中，对他老师的《太极拳势图解》第五章“太极拳之流派”，又作了更为详尽的阐发。王新午《太极拳阐宗》第一章“太极拳流派”，分十小节，分别是：第一节 国术流源与太极拳；第二节 许宣平之三十七式；第三节 李道子之先天拳；第四节 程元澹涤之小九天法式；第五节 宋仲殊之后天法式；第六节 张三丰之太极十三式；第七节 陈长兴之太极拳；第八节 杨福魁之太极拳；第九节 许禹生之太极拳；第十节 宋书铭之太极拳。又有第三章“太极拳文献”，第一节 张三丰传；第二节 张松溪传；第三节 王征南墓志；第四节 王征南内家拳法。两章共有二十页，洋洋数千字，为太极拳史研究提供了许多有趣的资料，至今影响着太极拳史的研究。

曾昭然在《太极拳全书》中指出：“向来言太极拳历史者，大都以讹传讹，多不可信。民国八年许禹生始著太极拳书（按：即《太极拳势图解》），尝述太极拳源流颇详，以后著同类书者，要皆宗之。许氏所述，大致如下：……（按：此处文字较长，不作抄录，读者可见《图解》与《阐宗》原文）。窃以为一般太极拳所以称为太极拳出于张三峰者，大抵以为少林既以拳勇名天下，则欲与之争衡者，非抬出大名鼎鼎足与之相埒之祖师不可；和尚既能精于拳术，则道士何独不能？于是素隐行怪名满大江南北之道士张三丰不得不膺其拳术之上之殊选。此原系武师之幼稚心理，一般文士不察，遂亦率意从之，于是张道士三丰便尔黄袍加身，居然任内家拳以至太极拳之祖师矣。”

② 王征南：1617—1669 年，又名王瑞伯，名来咸，字征南，是明末清初著

名的武当派拳师。早年从军，以“七矢破的，补临山把总”，由于“屡立战功”，官至“都督佥事副总兵”。由于参与反清复明，事败后隐居乡野，“终身菜食以明其志”。黄宗羲反清复明失败后返归家乡，在宁波城西的白云庄讲学，结识了王征南，两人成为好友。

王征南村后有一座铁佛寺，原为王应麟的家庙，王曾隐居于此。王征南虽然罢事家居，但慕其才艺者来访不绝，他一生收徒极严，四明内家拳的真髓只授予了黄宗羲的儿子黄百家，然而黄百家却没有能够将之传播。在他后来所写的《王征南先生传》中，黄百家沉痛地说道：“余既负先生之知，则此术已成广陵散矣，余宁忍哉!”

王征南下世的当年，一代文宗黄宗羲就给他写了墓志铭，在中国武术史上，首次提出：“少林以拳勇名天下，然主于搏人，人亦得以乘之。有所谓内家者，以静制动，犯者应手即仆，故别少林为内家。盖起于宋之张三峰。”王征南死后七年（1675 年），他的弟子黄百家著《内家拳法》和《王征南先生传》。比较全面地介绍了王征南内家拳法的功理功法和“五不传”的择徒原则。

③ 甘凤池：江苏南京人，清代著名武术家，生卒年不详。先后拜黄百家、一念和尚为师，精内外家拳，善导引之术。江湖人称“江南大侠”，著有《花拳总讲法》。时因违反汉人不可聚众习武之禁令及被怀疑有反清复明之疑，为清兵追捕，隐居江浙。据清人王友亮著《甘凤池小传》说，他年八十余，终于返乡。

甘凤池是位名震四方的江湖大侠，吴敬梓所著《儒林外史》中的义士凤老爹写的就是他。甘凤池原是南京人氏，自小父母双亡、孤苦伶仃，自幼不喜读书，却爱好武功，结交江湖侠客，十几岁时，就以“提牛击虎的小英雄”名扬江南。《清史稿·甘凤池传》说他“勇力绝人能提牛”。民间传说他曾协助女侠吕四娘闯入清宫行刺雍正，此故事虽然与史无据，但颇受民众喜闻。

唐豪曾指出：“许禹生于民十出版之《太极拳势图解》中称征南之后百年始有甘凤池，又指甘为南派太极拳南派人士，皆出杜撰。盲从之者，有民十九出版之姜容樵、姚馥春《太极拳决议》，民二十出版之吴图南《科学化的国术太极拳》等书，岂武艺作家，不以竟张空虚为耻者乎?”

④ 王宗岳：传说明朝万历人，内家拳名家。精通拳法、剑法、枪法，研究数十年，颇有心得。所著《太极拳谱》中之《太极拳论》，被视为太极拳经典理论。另有《阴符枪谱》等。见《清史稿·王来咸传》《王征南墓志铭》。由武禹襄之甥李亦畲1867年著述的《太极拳小序》载：“太极拳始自宋张三丰，其精微巧妙，王宗岳论详且尽矣。后传至河南陈家沟陈姓，神而明者，代不数人。我郡南关杨某（按：即杨露禅），爱而往学焉。专心致志，十有余年，备极精巧。旋里后，市诸同好，母舅武禹襄见而好之，常与比较，伊不肯轻以授人。仅能得其大概。素闻豫省怀庆府赵堡镇，有陈姓名清平者，精于是技，逾年，母舅因公赴豫省，过而访焉。研究月余，而精妙始得，神乎技矣。……”此文乃近代太极拳源流之最早记载。

⑤ 蒋发：传说是北派太极第一代宗师王宗岳的衣钵传人，对太极拳事业的承前启后、发扬光大，以及理论的发展，具有不可磨灭的功绩。他不仅是赵堡太极拳派的创始人，也是现代六大派（赵堡、陈、杨、武、吴、孙）的共同祖师，是北派太极的第二代宗师。以上观点仍是一家之言。由于蒋发详细生平及武术活动等事迹，缺乏可靠的史料支持，学术界对他存在争议。

⑥ 陈长兴：1771—1853年，字云亭，陈氏十四世，自幼受业于其父秉旺，拳、械出神入化。成年后以保镖为业，在武术界享有盛名。其人“立身中正，不偏不倚……人称为‘牌位先生’”。“至道光年间，拳好极，矗立千百人中，无论众人如何推拥挤，脚步丝毫不动，近其身者，如水触石，不抗自颓。”其著述流传下来的主要有：《太极拳十大要论》《太极拳用武要言》《太极拳战斗篇》《陈长兴太极拳总歌》等。他传授门徒众多，有名弟子有：其子陈耕耘，宗侄陈花悔、陈怀远，杨露禅（福魁）等。

⑦ 杨露蝉：也作杨露禅、杨禄禅，名福魁，生于清嘉庆四年（1799年），直隶省广平府人（今河北省永年县），中国历史上第一个将太极拳事业深入推广、发扬光大的伟大武术家。他以毕生精力钻研武学，醉心拳道，讷于言而敏

于行，成就威名后淡泊依旧，不为浮华虚荣所累，是典型的武痴。

杨露蝉去陈家沟向陈长兴学拳，因是外乡人、长工的身份，因此虽未被拒诸门墙之外，却一直不知其拳的精要处（详见陈微明 1928 年上海中华书局《太极拳名人轶事》、陈炎林 1949 年上海国光书局《太极拳刀剑杆散手合编》“杨家小传”），这不利因素，反而促进了杨露蝉在《太极拳论》的指导下，对陈沟拳作了改造革新和提升，创造出被世人公认的现代太极拳，他个人也从“乡里高手”成为京师“杨无敌”。

1840 年前后，杨露蝉自豫北温县陈家沟学拳艺成后返回家乡冀南永年县设坛教拳，拳械运用高妙，乡里高手尽皆慑服。从学者称其拳为“化拳”或“绵拳”。武禹襄昆仲三人从其学艺，又共同研习《王宗岳太极拳论》，使其拳的风格发生质的变化，人们称其为“太极拳”。后因武汝清荐往北京教拳，历任大户酱园张家、京师旗营武术教师等。晚年时被延请至王府授拳，在京城他被誉为“杨无敌”，名声大噪，从此开启了近代太极拳传播序幕，为日后太极拳的弘扬发展，奠定了坚实的基础。

⑧ 有宋书铭者……多受业焉：宋书铭，自称宋远桥后人。据王新午《太极拳阐宗》介绍：“项臣袁氏秉政，时有宋书铭参其幕，精研易理，善太极拳术。时年已七十矣。自言为宋远桥的十七世孙，其拳名为‘三世七’，以共三十七式而得名，又名长拳。与太极拳十三式名目大同小异，然而趋重单式练习，惟推手法亦相同。”然而杨露禅所传推手法，重心多移至前足，而宋书铭所传之推手法，重心多在后足。其时纪子修、吴鉴泉、许禹生、刘恩绶、刘彩臣、姜殿臣诸人听闻宋书铭精太极拳，多前往拜访。

唐豪对宋书铭的说法持批判的态度，他指出：“王宗岳著作里绝没有说过张三丰以前的道家或这样一个和尚创造太极球，1912 年关百益油印的《太极拳经》里也无此说，而突然毫无根据地出之于今人之口，其事又极为荒唐，在我认为，宁可信其必无。”

“1937 年出版的《太极拳谱辨伪》作者徐震也早已否定了张三丰以前道家

曾经创造过太极功。所谓‘太极功’即1921—1915年宋书铭传谱上托称唐朝道家许宣平传下来的三十七个单势，最初宣传此说的是1921年出版的许禹生《太极拳势图解》，继许之后宣传此说的是1933年出版的李先五《太极拳》。许禹生是宋的朋友，李先五是宋书铭的再传弟子。”

“徐震否定的理由：‘观许宣平诸歌诀，多袭用王宗岳拳谱，并袭武禹襄语——如开合鼓荡主宰定，其作伪之迹甚明。李先五太极三十七式名目，几乎全同杨氏谱，只删去其重复之名目，然则宋书铭之太极，仍为杨氏之传，特讳其所自来耳。’”“徐震认为宋谱是宋书铭‘附会古籍，伪撰歌谱，以自神其术。’自古无此说，也就是说附会出自宋书铭。”

宋书铭是中国太极拳史上谜一样的人物，他似流星一闪而过，却留下不少话题；他散布的关于太极拳源流的种种传说，疑团重重真伪难辨；他对后人研究太极拳史影响颇深，他的历史作用暧昧，难以评说。

按：许禹生《太极拳势图解》第五章《太极拳之流派》，是我国最早正式涉及太极拳源流的著作，影响巨大，它引发了武术界人士对太极拳源流的兴趣和研究。

王新午著《太极拳阐宗》，对《太极拳势图解》第五章又作了详尽的阐发，为太极拳史研究提供了有趣的故事，也影响了太极拳史的研究。但是以上这些资料，尤其是人物的描写，几乎与《太平广记》《搜神记》《聊斋》等神鬼小说如同一辙，作为民间宗教信仰是有其存在的理由的，而作为历史的真实却是荒谬的。

二水居士认为：最早刊布于民国十年（1921年）北京体育研究社出版发行的许禹生著《太极拳图势解》上篇第五章之《太极拳之源流》。其书从伏羲画卦阐明阴阳着手，先后梳理了阴康作大舞，黄帝作《内经》、按摩导引，华佗本庄子之“吐故纳新，熊经鸟伸”作五禽经，开姿势运动之先河，将太极拳源流上溯到唐·许宣平。并一一论及韩拱月、李道子、胡镜子、程灵洗、程珌、俞清慧、俞一诚、宋仲殊、张三丰、殷利亨、张松溪、张翠山、莫谷生、俞莲舟、俞岱岩、宋远桥等。许禹生一方面称“海盐张松溪”，另一方面从《宁波府志》摘录“鄞人张松溪”的相关传承资料，将太极拳与张松溪一脉的叶继美、王征南、黄百家、甘凤池等所习练的内家拳扯上了关系。

先哲徐哲东先生对此不屑一辩，云：“自顷以来，太极拳大行于南北，述其史实者，颇多异说，尤以原于张三峰之说为盛。复有谓出于六朝时之韩拱月，唐之许宣平、李道之及明之殷利亨者。出于韩许李殷之说，羌无故实，其为伪托，不待深辩”，“夫向之穿凿附会，杜撰太极拳历史者，固不足以言考证”。顾留馨先生则对此谱所述功法多有发难：考宋书铭所练太极拳，实以杨式为基础，改成三十七个单练的势，任意错综连贯，确为“颇有所发明”，托名传自唐许宣平，传之宋远桥，以自神其术。所传抄拳谱，绝不类唐人文辞云云。

二水居士校注的《太极功源流支派论》，对太极拳源流作了严谨精详的研究，此书已由北京科学技术出版社正式出版发行，读者如对太极拳源流有兴趣，不妨进而阅读此书。

笔者以为，中国近代武术的源头都可追溯到戚继光（南塘）和他的《纪效新书》。而把张三丰认定为太极拳的创始人，缺乏可靠的史实来证明。张三丰只是民间信仰的一个符号，是用以包装太极拳拳理的符号。

第六章　《太极拳经》详注[①]

“太极者，无极而生。”

太，大也，至也；极者，枢纽根柢之谓。太极为天地万物之根本，而太极拳则为各拳之极至也。无极而生者，本于无极也。此拳重在锻炼精神，运劲作势，纯任自然，不甚拘于形式。以虚无为本，而包罗万象，故曰无极。然初学者究当就有形之姿势，入手学习，久之着熟懂劲，融会惯通，始能入于神化之境。

案周濂溪《太极图说》，“无极而太极”注云：“上天之载，无声无臭，而实造化之枢纽，品汇之根柢也。故曰，‘无极而太极’，非太极之前，复有无极也。”此云无极而生，究有语病。

“动静之机[②]，阴阳之母也。”

变易物体之位置，或动体进行之方向曰动；保存或维持其固有之位置或方向曰静。机者朕兆也，如《阴符经》“天发杀机”之机。夫动静无端，阴阳无始。太极者其枢纽机关而已。太极拳当行功时，中心泰然，抱元守一，未常不静。及其静也，神明不测，有触即发，未常无动。于动时存静意，于静中寓动机，一动一静，互为其根，合乎自然。此太极拳术之所以妙也。

万物之生也，负阴而抱阳，莫不有太极。有太极斯有两仪，故太极为阴阳之母。太极拳着着势势，均含一〇圆形。其动而阳、静而阴及刚柔进退等，均与易理无异，故得假借易理以说明之，非强为附会也。

中国旧日学说，诸凡事物均以阴阳喻之，故阴阳无定位。太极拳之喻[③]阴阳亦然。如拳势之动者为阳，静者为阴；出手为阳，收手为阴；进步为阳，退步为阴；刚劲为阳，柔劲为阴；发劲为阳，收劲为阴；黏劲为阳，走劲为阴；手足关节之伸为阳，曲为阴；分为阳，合为阴；开展为阳，收敛为阴；身躯之仰为阳，俯为阴；升为阳，降为阴。凡此所喻，无论遇如何变化，内皆含一〇圆形，故动静不同时，阴阳不同位，而太极无不在焉。

“动之则分，静之则合。”

动，变动也。动之则分阴分阳，两仪立焉，静之则冲漠无朕，而阴阳之理，已悉具其中矣。太极拳术当行功时，其各姿势，一动一静相间，其拳术之动者，前后左右上下，均有阴阳虚实可循，故曰动之则分。其静的姿势，虽无痕迹可指，然阴阳虚实，已具其中，故曰静之则合。若作运劲解，则太极之阳变阴合，即物理、力学、分力、合力之理也。太极拳术遇敌欲制我时，则当分截其劲为二，使敌力不能直达我身（背劲），所谓动之则分是也。若将敌黏起用提劲，阳之变也。及起，须静以定之使不得动。或敌劲落空，稍静即发，利用合劲，阴之合也。倘敌欲发我，则应中心坦然，审候应机，静以俟之，微动即应，所谓后人发先人至是也。

夫道一而已矣。当混沌未判，洪濛未辟，本无动静，何有阴阳?故以虚无为本者，无不合道。天地如是，太极如是，太极拳习至极精处亦如是也，然此指先天而言，指习拳术功深进道者而言，初学之士，骤难语此也。及乾坤既定，两仪攸分，有阴阳斯有动静，则言太极者，不能不就有形象者以讲求之。太极拳之分合动静，合乎阴阳，如动势须求开展，运劲务明虚实。刚则化之故曰分，柔则守之故曰合。坤在静中求动，无为始而有为终，必须伏炁。乾则动中求静，有为先而无为了，只要还虚，盖万物之理，以虚而受，以静而成，天地从虚中立极，静中运机，故混沌开而阖辟之局斯立，百骸固而无极之藏自主，无不从虚静中来也。重阳子曰："此言大道之原，而功先于虚静，虚则无所不容，静则无所不应。"由是观之，习太极拳者，倘以虚静为本，则分合变化，自无不如意也。

"无过不及，随曲就伸。"

过，逾也；不及，未至也；随，无逆也；就，即之也。过与不及，皆为失中。失中则阳亢阴暌，未能有合也。太极拳于曲伸分合等处，运劲过则生顶抗等病，不及则有丢扁等病。欲求不即不离，则应随之而曲，就之而伸，随机应变，毋固毋我。因力于敌，以中为主，而黏黏连随以就之，自无不合，所谓君子而时中也。案初学此拳者，每失之过，迨稍懂劲，则每失之不及。学者宜审慎之。

"人刚我柔谓之走，我顺人背谓之黏。"

人者，敌也；刚，指刚强有力而言；柔者，无抵抗也；走者，化也。柔以承之，变化敌力之方向，不为所制，故曰走。顺者自由便利也；背者，不自由不便利也；黏者，取制敌人之力也。遇敌施刚力时，我惟顺应其势取而制之，使俯就我之范围，如以胶着物，故曰黏。太极拳常以小力敌大力、无力御有力、弱胜强、柔制刚为其主旨，但以常理言之，小固不可以敌大，弱固不可以胜强。柔固难期以制刚，然云敌之胜之制之者，必有其所以制胜之理在。盖敌力须加吾身方生效力，苟御制得道，趁其刚发动之始，审机应变，採取擒获，使还制其身。则我虽弱，常居制人地位，敌虽强，常居被制地位，难于自由发展，力虽巨奚益？此老聃齿敝舌存之说也，颇合太极拳刚柔之义。然非好学深思之士，未足以语此。

“动急则急应，动缓则缓随，虽变化万端，而理为一贯。”

此言己动作之迟速，当随敌动作迟速之程度而异，但欲识敌之迟速程度，须先体察敌力之动机，方能因应咸宜。何谓动机？周濂溪《通书》有云：“动而未形有无之间者曰机”，又曰“机微故幽”。难识如此，设非功深，不易知也。然苟得其机，敌虽变化万端，由一本而万殊。而我则执两用中，扼万殊使归一本，审机应候，无过不及。敌运动甚速，而我应付迟缓，则失之缓；敌劲尚未运到，而我先逆待，或加以催迫，则敌反有机可乘，是谓性急，其弊一也。守一以临，纯任自然，无丝毫之凝滞矣。故曰“得其一而万事毕”是也。

“由着熟而渐悟懂劲，由懂劲而阶及神明，然非用力之久，不能豁然贯通焉。”

此言习太极拳者，进功自有一定之程度，而不可躐等躁进也。太极拳之妙全在用劲此劲字系灵明活泼由功深练出之劲，不可仅作力量解，然劲为无形，必附丽于有形之着，始能显著。言太极拳者，每专恃善于运劲，而轻视用着，以致习者无从捉摸，有望洋兴叹之概。虚度光阴，难期进益，较循序渐进者，反事倍功半，不遵守自然之程序故也。昔孔子讲学，常因材授教，故诸门弟子，各得其益。拳术虽属小技，然执涂人而语以升堂入室之奥，未有能豁然者也。故习此拳者，应先模仿师之姿势，姿势正确矣，须求各姿势互相联贯之精神。拳路熟习矣，须求势着数之用法。着熟矣，其用是否能适当，用均得其当矣，其劲是否不落空，劲不落空，是真为着熟。再由推手以求懂劲，研求对手动作之轻重迟速，及劲行之趋向方位。久之自微懂而略懂，进至于无微不觉，无处不懂，方得称为懂劲。懂劲后不求用着，而着自合，进至无劲非着，无着非劲，渐至不须用着，只须用劲，再至不求用劲，而劲自合。洵至以意运劲，以气代意，精神所触，莫之能御，则阶及神明矣。是非数十年纯功，曷克臻此。

“虚领顶劲。”

虚，一作须，似宜从虚。虚者，对实之称。实即窒滞难巧也。顶者，头顶，亦曰囟门。小儿初生时，此处骨软未合，常随呼吸颤动，道家称为上丹田泥丸宫，盖藏神之府也，佛家摩顶受记，道家上田炼神。《易》曰“行其庭不见其人”庭，指天庭头顶也。行，神气流行也。不见其人，虚也。《黄庭经》云：“子欲不死修昆仑山名，喻头顶。”均示人修养之要诀也。夫人之大脑主思想，小脑主运动。而头顶实首出庶物，支配神经，为主宰之枢府。其地位重要如此，宜为修养家所注重。练太极拳者，向主身心合一、内外兼修，精神与肉体二者同时锻炼。故运劲时必运智于脑，贯神于顶，务使顶上圆光，虚灵不昧。所以炼神也，盖头为全身纲领，纲举则目张。头顶悬则周身骨骼正直，筋肉顺遂。偶有动作，全身一致，左右前后，无掣肘之虞矣。

“气沉丹田。”

丹田，穴名。道家谓丹田有三，一居头顶，以藏神；一居中脘，以蓄炁；一居脐下，以藏精。此指下丹田也（脐下三寸）。常用深呼吸使气归纳于此，自能气足神旺。《黄庭》云：“呼吸庐外入丹田，审能行之可长存[4]。”盖常人呼吸短促，每至中脘而回中脘，横膈膜也，不能下达此处。因之循环迟缓，肺力薄弱，不足以排泄腹中炭养，血脉不能红活，于人之寿命关系至巨。老子曰："天地之间，其犹橐籥[⑤]乎?"又曰"虚其心，实其腹。"盖吐故纳新吐，吐腹中浊气；纳，吸新鲜空气也，归根复命根，根蒂，指下丹田命门精气也。归复者，以意逆志于此也，以心意导精气于下丹田而施烹炼也，久之自能延年却病。下丹为全身重点所在，习拳术者，沉气于此，则屹然不动，不易撼倒。但沉者徐徐而下，在有意无意之间。非若外家之用力下沉，外臌小腹也。倘或不慎，每致肠疝诸症。迩来日本之静坐家刚田虎二郎罹糖尿病逝世，议者疑系努力下丹田所致。非无因也。

"不偏不倚，忽隐忽现。"

偏，偏颇失中也；倚，倚赖失正；隐，隐藏；现，表现。忽隐忽现者，神明不测也。上指身体姿势，下指神气运动而言。太极，虚明中正者也。于姿势则必中必正，于运劲若有意无意，使神气意力，全身贯澈，无过不及，忽隐忽现，令人不可捉摸。练习纯熟，便易领悟。几何学定理，两点之间只可作一直线，太极拳上领顶劲，下守重心，周身中正，便无不是处矣。但领守均须含活泼之意，富自然之趣。过于矜持，则神气凝滞，姿态呆板，运劲不能虚灵，动生障碍矣。故曰"忽隐忽现"也。

"左重则左虚，右重则右杳。"

此仍承上文而言。吾隐现无常，敌以吾力在左，思更加重吾左方之力，使失平衡，吾则虚以待之，令敌力落空。敌揣吾右方有力，可以擒制。吾即隐而藏之，虚实易位，随机善应，敌更何所施其技耶?

"仰之则弥高，俯之则弥深。"

仰升俯降也。敌欲提吾使上，吾即因而高之；敌欲押吾使下，吾即因而降之。敌遂失其重心，反受吾制矣。因仍变迁，潜移默化，运用之妙，在于一心。

“进之则愈长，退之则愈促。”

进，前进也；长，伸舒也，退，后退也；促，逼迫也。吾前进时，倘敌顺领吾劲时，吾则长身以随之，使无可退避。或敌乘势前进，吾急引而伸之，使力到尽头，自不得再逞。吾若退后，敌力逼来，每致迫促无路可逃。然退而急进，虽促不促矣。《易》云：“天行健，君子以自强不息”，示人遇事当积极进行，不可退缩也。太极拳虽以柔静为主，但非务退避，其佯退者，乃以退为进，非真退也。若竟退时，倘遇敌随之深入，则逼迫不自安矣。又敌退后时，吾进而迫之使愈促，吾退后时，敌力跟来，吾则或俯身折叠以促其指腕，或旁按臂弯，使敌促迫不安，而不能再进。全在因势利导，不必拘泥也。

“一羽不能加，一蝇不能落。”

羽，翎羽也；加，增之也；落，降也，着也。言善太极功者，感觉敏锐，稍触即知，稍纵即逝。虽轻如一羽，微如蝇虫，稍近吾体，亦即知觉，趋避而不令加着也。夫虚灵不昧之谓神，有知觉然后能运动。致虚极，守静笃，寂然不动，感而遂通，有不期然而然者。非锻炼有素，支⑥体软灵，富有触力，未足语此也。

“人不知我，我独知人，英雄所向无敌，盖皆由此而及也。”

虚静则阴阳相合，觉敏则刚柔互济。敌偶动作，吾无不知。吾之动作，敌尽难知。拳术家所向无敌，盖均由此，孙子曰：“善战者无赫赫之功。”又曰：“知彼知己，百战不殆。不知彼而知己，一胜一负。”人不知我，我能知人，则所向无敌矣。

“斯技旁门甚多。”⑦

泛指他项拳术而言。

“虽势有区别。”

流派不同，姿势各异。

“概不外乎壮欺弱，慢让快耳。”

他种拳术重力量，尚着法而不求懂劲，故于机势妙合、运用灵敏、以静制动诸诀概不过问。

“有力让无力，手慢让手快，此皆先天自然之能。”

谓力大与敏捷二者，均为天赋的能力。非关学力而有所为也，非由学而能者。

“察四两拨千斤之句见搭手歌牵动四两拨千斤**显非力胜。”**

如秤衡秤物，滑车起重，全赖杠杆斜面等理。太极拳以小力胜大力，以无力制有力，与科学暗合。

“观耄耋能御众之形，快何能为。”

古称七十曰耄，八十曰耋。年老之人，举动迟缓。然古之名将，如廉颇等，虽老尚能胜众，是必不仅恃手足速快已也。

“立如平准。”

中正安舒，不偏不倚，脊背三关，自然得路也。

“活似车轮。”

圆妙庄严，灵活无滞，则周身法轮，常转不已矣。

“偏沉则随。”

偏指一端也。如吸水机，如撇酒器，使一端常虚，故能引水，如攲器之不堪盈满，满则自覆矣。

“双重则滞。”

有彼我之双重，有一己之双重。太极拳以虚灵为本，单重尚且不可，况双重乎?

“每见数年纯功，不能运化者，率皆自为人制，双重之病未悟耳。”

古云：“恃德者昌，恃力者亡”，《易》曰：“天行健，君子以自强不息”，盖言虚则灵，灵则动，动则变，变则化，化则无滞耳。善应敌者，常致人而不致于人，而况自为人所制乎? 用功虽纯，苟不悟双重之弊，犹未学耳。

“欲避此病。”

双重之病。

“须知阴阳。”

阴阳之解甚多，前已述之，兹不复赘。

“黏即是走，走即是黏。”

一而二，二而一者也。制敌劲时谓之黏，化敌劲时谓之走。制而化之，化而制之，制即化，化即制也。

“阴不离阳，阳不离阴，阴阳相济，方为懂劲。”

知彼己之刚柔虚实，则阴阳互为消长。以虚济盈，而不失其机，斯真懂劲。

“懂劲后愈练愈精。”

反衬不懂劲则愈练愈不精也。

“默识揣摩，渐至从心所欲。”

懂劲后能自揣摩，默而识之，有余师矣。

“本是舍己从人。”

毋意，毋必，毋固，毋我，随机应便[⑧]，不拘成见。

“多误舍近求远。”

不知机而妄动者，动则得咎。

“所谓差之毫厘，谬之千里。”

区别甚微，人易谬误。

“学者不可不详辨焉，是为论。”

古人云：“获得真诀好用工”，苟不详为辨别，则真妄费工夫矣。

此论系三丰先生入室弟子王君宗岳所作，语简而赅，要之于太极拳之奥理已阐发无遗。原经甚多，先取此篇加以注释。臆断之处，在所难免，阅者谅之。

注 释

① 此章《〈太极拳经〉详注》，曾在1918年《体育季刊》第一期上单独发表。

陈微明《太极答问》：“自以王宗岳先生《太极拳论》为宗”，承认杨家太极拳奉《王宗岳太极拳论》为圭臬，甚至将此文称作为《太极拳经》，即太极拳的经典，作为行拳走架、推手的行为模式、价值标准以及思维模式。

《太极拳经》，或名《太极拳论》，或《王宗岳太极拳论》（简称《王论》）。1912年，关伯益油印名称为《太极拳经》；1921年，许禹生也称《王论》为《太极拳经》。1925年，陈微明著《太极拳术》中《太极拳经》也是“太极者，无极而生。……”，而将“一举动周身俱要轻灵。……”称为《太极拳论》。1931年，董英杰在《太极拳使用法》中则称“太极者，……”为《王宗岳遗论》。1933年，《太极拳体用全书》称“一举动，……”为《太极拳论》，称“太极者，……”为《明王宗岳太极拳论》，两文都称“论”。1942年，王新午在《太极拳阐宗》中称“一举动……”为《太极拳论》，称“太极者，……”仍为《太极拳经》。1962年，《杨式太极拳》附录，又将两者都称《太极拳论》，在“太极者，……”的《太极拳论》旁注：“王宗岳”；在“一举动，……”的《太极拳论》又注“武禹襄”三字。以后学术界都把“太极者，……”称为《太极拳论》或《王宗岳太极拳论》。这种称谓前后不一，带来了一个问题，有关王宗岳“太极者，……”的论说，其原标题究竟该是《太极拳经》，还是《太极拳论》？

1852年，武澄清、武禹襄从舞阳盐店发现所谓《王论》时，实际上它是一个残缺的拳谱抄本，仅仅剩下四篇文章，这四篇文章的体裁、观点和文气也确有某些不同之处，疑为编辑而成。此残缺的原始物件有否封面，里面四篇的原标题其名称又究竟是何？是何人所作？是《太极拳经》，还是《太极拳论》？或是标题名称均为武氏所加（或李氏抄写时所加）？甚至是“太极者无极而生”等字句也是否为后人所加？等等，这关系到太极拳的名称究竟起自何时，或为何人所创的问题，这些都是太极拳史研究中的难以破解之谜。

② 动静之机：拳论中出现“动静之机”四个字最早的出版物，就是1921年《太极拳势图解》。尔后是1927年《太极拳浅说》；1929年《康健指南》《太极拳全图》……

杨氏《太极拳谱》传本在《太极拳论》的“阴阳之母也”之前，添加了：“动静之机”四个字，不仅与“阴阳之母”四个字对仗，成为道地的骈体文句，也使之和后一句中的“动之则分，静之则合”起到了承上启下的对应作用，因此，在文法结构和文义用词方面更为优雅。据金仁霖研究，“老三本”均无“动静之机”四个字，他认为，这四字添加时间较早，大约是杨露禅、杨班侯父子俩在北京端王府及诸旗营教拳授课时，由向他们学拳的王公们或陪伴王公们学拳听课的文人学子所增添的。其他改动或增添的文字还有许多，可参阅《上海武术》1994年第三期，金仁霖撰写《杨氏太极拳学者修改太极拳经典著作的例证》一文，此处不赘。

③ 喻：金藏本（即第二版）“喻”字，北中本、山科本（第五版）均为“为”字。

④ 原文“常存”，现改“长存”。

⑤ 橐籥：音 tuó yuè，鼓风用具，因一面有皮囊，民间俗称“皮老虎”。在《道德经》中老子将其比喻为天地宇宙乾坤变化之象。内中空虚而生机不已，动静交织而无穷无尽。

⑥ 支：当为“肢”。

⑦ 斯技旁门甚多：即使习练太极拳，如果偏离了太极拳原理，也会走入旁门。

⑧ 随机应便：当为“随机应变”。

按：许禹生是最早对太极拳经（论）作解释的，方便了学员对太极拳理论的学习和理解，同时也带动武术家们按各自的经验来解释太极拳经，丰富太极拳文化。近百年来，注解太极拳经的著作已是汗牛充栋，但良莠相杂，读者不易分辨优劣。最近，北京科学技术出版社出版发行二水居士校注的《王宗岳太极拳论》，较为精到，专家学者可进而研读。

下 编

第一章　太极拳路之顺序及运动部位图 附说明

太极拳运动部位图

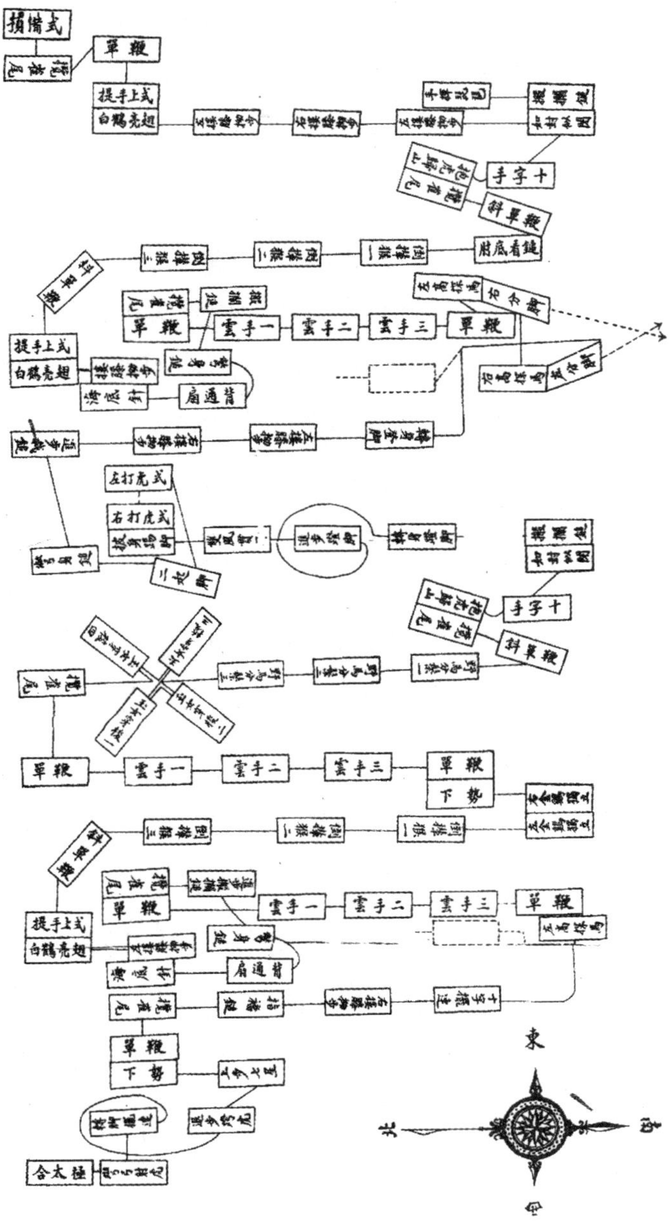

自北边起[①]向西作预备式。进左步，向右方转身，面北作揽雀尾式。开左步，回身向南，作单鞭式。移右步向前，作提手上式。原地作白鹤亮翅式。开左步面南，作左搂膝拗步式。上右步作右搂膝拗步式。再上左步，作左擞膝拗步式。并右步，作手挥琵琶式。开左步，作搬拦锤式。原地作如封似闭式。向右并步，面西作十字手式。开右步，向右斜后方转，向东北作抱虎归山式。原地作揽雀尾式。回身向西南开左步，作斜单鞭式。上右步，收左步，面向南作肘底看锤式。左腿后撤，左手前伸，作倒撵猴式一。撤右腿，伸右手，作倒撵猴式二。再撤左腿，伸左手，作倒撵猴式三。退右步向西北（或进左步向东南）作斜飞式。移右步向前，作提手上式。原地作白鹤亮翅式。开左步面南作左搂膝拗步式。左腿后撤半步，屈腿作海底针式。再开左步，作扇通背式。右后转作别[②]身锤式。撤右步，作卸步搬拦锤式。再上右步，作揽雀尾式。开左足，回身向南，作单鞭式。并右足，作云手式一。开左足，作云手式二。再并右足，作云手式三。开左足，作单鞭式。左足后撤半步作左高探马式。踢右足，作右分脚式。落右足，作右高探马式。踢左足，作左分脚式。左后转，作转身蹬脚式。落左足，作左搂膝拗步式。上右足，作右搂膝拗步式。再上左步，作进步栽锤式。右后转，作翻身别身锤式。提左腿，踢右腿，作二起脚式。落右腿，撤左足，向左方作左打虎式。撤右足，向右方作右打虎式。原地作披身踢脚式。落右足，向前作双风贯耳式。踢左足，作进步蹬脚式。右后转面向东，落左足，踢右足作转身蹬脚式。落右足，上左步。作搬拦锤式，原地作如封似闭式。向右并步，作十字手式。开右步，向右斜后转。向东北作抱虎归山式。原地作揽雀尾式。回身开左步。向西南作斜单鞭式。上右步，作野马分鬃式一。上左步，作野马分鬃式二。再上右步，作野马分鬃式三。上左步向西北作玉女穿梭式一。右后转向西南作玉女穿梭式二。再上左步向东南作玉女穿梭式三。右后转向东北作玉女穿梭式四。原地作揽雀尾式。开左足，回身向南作单鞭式。并右足作云手式一。开左足作云手式二。再并右足作云手式三。开左足作单鞭式。原地屈腿作下势式。立身，提右腿作右金鸡独立式。落右足提左腿作左金鸡独立式。撤左足作倒撵猴式一。撤右足作倒撵猴式二。撤左足作倒撵猴式三。退右足向西北（或进左足向东南）作斜飞式。移右足向前作提手上式。原地作白鹤亮翅式。开左足面南作左搂膝拗步式。左足后撤半步，屈腿作海底针式。开左足，作扇通背式。右后转，作别身锤式。进左足作上步搬拦锤式。原地作揽雀尾式。开左步回身，作单鞭式。并右足作云手式一。开左足作云手式二。并右足作云手式三。开左足作单鞭式。左足后撤半步，作左高探马式。开左步，穿左掌，右后转作十字摆连[3]式。右足落地，作右搂膝拗步式。进左足作搂膝指裆锤式。上右足作揽雀尾式。开左足，回身作单鞭式。原地屈腿作下势式。立身上右足，作上步七星式。退右足，收左足，作退步跨虎式。右后转，上左足，穿左掌，再右后转，作转脚摆连式。向右方落右足，作弯弓射虎式[4]。上左足靠拢，双手下垂，还原预备式。

附太极拳运动部位图说明

（一）凡练习武术，例在某地方开始练起，即应仍在某地方收势。今为易于观览起见，特舒展图面，故起讫不能在于一处。

（二）凡在一处继续练习数式，不移动地方者，难于叠写。只得接近排列，以示在原地练习之意，如 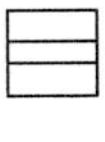 是。

（三）凡两式同在原地，而位置略移动者，特参差其位，以表明之，如□□是。

（四）凡动步者，则于两位置间画一直线，以示前进之意。如□—□是，其斜向移动者，则画一斜线。但线之长短，与前进之度无关。

（五）凡姿势之斜正，均以图位之方向斜正表明之。

（六）每式注字之方法，各按每式所向之方向而定，阅者注意。

（七）凡身体旋转之式，以◎线表明之，其半转身者，则画◝线以表明之。

（八）左右分脚图之指标线，乃示其足尖所向之方向。

（九）凡画虚线位者，乃示下一式当居之位，因该处地势窄狭，不便引画，故移画于下方。

（十）全图方向，另有指标，与普通所谓“上为北、下为南”者不同。

按：《太极拳势图解》中的拳架部分是本书的重要部分，但此拳架距今久远，且与现行拳架有许多不同，如果单是对其中文字或词句做校注，是很难有较为立体的认识。因此，本次校注除了对个别文字作校点外，对《图解》拳架，招式的释名、注意、应用三方面作罗列式注释。这样便于了解招式的编排、应用及其增减变化，也就了解了套路演化的过程，有利于习练的动作规整、规范、合理；也有利于练习时意念运用和精气神的涵养。杨振基也说过：“杨式太极拳每一式都是为搏击编的，是带有技击性的，必须明了拳的本意，明确了后反过来加强练成周身一个劲的意识。”曾昭然在《太极拳全书》也说：“拳式之动作必有其目的与作用，若已确知者，则拳式必臻正确，亦必不至变动。然先师

（杨公澄甫）对此，非得其人则决不轻于传授，故学者仅仅模仿其形式，日久自然变异；有虽已得其传授，而以健忘之故，致动作变易而不自知；坐此病者，可望滔滔皆是也。”又说：“尚未知其动作用意所在，徒事表形模仿，致拳式潜变而不自觉，故自称为杨门正宗者，实际与原拳式乖离又远。数传而后，此技不难成为北京城‘王麻子刀剪’，辨伪为难矣。”

校注1921年许禹生编写的《太极拳势图解》，主要参照：1925年陈微明著《太极拳术》、1931年董英杰执笔的《太极拳使用法》；1934年郑曼青修改的《太极拳体用全书》；以及参考同时代一些太极拳著作，如王新午著《太极拳阐宗》，姜容樵著《太极拳讲义》（1979年，日本松图隆智《中国武术史略》把1930年版《太极拳讲义》称为研究中国各派太极拳重要参考文献之一）。也参阅：1960年曾昭然《太极拳全书》；1962年傅钟文《杨式太极拳》；2000年杨振基《杨澄甫太极拳》。这些著作比较真实或接近真实地反映了杨澄甫大架的原貌和演化的过程。校注也将以上述相关资料归类罗列，便于读者对照《图解》原文作阅读研究。

注释过程中，较多参考《太极拳阐宗》，因为它着重于对许禹生《太极拳势图解》的注释，也反映了杨公早期拳架的一些特点。又特意抄录杨公《太极拳体用全书》的相关原文，便于读者将杨公晚年拳架的动作与早期《太极拳势图解》的动作做比较。校注中也抄录《太极拳术》《太极拳使用法》《太极拳全书》以及《太极拳讲义》等书中部分文字，引作杨架中期演化的参照，以方便读者研究杨澄甫架的演化及其定型的全过程。

“太极拳运动部位图”原书置于上编末，此次整理纠正了位置，置于下编。

注 释

① 自北边起：“拳路须有一定方向，庶不至于乱。”“凡习武者，但须识别方位，然后有拳不致贻误，此方位图之所由作也”。陈微明也说：“太极拳时时变动方向，说内不得不以东西南北方向表示，俾阅者易明。”拳式示意图中拳由

何方起始，则与传统文化有关。

民国初期与之前的武术拳谱，在描述动作方向时，不少拳种都是向北或以北方为起点的。其原因之一可能与古代习武者常在晚上子时练武，以北斗星为方向的参照物有关。原因之二，与民间崇拜北方之神——真武大帝有关。习武之人崇尚勇武，尊真武（玄武）为武术之祖师，自北而立，有示敬之意。

1921 年许禹生整理杨家（杨澄甫架）太极拳，编写《太极拳势图解》时，拳架自北边起，即“自北边起向西作预备式。进左步，向右方转身，西北作揽雀尾式”。其中“玉女穿梭”等式，也以北方为方向参照。1925 年，陈微明整理杨澄甫拳架，著《太极拳术》时，方向改为向南，以南方为基准，如“向南正立，两足平行分开，与两肩齐；眼向前视，两手下垂。此太极未动之形式也”，其中个别动作的方向角度也有改变。吴志青《太极正宗》亦是“面南背北，正身直立”。有学者认为，之所以改为向南正立的观念，是按老子《道德经》“万物负阴抱阳，冲气以为和”，“向南正立”则寓“负阴抱阳”之意。

当时也有受西方体育影响的，如姜容樵在 1929 年《太极拳讲义》中主张：“由何方入场，即以入场处为起点，以起点之对方为终点，便是图中正前方。”

陈微明在《太极答问》中说：“闻以前太极拳，是单式练法，而不连贯。不知始于何时，将单式之各式，连为一气。”单式连为一气后，形成套路，于是有了起头，从何处起头，就有了方向问题。研究拳架也会谈到方向，方向是用来表示动作的角度、位置，以明行拳走架之趋向，便于教学实践，也有利于研究动作的正确性。

套路开始的方向，由北起也好，面向正南也好，甚至从任何方向均可，其实都是用来表示动作方向，便于行拳走架，之所以不同，却与传统文化有关联，但与阴阳八卦等玄之又玄的东西关系不大，学者不必过于拘泥，练习时以能避风、阳光不直射眼睛为宜。

② 别：撇（瞥）。

③ 连：莲。

④ 作弯弓射虎式：本《图解》的套路，至“弯弓射虎式”为收尾，以“合太极”作为结束，与杨澄甫晚年的拳式有明显不同。

按：有人认为：“许禹生为杨健侯的学生，拳式与杨澄甫定型拳式有较大区别。”其实，有区别不在于许禹生向谁学的拳，许禹生《太极拳势图解》有许多地方与杨澄甫晚年的（所谓“定型”）拳式有所不同，这是因为杨澄甫晚年的拳式，不仅与杨健侯的拳式有所不同，与杨澄甫自己早年的拳式也有些不同。而《太极拳势图解》是反映杨澄甫早年拳式的第一本教材，所以极有研究价值。

第二章 太极拳各势图解

太极拳术以虚无为本，其所锻炼神气二者而已，非如外功拳术之专尚形势也，则曷贵乎姿势？但人之神气曷所寄？寄于肉体，由肉体以锻炼精神，以心意作用，运动肢体，而俯仰屈伸，各如其意，使身心二者合一[①]。由开合[②]、鼓荡[③]、呼吸、进退，以炼其气；由体觉、筋觉、触觉，以敏其神。使太极之体用兼备，则习太极拳术者，于姿势之讲求，似亦未可从缓。尝考太极拳之流派有三：有以姿势之多寡命名者，如三十七、小九天等是也；有以易象异名者，如先天拳，后天拳等是也；有以运劲行步之方位定名者，如十三式是也。其姿势、名目、练习方法各有不同。虽均可采，然除十三式外，多用单式练习，无固定之次序，于联贯教练上未尽相宜，当另为编制。今先就十三式拳路各姿势之原有次序，绘图立说，聊备参考云尔。

注释

① 身心二者合一：身心一体，内外兼修。顺天循地，志道游艺。

② 开合：太极拳真义，不外一开一合，即一阴一阳，两仪是也。每式动作，均有若干小部分，自成一小开合。集各小动作，以成一式，即为一大开合。全

部姿势，合成一总开合，故于单式练习，首须明呼吸导引大意，而由开合入手焉。

开合、进退、上下、阴阳、刚柔，皆相对之名词，在应用亦相对连用，所谓开合劲也。凡前后、左右、上下之往复，皆属开合。

③ 鼓荡：太极拳不仅要求“气沉丹田”，还要求“气宜鼓荡”。所谓鼓荡，就是吸气时，内气贴于命门穴，使内气沿督脉上行；呼气时，内气沿任脉下落，汇聚丹田。这样，随着呼吸，就有内气鼓荡的感觉。荡，就是荡漾——内气要向四肢百骸荡漾开去，无微不至。做到“气沉丹田”和“气宜鼓荡”，这对健身、技击而言，都是有好处的。

此说认为内气贴于命门穴，使内气沿督脉上行等等，是否符合《黄帝内经》等中医典籍以及道家内丹功理论，有待研究。

按：太极拳套路与动作的设计、增减取舍、定型，大致来说，是根据一、武术传统的继承发展（如十三式），不违古人定法；二、不违科学原则，研究技击效能的科学合理、节能高效；三、符合学者的心理，讲究动作起承转合、舒展流畅、美观自然等因素确定的。杨澄甫主张：每一拳架结构都符合人的生理、符合力学原理、符合用法的三合为一。观察拳架正确与否，就看每一拳式是否“三合为一”。

日本松田隆智在《中国武术史略》中说：“杨健侯传的大架式，动作比较缓慢柔和，深受许多文人、学者喜爱，其著名弟子有他的长子杨少侯、三子杨澄甫以及北京许禹生、纪德等人。许禹生以后成为北京国术馆馆长，著有《太极拳势图解》。从此书可以看出，当时的杨家太极拳还有二起脚这样的跳跃动作。现在广泛流传的杨家太极拳，是杨健侯的三子杨澄甫又加以改变而创编的。这样，太极拳经过杨家三代不断改变，面貌改变，与当初的太极拳已经大不一样了。”

那么，许禹生《太极拳势图解》中的太极拳架，是采用了哪家的太极拳架为范例？二水居士对此有研究，他的结论是："许霏厚（许禹生）编著的《太极拳势图解》，书中采用的拳势绘图与陈微明先生《太极拳术》中杨澄甫老师所赠的中年拳架，一一对照，结果显而易见：许霏厚为北京体育研究社编著的这本太极拳推广教材，最终是以杨澄甫老师的拳势作为推广范例的。从《太极拳势图解》入手，可以还原杨澄甫老师在北京时期的拳架。而杨澄甫老师南下上海、杭州后的拳架，可以作为杨澄甫老师晚年定式架的典范。所以，对照阅读《太极拳势图解》《太极拳术》《太极拳使用法》《太极拳体用全书》，就能清晰地看到杨澄甫老师的拳架变化的轨迹，这对深入研究拳理拳史，颇有裨益。"

二水居士在《一多庐太极体悟录》中叙述了确定杨家太极拳架为《图解》原型的过程：

"上个世纪初期，北京体育研究社的学员也分成了意见截然不同的两派：一派以为大架是长功夫的架子，一派以为小架具有技击作用。两派矛盾最后直指大架的代表人物杨澄甫老师与小架的另一名师。当时的北京太极拳界，没有式派之争，大架、小架、中架，都是杨家三代人所传授的架子。因为少了门派之争，什么问题就显得简单化了。后来由许禹生出面，请两位老师手谈一次，最后由赢家这一风格的架子，来作为该社统一推广传授的拳架。手谈之前，杨澄甫老师还附加了一个条件：输者得跟从赢者改拳，日后不得再练原先架子。

"有兴趣研究拳史的拳友，不妨去仔细阅读一通许禹生先生编著的《太极拳势图解》，不妨将书中采用的拳势绘图与陈微明先生编著的《太极拳术》中杨澄甫老师的中年拳架，一一对照。结果显而易见：许禹生为北京体育研究社编著的这本太极拳推广教材，最终是以杨澄甫老师的拳势作为推广范例的。"

二水居士叙述的故事出自何处暂且不表，但对照两者的拳照画，确实是惟妙惟肖，无可怀疑。

民国十年许禹生著

《太极拳势图解》中的拳架

民国十四年夏陈微明编著

《太极拳术》中的拳架

（1）预备式

预备式图

【释名】凡拳路于演习之前，必有预备[1]，以唤起全身注意，若警告其振作精神，从事练习，且致敬礼于参观者之意，与体操之立正相同。太极拳以心意作用运动筋肉，将练习时，必须精神专注，方克有济。故预备式于太极拳术中尤为重要。

【动作】有一：（一）预备

第一八五页

【图解】身体直立，两手下垂，腕与胯齐，掌心下按，目前视，两足距离与肩之宽相等。

【注意】教练[②]时，宜体静神舒，气沉丹田。精神贯顶（头顶），全身须灵动活泼，无丝毫着力处。

注 释

① 预备：本《太极拳势图解》（以下简称为《图解》）拳架设预备式，但无起势一式。

增设预备式，其作用一是提振精神，二是致礼之意。与体操立正的作用相似。

民国时期对预备式的称呼并不统一，有的书中有预备式而无起势；有的有起势而无预备式；也有预备起势合并为“预备式起势”的。

也有将预备式称作“无极式”的。无极式，无极形者，即寻常不动之立正姿势也。“其心中无形无象，无意无识，混混沌沌，一气浑沦，实天然未分之性也。”惟天然顺行之道，常有违乎修养之弊，是摄生之术未尽善也。于是古之贤圣，参透逆运之理、还元之道，转乾坤、夺造化，一气运行之道，而太极生焉。

因为原先拳架是没有单独的预备式，所以各家称谓也未能一致。从预备式“释名”的文字看，预备式是借鉴西方体操的名称，作为套路的开头而设立的，其实称为“起势”更贴切些。但是将“预备式”称作“无极式”，是牵强附会的。因为“预备式”是为了提振精神和表示致礼之意而设，心意已动，而“无极”却是“无形无象，无意无识，混混沌沌，一气浑沦，实天然未分之性也”，两者含义不同。

②“教练”二字，在以后再版中改作“练习”。

按：古代的武术套路，无单独的预备式。如戚继光《纪效新书》及《王宗岳太极拳论》的“十三架势”，都是没有预备式的，第一动便是懒扎衣。其实懒扎衣（或揽雀尾）第一动的站立，既是武林礼节，又是迎敌之预备。如从实战而言，尚随势而动，像三体式等都可以作开门手，不拘一势。所以无须另设预备式，作画蛇添足之嫌。

许禹生在 1918 年《体育季刊》第一期发表《太极拳术单式练习法》时，并无预备一式；《太极十三式次序名目》上也无预备一式。1921 年许禹生正式编写《太极拳势图解》时，吸取洋体操立正预备的名称，设预备一式，开武术套路设立预备式之先河，被练家广泛接受。许禹生曾将单式太极拳动作中配以口令，作为太极拳体操化的尝试，但在整理《太极拳势图解》时，最终放弃将太极拳体操化的尝试，保持了太极拳传统文化，只有预备一式被保留。

1921 年《太极拳势图解》第一式称为“预备式”；1925 年《太极拳术》无预备式，直接是揽雀尾。1931 年《太极拳使用法》称作“太极拳起势预备”，1934 年《太极拳体用全书》则命名为“太极拳起势”。黄文叔书中直接称作“太极出势”。1962 年《杨式太极拳》，傅钟文在“预备式”后又加“起势”一式，叠床架屋。虽然名称各不一样，其实都为行拳走架之始，如称作“起势”更为贴切。

《太极拳势图解》虽然用了体操“预备式”的名称，其动作要求仍然是按照太极拳的要求不变。杨公站立的动作涵胸，“两手下垂，掌心下按”，其实为揽雀尾初始。观陈微明太极起势拳照，自然站立，则涵胸、气沉丹田、两手手背向外，“此太极未动之形式也”。而国家新编套路（24 式简化太极拳，88 式太极拳）的预备式，则完全仿照洋体操的动作，这与传统武术的自然站立有了质的不同。这种体操式站正，与少林等外功拳的理念相近，而与太极拳的要领相距甚远。可能受 24 式、88 式影响，1962 年《杨式太极拳》的预备式，也按照体育立正的动作站立。如果按体育立正的标准站立，看似精神抖擞，其实很容易使手臂伸直而无沉肘之意，又易犯挺胸与夹腋之病，不易做到含胸拔背、气沉丹田，不太符太极拳练习的要求。而且因虎口向前，两臂平举时，两臂须内旋，才能使手背向前向上平举，而手臂内旋时劲势向里走，易被敌手所乘，不太符合技击要求。而传统太极拳起势，手背即可向前向上（坐腕）平举，比手背向外侧放要好得多，而且容易劲贯掌根，有利于技击。所以，杨公澄甫的手势最为符合传统太极拳的优点。

预备式的立正说明一点，太极拳毕竟不同于洋体操，其文化内涵不同，光是简单模仿是不行的。太极拳可以也应该吸取洋体操中有用的东西，许禹生在借鉴洋体操的同时，仍然保留中国武术的传统，使两者有机结合，而“24式简化太极拳”等规定套路，其预备式则完全体操化，失去了武术传统特点。在吸取西方体操有用东西的同时，如何保持太极拳自身的文化，而不是削弱太极拳自身的传统文化，是取长补短，而不是削足适履，应该是武术工作者面临的重要课题。

1963年《杨式太极拳》又增设“起势”一式，这是将原本揽雀尾的第一动中分出来，单独列为起势。如陈微明《太极拳术》“两手毫不着力，向前向上提起，与胸平，手心向下，两臂稍屈，不可太直，与腰同时下沉”是揽雀尾之初动；1930年姜氏《太极拳讲义》揽雀尾初二动是：“一、承上式（预备式），两足原地不动，两手向面前，再往上缓缓平起，起至两手与肩齐平为止，两手腕向下弯，手指均往下垂（曾昭然认为，两手平举时，手指尖仍应向前，掌心向下）松肩坠肘，顺项贯顶，两手向上平起时，用心意往上抬，并非两胳膊之作用，亦非两手之作用，身体面目均对起点右方。二、上动不停，两手由上方朝里微圈回至两手距五六寸时，缓缓下按，按至肚脐下方，两手背朝上，两手腕手虎口均要圆，手指相对，两胳膊如半用形，两膝盖弯曲，身体小蹲，含胸拔背，气沉丹田，身体面目仍向起点右方。”“此式以腰作车轴，使心中力量，刁起右手，两手如同生于丹田，并非胳膊用力提起也。”对此二动要求“腰作车轴，两手如生于丹田”，并强调“用意不用力”。总之，习练套路之人对起势十分重视，强调“此式为各式之母，注重于神，理想于气”。认为“打拳全在起势，一起得势，以下无不得势”。

太极拳增加预备式，是强调了预备的重要作用，为各练家所接受，杨澄甫

《太极拳体用全书》："此为太极拳预备动作之姿势。立定时，头宜正直，意含顶劲，眼向前平视，含胸拔背，不可前俯后仰，沉肩垂肘；两手指向前，掌心向下；松腰胯；两足直踏，平行分开，距离与肩齐。尤要精神内固，气沉丹田，一任自然，不可牵强。守我之静，以待人之动，则内外合一，体用兼全。人皆于此势易为忽略，殊不知练法用法，俱根本于此。望学者首当于此注意。"这些要求都是体操所没有的。

因为预备式的重要，于是练家又在预备式后加起势，又在起势中添加了一些动作。杨家原来自己练功是以单式为主的，即"多用单式练习，无固定之次序"，或为提高练习者兴趣，或因教学需要，将许多热身动作也加入到预备式（或起势）之中。如田兆麟传的起势一式就有数十动之多；叶大密传"太极起式（无极、阴阳、左右、动静、前后、开合）"，其中阴阳有"纯阴式：平行步高站式，随身躯前荡后移势，两臂覆掌前平举，曲臂回收，两臂后开，两肘后合，两掌左右分，再前合下按，配合呼吸，拔背顶劲和拳架相同""纯阳式：平行步高站式，随身躯前荡后移势，两臂覆掌前平举，曲臂回收，两臂后开、两肘下合，竖掌前按，配合呼吸，拔背顶劲，坐腕舒指，和拳架相同"，等等。二水居士曾写道："金（仁霖）老师说，起势中的这些内涵，杨家、孙家其实原本也有类似的练法。只是导引术中更为明确，也便于学生来领会拳学要义。"这些练法至今仍能一睹端倪。

王新午《太极拳阐宗》（简称《阐宗》）预备式："拳式开始，为振作精神，必有准备。太极拳以知觉、感觉、触觉炼神，由开合、鼓荡、呼吸炼气，最重连贯。提神换气，预备一式所关甚要，尤以轻灵无滞，呈自然之状态，为此中三昧。其式由正式左足向左分开，两足距离与肩之宽等，足尖向前，两足平行；身体直立，两臂微松、下垂，手心向下，指尖向前；颏微内合，头正，顶悬，目向前平视，凝神静气，停止片时（如图）。即此练习呼吸，其法由鼻孔吸气。松胸收腹，两手由左右内抱至丹田，手心向上，指尖相对，徐徐随吸气上提，至胸膈间，吸至胸内气满，不可再容之际，即呼气。呼时用意鼓腹，不可努力，气由鼻孔出。两手下翻，手心向下，指尖相对，徐徐随呼气下按至丹田。其要在呼吸之时，手与呼吸之动作，须内外一致，升降匀缓，勿急遽，勿间断。久之，手之按提，气亦随之，即鼓荡之意也。”

叶大密传授无极式时，怕学生一站定很难立刻找到“无极状态”，所以要求习练者，两脚“平伏贴地”，身形在保持完整的前提下，先前移后荡。整体向前到前脚掌，再整体向后到后脚跟，整体向前到前脚掌（指去掉脚趾后的脚掌前端），再整体向后回到涌泉。这样，前移后荡如倒钟摆，等等。

1934 年，杨澄甫《太极拳体用全书》，不用预备式名称，改称“太极拳起势”，动作复归简约，但简约并不等于简单，其要求不减。看杨澄甫起势：两手坐腕，手掌心向下，手指向前，精神饱满，外形端庄，稳如泰山。

（2）揽雀尾[①]式

【释名】取两手持雀头尾，而随其旋转上下之意，一名揽切尾，拟敌人之臂为雀尾，揽之以缓其前进之力，即乘势前切以掷之也，二说均可。

揽雀尾式图一

揽雀尾式图二

【动作】有六：初习时仅分揽切二动作，熟习后则两手由内向外，复由外向内，其运行路线，为左右两环形。细分之为提、挤、搌、按、掤、切六动[②]。（一）开步提手[③]；（二）进步冲挤[④]；（三）坐步搌揽[⑤]；（四）进身按手[⑥]；（五）外挂前掤；（六）推切手。[⑦]

【图解】

（一）由前式左足向前踏出一步，足踵着地；同时屈右膝蹲身；左掌自左胯侧，由外向内作圈，弯转前伸而上，至腹前；右手下按，指抚左肱，以助其势，逐渐上提，至胸而止；左足尖随之下落，至着地时，全身重点，移于左足。（二）进右步，向右方，同时右臂曲肱向外前挤，垂肘，大指约对鼻部；右腿随同前屈。（三）左腿后坐，两臂向怀内合，若揽物下搌之意。（四）两手前按。（五）右手上仰前挂，隐含掤意。（六）两手旋转向内，指尖作圈，右手转至掌心向下，即向前推切，左手约居右肘弯处，两手参差，向同一方向前推。

【注意】练时手尖路线须成一双环形，腰脊随之作同一动作，方能灵活，此势运动身体腹腰肩背各部。[⑧]

【应用】搭拗手时，搭外则外挂前推。搭内则内揽採起前推。若搭顺手时，则揽其肘外方前推。[⑨]搭内则向外挂其肘或腕，即前推[⑩]。

注释

①揽雀尾：杨家此动一直称作“揽雀尾”，而其他拳家又称：揽切尾、揽扎衣、懒擦衣、蓝鹊尾、嬾雀尾、揽切尾、揽雀畏等等。盖方言不同之转言，口口相传，音转音讹。揽扎衣之名，不仅太极拳有，通臂长拳开式亦有。其实太极拳一开始就是揽雀尾乃戚继光遗风，戚继光《纪效新书》十八卷本之《拳经捷要篇第十四》载：“懒扎衣出门架子，变下势霎步单鞭，对敌若无胆向先，空

自眼明手便。"《王宗岳太极拳论》的"十三架势"，第一动便是懒扎衣。

由懒扎衣之后拉单鞭，这种"势势相承"的拳架套路的编排，至今依然在杨式、武式、孙式、吴式、陈式、赵堡等拳架中沿袭着。

姜容樵称揽雀尾"此一式一通，余式易精，以御敌为余事"。可见此式在太极拳中极为重要。甚至有人认为，学练好了"揽雀尾"，就等于学好了一半拳架。也许因为此式重要，所以杨家对此式也十分用心，反复琢磨，不断改进。因此，此式动作变动亦大。

② 细分之为提、挤、搌、按、掤、切六动：现行杨架揽雀尾一式，均为掤、搌、挤、按的四正演示，而 1921 年《图解》中此式与现行的不一样。即"太极拳揽雀尾式，动作有六。初习者以其繁难，仅揽切二动作，习熟后再增为提、挤、搌、按、掤、切，六动"。

③ 开步提手：《图解》揽雀尾第一动"（一）开步提手——由预备式左足向前踏出一步，足踵着地；同时屈右膝蹲身；左掌自左胯侧，由外向内作圈，弯转前升而上，曲肱平横于前胸前，掌心向内，指尖向右；右手亦同时翻转内合，垂肘，抚按于左胸内侧，指尖向上。上体正直向前；左腿屈膝，右腿正直，成左弓箭步。"

在现行杨式太极拳的揽雀尾中，无开步提手，此式却在吴式太极拳的起势中依稀可见（按：吴氏太极拳源自杨氏太极拳）。

1925 年，陈微明《太极拳术》揽雀尾第一动："两手毫不着力，向前向上提起，提与胸平，手心向下；两臂稍屈，不可太直，与腰同时下沉。"这一动就是"提"，这是 1921 年《图解》揽雀尾中未作明示的。1934 年《太极拳体用全书》又取消了这一动作，直接作掤式。1962 年《杨式太极拳》，傅钟文则将这"提"的动作单独列作"起势"，另成一式。现行杨式太极拳起势都有提手平举的动作，其他式样的太极拳也大都以提手平举为起势第一动，而不作为揽雀尾第一动了。

1921 年《图解》的（一）开步提手，至 1925 年《太极拳术》，变成"左手转至丹田，手心向内向前伸出（此即是掤），略与胸齐；右手同时向右向下分开，手心向下五指向前；左足同时斜向前进。此时全身坐在左腿，右足伸直不动。左实右虚”，即演化为“左掤”原动。而1934年《太极拳体用全书》，又在此动作前，增有“由起势，设敌人对面用左手击我胸部，我将右足即向右侧分开坐实”，这增加了欲左先右的动作。在1962年《杨式太极拳》（俗称85式）中，又将此演化为“右抱球”，然后接作“左掤”，左掤方向也由面南改为西南；右掤向西。

④ 进步冲挤：《图解》进步冲挤：“（二）进右步，向右方，同时右臂曲肱向外前挤，垂肘，大指约对鼻部；右腿随同前屈。”这动标明为“挤”式。而1925年《太极拳术》又在这动前增加“左抱球”，并将此动由“挤”改作“右掤”。《太极拳术》此动无相对应的拳照来匹配。《使用法》与《体用全书》改为“右掤”后，也均无拳照匹配。

⑤ 坐步攦揽：《图解》“攦”，以及《太极拳术》《体用全书》等书，此动均为“攦”不变。唯一不同的是：《图解》攦的动作示意图，是攦之初动，右腿仍前弓，尚未后坐左腿。与“掤”或“挤”式粗略相似；而《使用法》《体用全书》的拳照，则按“左腿后坐，两臂向怀内合，若揽物下攦之意”拍摄配制的。

⑥ 进身按手：《图解》此动是（三）“攦”，之后直接接（四）“按”。王新午注：“手约攦至左胯间，即变双手进身前按。”注意《图解》在“攦”与“按”的中间并无“挤”式。此式以后演化为在“挤”式之后。

⑦（五）外挂前掤；（六）推切手：“两手旋转向内，至右手心转向下时，即进身前推切；左手在右肘弯处，参差向同一方向前推，仍为右弓箭步；或平曲右肱，左手抚之，进身前挤。”《图解》此处是按后再挤，以后此“推切”演化为“挤”式，而将上式进身按手，调在此式之下，作“按”式。

1921年《太极拳势图解》的揽雀尾是由“提、挤、攦、按、掤、切”六动组成，附图只有“开步提手”与“进步冲挤”二图。至1925年，《太极拳术》

的“提”前半作揽雀尾的“起势”，揽雀尾剩余的“挤、搌、按、掤、切”之序列演化为“掤、搌、挤、按”，不仅将原有动作调整改进，并分别附图表示。揽雀尾正式按“掤、搌、挤、按”四动排列，是1925年《太极拳术》定型的。如此定型，传承至今。

太极拳揽雀尾各动排序，在20世纪20年代作了较大的变动，折射出其是受杨家老谱“八门五步”思维的影响而理顺的。“掤、搌、挤、按，採、挒、肘、靠”是拳势中八个基本劲别，与文王八卦配伍之方位，上下相综，阴阳交变，再以五行配伍“进退顾盼定”，用以阐述拳势里“手眼身法步”的阴阳颠倒、周而复始之理。而按原来《图解》的“挤、搌、按、掤”程序，在八卦中分别对应：“震、坎、兑、离”即“东、北、西、南”。《太极拳术》调整为：“掤、搌、挤、按”以后，在八卦中分别为“离、坎、震、兑”；对应方位是：“南、北、东、西”四个正方位；对应脏腑为“心、肾、肝、肺”，如此排序，比“揽、切”二动，或“提、挤、搌、按、掤、切”六动，排列规整有序。调整后，通过一攻一防，派生出相生相克的掤、搌、挤、按四种劲，更能体现“掤搌挤按须认真，上下相随人难进”的含义。所以表面看只是动作程序的改变，而实际上则是太极文化理念发酵的结果。至此，揽雀尾成为练习四正手的主要招式，也成为太极拳主要招式之一。

1929年，姜容樵《太极拳讲义》揽雀尾：“实含掤搌挤按，取手揽雀尾之意。”共有十一动：1. 平提；2. 下按（按：此1、2二动现行拳架列为起势式）；3. 掤起式；4. 掤止式；5. 搌起式；6. 搌二式；7. 搌止式；8. 推挤；9. 平按；10. 右揽；11. 左揽。而其中“10. 右揽、11. 左揽”，在1934年《太极拳体用全书》中插入单鞭初始，延续至今。

⑧［注意］练时……腹腰肩背各部：曾昭然《太极拳全书》指出：“左掤：有以两手分由外向内画圈，而后以右掌向右牵动，此与原义无悖，尚属可行，惟其左手由下向上作掤势则非。又有先将两膝曲下而后以右掌画圈者，亦非。至以右掌牵右后紧贴腹部者，或以四指尖皆向前（南）者，则更非矣。搌：有

于搬回时，尽量向左倾侧，至面眼及胸皆正向南者；又有将右肘横起，而以下臂近腕处用力作搬者，皆非。挤：有将肘横起作挤而高与肩平者；又有右手先作掤势而后加左掌作挤势者，皆非。按：有将两掌由上势向左右平抹使两肘皆成直角形，而面与眼始终向前（西）者，非。又有按出时，两掌由下向上推，至高于肩而止者，更非。”

⑨［应用］……则揽其肘外方前推：《太极拳体用全书》的揽雀尾，是按“掤搬挤按”程序定型的，与《图解》所示不同，现将其动作的技击应用抄录如下，可与《图解》中揽雀尾作对比。

1. 掤法：由起势（预备式直立），设敌人对面用左手击我胸部，我将右足即向右侧分开坐实；随起左足往前踏出一步，屈膝坐实，后脚伸直。遂为左实右虚，同时将左手提起至胸前，手心向内，肘尖略垂，即以我之腕贴在彼之肘腕中间，用横劲向前往上掤去。不可露呆板平直之像。则彼之力既为我移动，彼之部位亦自不稳矣。（按：此式是向正南方左手掤出，现行左掤方向改向西南或西）

2. 搬法：由前势，设敌人用左手击我侧肋部，我即将右足向右前正面踏出，屈膝踏实，左脚变虚，身亦同时向右面转。眼随往平看；左右手同时圆转，往右前出动，右手在前，手心侧向里；左手在后，手心侧向内（按：此为右掤）。转至右手心向下，左手心向上时，速将我右肘腕间，侧贴彼肘节上，侧仰左腕，以腕背黏彼之腕背臂上，向左外侧，全身坐在左腿，左脚实，右脚虚。

3. 挤法：由前势，设敌人往回抽其臂，我即屈右膝，右脚实，左腿伸直，伸腰长往，随之前进；眼神亦直前往上送去；同时，速将右手腕向外翻出，左手心贴我之右腕臂间，向前往；乘其抽臂之际，随出挤之，则敌必应手而跌矣。

4. 按法：由前势，设敌人乘势从左侧来挤，我即将两腕从左侧往上用提劲，空其挤力；手指向上，手心向前；沉肩垂肘、坐腕、含胸，全身坐于左腿；速用两手心按其肘及腕部，向前逼按去；屈右膝坐实，伸左腿，腰亦同时往前进攻。眼神随动往前从上送去。则敌人即后仰跌出矣。

⑩ 搭内……即前推：《太极拳势图解》揽雀尾的应用："搭拗手时，搭外则外挂前推；搭内则内揽採起前推；若搭顺手时，则揽其肘外方前推；搭内则向外挂其肘或腕即前推。"

王新午在《太极拳阐宗》对许师此话做了如下的注释，即：

与敌搭手，第一先须隐含掤意，掤劲在未发之先，不上不下，不前不后，纯然中正之动。两臂抱圆，不顶不丢，不匾不抗，不随不滞，是为得之。

拗手相接，先施掤劲。敌若以刚力直进，吾对准来力一掤，敌即仰跌。此掤劲发之甚骤，类撞劲也，其要在松肩沉肘耳。

拗手相接。顺化其力，反手按掷。此与外挂前推左右相反。

上掤敌臂。继变下按手，直入敌圈内。谓之阴阳相济。

拗手相接。骤由腕外内撞前推；同时以顺手抚按敌臂，下用前进后跟步。此法须至灵至速，一接即进，于半秒钟成功也。

掤手御敌，继变按手或攦手、採手，再变推、掷、打、击。挤手击敌，继变按手，或攦手、提手，若攦手化敌，继变挤手或前击。按手拒敌，继变提手或攦採，为习用之着法也。

拗手相接。最简捷者，曰掤、攦、採、击。顺手相接，曰採、缠、提、击。此百不失一之着法，须口授，而不可以笔墨传也。

按：杨澄甫拳架中揽雀尾一式变化较大，因此，争议也多。比如，顾树屏先生在《杨式太极拳述真》中讨论左掤的方向，他说："面部方向，我从1941年看到两位傅老师练的都是面向正西的，不容置疑。目前有的打正南，有的打西南，值得探讨。"顾先生所说的"左掤，面向正西"的问题，既"不容置疑"又"值得探讨"，那就不妨在此探讨一下。

现行左掤大都方向是"面向正西"，但当时杨澄甫又是怎样教授的？看杨澄甫的拳照似乎是"面向正西"，所以不少人认定是"面向正西"的，但这却是由于拍摄角度误差等因素造成的。杨振基曾在《杨澄甫式太极拳》中说明："照片中为什么向右侧（正西）看去了呢？现在看来，可能是照相时，拍照者出现失误。这种失误是可以理解的。因为拍照者不懂拳。类似失误，书中（按：指《太极拳体用全书》）个别相片还有，届时再述。一些写杨式太极拳的拳书，把左足向前踏出，脚落地时内扣约45°，也显然与杨公澄甫的图像并不相符。”这下说明了左掤并不是“面向正西”的。

李品银曾听濮冰如老师讲：她（濮冰如）曾经问杨公澄甫：“杨老师，你原来教的左掤是向南的，怎么改成向西南了？”杨公笑着回答：“马马虎虎。”杨公也许是指这一动的拳照，拍摄时方向上有偏差，因而造成学者误会。后人将错就错“左掤面向正西”，并非是杨公的原意。

1921年《太极拳势图解》上述之左掤，是预备式后揽雀尾第一动，是“向西作预备式。进左步，向右方转身，西北作揽雀尾式。”当时拳架起头的方向是自北而起，向西作预备式。在1925年以后，方向有了改变，预备式方向改作向正南，揽雀尾第一动左掤是向正南方。《太极拳术》写明揽雀尾“向正南”，左掤“左足同时斜向前进（图示左足向南），其左掤是向正南的。然后右足往西迈，作搬势”。杨澄甫南下广州教拳，此动“左足即于左肩正向南处迈一步，先成左丁字步后成左前弓步，而手背即向前（南）碰击，是即‘掤’势。此时面眼及胸皆向南”。说明杨公中、晚年左掤方向都是向正南的，并非向正西的。杨公之子杨振基，一直保持左掤“向正前（南）”并“眼随身转向南平视”。

至于后来左掤向西南、甚至向正西的问题，原因可能：一、原先左掤前无其他动作，后来添加了些过渡动作（如右抱球等）致使方向发生变化。二、左掤时先左脚向正南踏出，而作搬势（后改作右掤）时，右脚向右（正西）踏出，两脚掌夹角成90°，两脚处于别扭的状态，左足须调正夹角。于是1. 向正南作左掤时，边将左脚掌内旋45°，然后右足向西出步，这样比较顺遂。2. 作左掤时，身腰先转向西南，然后左足向正南踏出，面向西南或西作左掤。3. 后人的理解、领会产生偏差，遂使左掤方向发生变化。

揽雀尾是太极拳中主要的招式，此式变化较大。从此式变化为典型的四正招式，也可以说明杨家太极拳并不是照搬照套陈家的东西，而是有其自己的创造革新的，是一种融入太极文化的嬗变。

（3）单鞭式

【释名】单者，单手之意。鞭者，如鞭之击人也。单式练习时，亦可改为双手，同时向左右分击，名双鞭式。①

【动作】有二：（一）垂腕；（二）伸臂放掌。

【图解】（一）由前势右臂不动，手腕下垂。五指微拢作钩形；右足尖微向左前转，约九十度。（二）屈左臂，左掌循右臂左行，经胸前略作上弧形，向左伸与右臂成一直线，坐左腕，五指分张微屈向上，食指对鼻，肘弯微屈；同时左足略抬，向左前方踏出半步，与足尖作同一方向，两足成斜平行方形②，足尖随手落下，作弓箭步桩，使全身重点移于右足③。

单鞭式图

【注意】前手向前运劲时，后手须用通臂劲以助之，略含自上下击之意。而左右二足相随，务须一致。后肩与前肩水平勿上耸。此势为四肢暨背部之运动也。④

【应用】敌以顺手进击时，乘势引领其臂，使敌身略前倾。即伸掌进击其胸，用推按劲或切劲均可。⑤

注释

①［释名］……名双鞭式：单鞭，即单手击敌之意；鞭者，指鞭法而言，并非皮鞭也。盖古兵中之鞭法，多用由上直下之击法。即铡、摔、挫、冲等诀，此式仿之，故而得名。双鞭式是类似单练的练法，套路中无。

② 两足成斜平行方形：前弓步，弓箭步，弓登步，手字步。传统弓步“两足成斜平行方形”，前（左）脚掌与后（右）脚掌成斜平行方形（菱形），是“骑乘式单鞭”，与体操式的两脚掌夹角成45°“左弓步”之步形略有不同。

许禹生在编写《图解》之前，曾在《体育季刊》上发表“太极拳单式练习法”，其中单鞭“因其桩步之不同，有骑乘式单鞭、丁八步单鞭、丁虚步单鞭、弓箭步单鞭之别”，并有左右单鞭二式 。1925 年《太极拳术》单鞭桩步：左足尖向东略偏于北，右足尖略向东南，成丁步。《体用全书》：“左足提起，偏左踏出，屈膝坐实，右腿伸直。”两足尖方向不清，或是左弓步。1962 年《杨式太极拳》单鞭：“成左弓步。”

现行单鞭，由揽雀尾之按，经左揽右揽的往复荡动转身，然后再拉单鞭。而 1921 年，《图解》单鞭由上势推按后直接转身拉单鞭，中间无左揽右揽之荡动。直接转身是：“右足尖微向左前转，约九十度。”此时右足为实腿。然后向后拉单鞭。

③ 使全身重点移于右足：“右”字错，应“移于左足”，再版已作订正。

④［注意］……背部之运动也：曾昭然《太极拳全书》中说：（1）“有将八卦鱼势省去者（按：即 1921 年《图解》的练法），有先以左手曲就右手而后向东南画圈，随又以右手曲就左手向胸处画圈，一如叉麻雀牌之捞牌形式者，皆非。”（2）单鞭等前弓步，曾昭然说：“间有若干人因初学时不注意致成习惯之弓步，前跖者向而后跖竟横摆，此澄甫师所常言‘连站也不会’者也。”前后两跖（俗称脚掌）勿踏一直线上，后跖须向旁斜出，其宽度以两肩之阔度为准。前足尖勿过直，宜朝内稍斜；后跖与前跖成平行线（按：即不成45°角。体操弓步，前后脚掌夹角成45°，而传统太极拳的前弓步与现行体操的弓步略有不同，

也可“后跖与前跖成平行线”)。(3)单鞭定势：如按“实腿扭转”作弓箭步，“弓左腿，蹬右腿，成左弓步”。一些85式练家，由于“实腿扭转”时，右脚掌不易转到位，以致弓步须右腿蹬直之时，右脚跟不得不浮欠作外碾，以求与前足方向成45°夹角，其实这是病。

许禹生在单鞭单练法中强调：“作弓箭步桩时，前膝不可逾足尖以外，以免重点移出底盘，致身易倾倒。后腿宜尽力伸直，惟足踵不可离地。……”《太极拳使用法》指出：“左足在前作弓式，右足在后为直线，足跟不可欠起，其根在足。”1932年田镇峰在《太极拳讲义》单鞭一节中特别提醒：“切记凡是川字步(左弓步)，后足之足跟竭力向下蹬劲，足跟勿稍离地；因后足足跟为领气之源。项要竖劲，足跟要蹬劲，则气自由脊发。”明人唐荆川在《武编》“拳”一节中就强调“前腿如山，后腿如撑”。国家体委制定的《武术标准》，明确规定弓步后脚跟与脚外侧不得掀起。而某些85式的名家后脚跟掀起向外碾动，是违反规范的错误。总之，前弓步的后足脚跟是不可欠起、滑动的。

拳架中作前弓步的动作有多个，如：单鞭、搂膝拗步、斜飞势、扇通背、撇身锤、搬拦锤、栽锤、野马分鬃、打虎式、玉女穿梭、弯弓射虎等，其后脚跟都不宜任意掀起滑动的。

⑤[应用]……用推按劲或切劲均可：《太极拳体用全书》：由前势，设敌人从身后来击，我即将重心移在左脚；右脚尖翘起，向左侧转动坐实；左右手平肩提起，手心向下，一致随腰，左右往复荡动，以称(按：“称”当为“乘”)转动之势。两手荡至左方时，乃将右手五指合龙，下垂作吊字式。此时左掌暂驻腰间，与吊手相抱，手心朝上，右足就原位向左后转动翻身向后，左足提起，偏左踏出，屈膝坐实，右足伸直；同时转腰，左手向里，由面前经过，往左伸出一掌，手心朝外，松腰胯，向敌之胸部逼去。沉肩、垂肘、坐腕，眼神随之前往，俱要同一时动作。则敌人未有不应手而倒。

《太极拳阐宗》言其散手应用：

鞭者，劲名。如以鞭击人之劲。如敌以左手来击，即以右手顺其来劲路线引领，继仍以右手扑击其面。敌若以左臂外挑，即顺势钩挂其臂；同时，突发左掌，以鞭劲击其面部。

以拗手採捋敌臂，使敌前倾，随以顺手扑击，或摸眉、摸额，敌多向我后侧仰倒。

左手与敌右手相搭，揽化其力，即向前推，与单手平圆推揉同。此式着法简而劲繁，推手术中，用处甚多。亦有用挒劲者。

1955 年 12 月，顾留馨应唐豪之托向田兆麟、吴云倬、张玉等人了解杨家人掤、攦、挤、按、採、挒、肘、靠八法的练法，其中单鞭练法有如下记载："在拳式中揽雀尾末了定式的双按转为单鞭，当双手斜上往左转时有掤劲，也有攦劲；再往右运时，右手在上者有挒劲，左手稍在下者有掤劲，左手斜向上再往左运时有掤劲，左手斜向左下方分开为按劲、採劲、挒劲。"看来"两手抹平园"之说是为方便普及的简易教法。

按：1921 年《太极拳势图解》的单鞭，由揽雀尾按势后转身直接拉单鞭，中间无左揽右揽及两手抹平圆（八卦鱼势）等其他动作，而是"右足尖微向左前转，约九十度"，"遂速往左方转身"，此右足转动似"实腿扭转"（以右实腿之足跟为轴转身）。1925 年《太极拳术》与《图解》相同：即"右足向西者，将足跟转使向南，全身坐在右腿上"。1931 年《太极拳使用法》亦是"右足就原地向左转动"。也就是说：1921—1931 年，均是简单的"右足就原地向左转动"，作"实腿扭转"，然后拉单鞭的。

然而就在 1930 年前后，如 1934 年《太极拳体用全书》，则在拉单鞭前加入"左揽右揽"（同时，两手如阴阳太极鱼式抹平圆），即"左右往复荡动，以乘转动之势"，此转身为"虚腿扭转"（转身时重心在两腿间荡动转换）。同时期，1930 年，姜容樵《太极拳讲义》云："左横揽、右横揽：行动如云，以腰脊之力量，领着手动"，"拧身抱肋其劲不散，预备埋伏式，遇敌放手便击"。荡动中两手如鞭，对此《太极拳讲义》中示意图也画得十分清楚。吴志青《太极正宗》

中“左右往复荡动”之图，也明显画出了“虚腿扭转”之势。又如1932年田镇峰《太极拳讲义》点明：“盖太极拳两足时时变换虚实，使全身重量由两腿轮流负担，既可调剂疲劳，且予骨节以相当之活动。此太极拳合于生理之优点也。”这些说明：在1930年左右，由揽雀尾接转单鞭的练法开始有了变化，由“实腿扭转”向“虚腿扭转”的练法演化。

杨公晚年南下广州授拳，则明确以“虚腿扭转”教学。曾昭然所著《太极拳全书》表明杨公是“虚腿扭转”的，曾昭然描述如下：“当两掌动至东南隅时，左腿实而右腿虚，右足尖即摆向东南踏实。两掌动至西隅时，右腿复变实。”由于缺少杨公澄甫虚转动作的拳照，曾昭然则以陈微明的一幅“虚转”拳照加以补充说明。杨振基在《杨澄甫式太极拳》一书中强调：“杨式太极拳在动作转换方向时，不是以实腿扭转的”“这种由两脚变虚，用带虚腿脚掌震动的练法，贯彻到以后动作中去，这种练法是杨家祖传”。在杨澄甫后人中，杨振基、杨振国比较好的保持杨家风格，他们的单鞭都是“虚腿扭转”。

其实，太极拳原本是单练的，以后才将单个动作串成套路。单鞭单练法有多种：有骑乘式单鞭、丁八步单鞭、丁虚步单鞭、弓箭步单鞭、双单鞭。其中丁八、丁虚步单鞭式重心在右腿，而其他式则不然，所以，并非只有“实转”一种。

《太极拳使用法》中单鞭“实转”，而在《太极拳体用全书》变成“虚转”，有人认为是郑曼青“改错了的”。2015年，台湾逸文书店出版了李庆荣先生《杨澄甫太极拳架过程演练解说》一书，他在第54页写道：“右足‘实转’还是‘虚转’。杨公在《太极拳使用法》(1931年)，中说：‘设敌人从我身后来击，右足就原地向左转动，左足提起……’，非常明确地表达了“要避开敌人身后来击，只能原地左转，左足才能提起。”“绝不能移动重心到左足，将自己左腰胁送打。”尽管在《太极拳体用全书》(1934年)，中有如下描述：‘设敌人从身后来击，我即将重心移在左脚……’，我估计是郑曼青重编此书时自行改动的。他未研究董英杰在《太极拳使用法》中表述的拳理，是改错了的。”“傅钟文老师在亲示和教授时，都是实转，且特别强调‘不能后坐送打’”。对此笔者曾将“要避开敌人身后来击，只能原地左转，左足才能提起”“绝不能移动重心到左足，将自己左腰胁送打”这两句话，与李先生核对，李先生承认这两句并非是董英杰的原话，而是李先生自己的观点，是不该使用引号的。李先生认为单鞭只有一种练法，看到腿部动作不是“实转”就认为不对。他没有从整体上做分析，忽略了手部动作的相应变化，就认为郑曼青“自行修改”“改错了的”，冤枉了郑曼青。《太极拳使用法》等原先设定的动作，是揽雀尾后立即转身，左手直接向后击去，中间两手无“左右往复荡动，以乘转动之势”的动作。而《太极拳体用全书》是在两手作左右往复荡动（左揽右揽）的同时，重心在两腿之间挪移（虚转）。所以不是郑曼青“自行修改”“改错了的”，而是李先生自己理解错误，因为整个手与腿的动作都有了变化，气势也强了。许禹生在单练法中说明：“而腿之重点，左右挪移，进行无碍，便于应用。……（应用）设敌迎面击来，或顺步以手引领其臂，伸掌前击，或拗步以手引领其臂而击之均可。”动作假设的情境不同，不存在“讨打”之说。所以，杨公晚年将单鞭改作“虚转”并两手作左揽右揽，应变灵活气势更足，改得更好。

1962 年，《杨式太极拳》出版，其中第 18 图，执笔并绘图的周元龙，按杨澄甫主要弟子们的练法，单鞭转身是画成“虚腿扭转”的，但此书出版后，被傅钟文发现，便向审稿的顾留馨提出要求更换此图（此书出版署名是“傅钟文演述，周元龙笔录（绘画），顾留馨审”）。但此书虽然挂名傅钟文，实际套路编排和动作说明，是由上海多位太极名家集体讨论，动作原型以杨澄甫为主，缺失部分参照傅钟文，周元龙执笔撰写文字，并绘画配图。当时参加讨论的这些名家，大都是左荡右动的“虚腿扭转”；另外又有出版社等其他原因，再版时 18 图仍未能作改换。傅钟文对此大为不爽。奚桂中在文章中说：“此图引起‘18 图风波’，成了傅先生的一块心病。”傅钟文先生（85 式）坚持按“实腿扭转”教授，成了傅传杨架的一大招牌。

笔者研究认为：“实腿扣转”是早期两手不抹平圆、不作荡动的简单练法，其原始用意是直截了当转身迎敌；而“虚腿扭转”是原来揽雀尾的“左揽右揽”加入到单鞭后，以荡动之势转身的，其动作比较流畅，或握或肘，攻防技击含意明显，杨澄甫改得好，杨家人坚持得对。如田镇峰《太极拳讲义》说明：“盖太极拳两足时时变换虚实，使全身重量由两腿轮流负担，既可调剂疲劳，且予骨节以相当之活动。此太极拳合于生理之优点也。”

笔者为了证实“实足扭转”是杨公澄甫“正宗”所授，曾查阅民国时期多本太极拳著作，并走访杨澄甫在上海的各家再传弟子，均未能找到与实转相似的练法，更无法证实确是杨公所传。傅钟文的练法是既要有左右荡动，又要实足扣转，另具一格，这种对杨架的变异，或是傅先生的创新之举。

1962年《杨式太极拳》出版后，经傅钟文老师的传播，单鞭“实腿扭转”的练法也随之逐渐流行，其弓步时后足脚跟掀起滑动的动作，被有人视作楷模而仿效，亦被有些习练者视作“谬误”而受到批评。

（4）提手上式[①]

【释名】提者，劲名，若提物向上也，一名上提手。

【动作】有二：（一）合手；（二）上提手[②]。

【图解】（一）由前式右足前进，至两足距离之中分处（如以两足距离为三角形之底边线，则右足踵适落其顶角）。两臂向怀内抱，右手略前，两掌心左右相对（如图一）。但右臂向内合抱时，其法有二：（一）从上而下向内抱；（一）[③]从下而上向内抱。（二）垂右手腕，从左掌内经过向上提，约对鼻准（如图二）。

【注意】练此式时，宜提顶劲。而腰腿随其伸缩上下[④]，方得机势。此式练习脊骨之伸缩力。

提手上式图一

提手上式图二

【应用】敌用顺手迎面直击时，一法：我由上搭其臂，用腕挤掷之。或下蹲身向上以掷之。一法：用左手下按敌腕，掏出右手，提腕上击敌之颏鼻等处。⑤

注释

① 提手上势：提者上提之意，如手提重物状。为挤按变化之法。此式与形意拳中之三体式略为相同，惟内劲不同耳。

按：形意拳三体式为一手往前劈，另外一手往回拉按，提手上势为两手同时往前上方送，因此两个拳式是不同的，仅步型有些相同，但形意拳较侧身，太极拳提手几乎胸腹正对前方。

② [动作] ……上提手：《太极拳阐宗》注解《图解》的提手上势：(1)“合手。由前式右足向左前方进两足距离之中点，同时，身向右转，两手内抱，如琵琶式，右前左后（如图一），但右臂内抱时，有两种练法，一为由上而下；一为由下而上。”(2) 上提手。“右腿前弓，左腿蹬直，同时，右手向前下插；复垂腕由左臂内掏出上提；左掌下按，左足向前与右足并齐，两足距离与

肩宽等；上体正直；右手提至眉间而止（如图二)”。

而这“上提手”此动，杨架在1925年以后已省略减去，如《太极拳术》《太极拳使用法》《太极拳体用全书》等，均无“上提手”一式。但《太极拳阐宗》仍袭《太极拳势图解》不变。

1963年《杨式太极拳》提手上势，除合手（如琵琶式）外，还有二动，即“动作二，腰微左转，左胯根（股骨头关节）微内收，右脚提起；同时，左肘向左后撤，随撤随着臂内旋使掌心翻朝下；右掌也同时随转体自前而下向左前弧形移于左手下侧，随移随着臂外旋使掌心翻朝上；眼神稍顾左肘后撤，即转向前平视。动作三，右脚向前仍于原地落下，先以脚跟着地，腰渐渐全部移于右腿，右腿屈膝下蹲坐实；在上步转腰的同时，右臂向前挤出，随挤随带肩靠；左掌附于右小臂里侧随右臂前挤。眼先随右臂前挤，即渐渐移视右掌”。此动作二，有的拳书（如扎西著《感恩太极》）则将此二动归入“白鹤亮翅”中。其实根据“白鹤亮翅”的歌诀：“顺引合出挤肘靠”，这二动划入“白鹤亮翅”是合理的。

白鹤亮翅歌诀云：“顺引合出挤肘靠。”杨架中明显的肩靠就在展翅之前，即原提手上势的第二动。有学者认为《杨式太极拳》中说的“右臂向前挤出，随挤随带肩靠”的程序，似有不妥，因为，“肩靠”为近身之用，“挤”可比“肩靠”距离略开些，如果先行“挤”，两人距离被挤开了些，就不好用肩靠了；相反胯、肩靠在先，再边肘或边挤，则较为得势；因此“随挤随带肩靠”，应改作“随肩靠随带肘挤”才较为合理，这批评似乎有些道理。然而这“随挤随带肩靠”并不是“流程”，而是“选项”，在实战中，近身则靠，略开则可施肘挤，视情而动，视机而发，灵活机动，或挤或靠都可以单独用，也可以混合用。而且靠也不单是用肩，胯、肘也可作靠，肩、臂作靠时，另外一手作为支撑就是挤靠。总之，练习时必须要有靠意，但不必拘泥于“挤肘靠”或“靠肘挤”的字面之中。

③（一）：应为“或”。此句拟是：“其法有二：（一）从上而下向内抱；或

从下而上向内抱。（二）垂右手腕，从左掌内经过向上提，约对鼻准（如图二）。”

④［注意］练此式时……伸缩上下：此式练习脊骨之伸缩力。练习时，头宜顶劲，两臂宜松，两胯宜抱劲，两腿宜坐劲。右手如提物，左手如挤物；右手不高过肩。

⑤［应用］……颏鼻等处：《太极拳体用全书》：由前势，设敌人自右侧来击，我即将身由左向右侧回转，左足随向右侧移转，右足提起向前进步，脚跟点地，脚尖虚悬，全身坐在左腿上；胸含背拔、松腰、眼前视。同时，将两手互相往里提合，是为一合劲。右手在前，左手在后，两手心左右相向，两腕提至于与敌人之肘腕相衔接时，须含蓄其势，以待敌人之变，或即时将右手心反向上。用左手掌合于我右腕上挤出亦可。身法步法，与挤亦有相通处。

《太极拳使用法》：前式单鞭，如乙持左拳以直打来，甲含胸双手往一处合，劲敷在乙左膊上，往前下方沉打，将乙打倒坐在地上。提手用法有二，提上打，沉下打皆可也。

《太极拳阐宗》：上提手。重在用合劲。敌手一来，即由外合往，则敌手常在下，我常在上，我以单臂内合下压，敌必回力上抗，则随其上抗之力，而提击其颏面。左压右提，左右咸宜也。凡以顺手扣压敌臂，敌若上抗，则随力上提，不限于任何一式。平时练着，养成一扣一提之习惯，随时演练，则发无不中矣。

下提手式。系诱敌使劲下合，上部空虚而前倾，则易于提击。设如敌以右手来击，我即用左臂向外掤开，随以右手立五指直插其裆间，敌必急以左手下按，头必前倾，乃用外掤之左手，顺力向下搬扣敌之左臂；同时，以右腕上提敌之颏鼻面部；右步前进，腰身耸起以助势。凡击敌下部时，皆可变下提着法，所谓有下即有上也。

按：唐豪在1957年11月14日写给顾留馨的书信中说：“今天下午李剑华来

访，谈起杨少侯练的提手上势，还保存金刚捣碓的痕迹，即将高举的左手握拳落至左掌心。”杨公后来将原第二动“上提手”简略后，金刚捣碓的痕迹便荡然无存了。

（5） 白鹤亮翅式[①]

【释名】此式分展两臂，斜开作鸟翼形。两手两足，皆一上一下，一伸一屈，如鹤之展翅，故名。华陀五禽经之鸟形，婆罗门导引术第四式之鹤举，第十二式之凤凰展翅，闽之鹤拳均取此意也。习太极拳者，练此势时，有斜展正展之别，实则一为展翅（斜）；一为亮翅（正）。可连续为之。如图一为展翅，图二为亮翅。

【动作】有二：（一）展臂；（二）双举手[②]。

白鹤亮翅式图一

白鹤亮翅式图二

【图解】（一）分展两臂，斜开若雁翼形。左掌斜下外搂，身随之半面向左转，左足斜出一步，足尖点地，右手经过面前，斜上展至脑右方而止，手背向外，掌心相应。两臂展开时，须速度相同，全身重点寄于右足（如图一）。

（二）收左足，身体直立，左手曲肘上举，约与头齐，或略高，掌心向上，同时右手亦翻转向前，两手作同一姿势，头与两臂恰如山字（如图二）。

【注意】练时须背心用劲，以为两臂之枢纽，则开合自然矣。[③]此式为练习胸部及背部之伸缩力。

【应用】一、敌在左侧，我用左手由敌腋下穿提上展，右手下抚，则敌必仰倒矣。二、为开缠敌手。[④]

注 释

① 白鹤亮翅式：《太极拳势图解》中，原白鹤亮翅有二动，“展翅”与“亮翅”。1925 年后去掉“亮翅”，只留“展翅”。现行拳架中“白鹤亮翅”，实为“白鹤展翅”。

姜氏《太极拳讲义》白鹤亮翅接提手上势，1. 进步束身；2. 上步展臂。

② 双举手：“两手曲肱上举，至头与两臂恰如山字而止”。此动如同“投降式”，查 1925 年后杨式太极拳各著作，已无“亮翅”式（吴式太极拳中仍保留）。

③［注意］……则开合自然矣：白鹤亮翅有向南作靠势后，左足移向东作左钓马步，同时右掌由左下向上画圈，以尺骨作格势，掌至右头角上以一尺而止，掌心向外，指斜向北。如以右掌由内向外置右耳旁者，又有以右掌由外向内移动，在额上作遮拦，一如戏台上武生之手势以示威者，皆非。

④［应用］……为开缠敌手：此第二动“双举手”，“二为开缠敌手”，此动在以后教习中被简略，因此此应用也随即简略，现行杨架均按《太极拳体用全书》中提示操作。

《太极拳体用全书》：由前势，设敌人从我身左侧用双手来击，我速将右脚收回，即提起直前踏出，稍屈坐实；身随右脚同时转向左方正面；左手心同时合于右手肘里，沉下至于腹时，右手随沉随起，提护至右头角上展开，右手心向上侧，左手急往下，从左侧向下展开至左胯旁，手心向下，则彼之力即分散而不整矣。

《太极拳使用法》：（散手应用）如提手式将人打出，如乙外功甚大，手劲有练抓力的，自上抓来，甲遂进身上步闪过乙手，甲再往上将右膊抬起托乙肘处，身法再往上往外，掤劲将乙打出。如乙或用左手或用右手来抓，皆可以白鹤亮翅应之。

《太极拳阐宗》：（散手应用）腰轮平转，至灵至速。设敌在左侧擒我左腕，即仰腕后撤，至左胯附近；同时，右掌用鞭劲击敌左耳，谓之展翅，敌必倾倒。若继以左掌击其右耳，谓之亮翅，敌必负重伤矣。此着完成，其速度不过一秒钟。如搌採敌之左臂，使之前倾，继用展翅、亮翅，为法亦同。

搌採敌之左臂用展翅式时，敌若以左手来防，即以左手穿提敌之右肘，敌必倾倒。

按：《太极拳势图解》中白鹤亮翅第一动，“右手经过面前，斜上展至脑右方而止，手背向外，（左右）掌心相应”。1925 年《太极拳术》中亦如是。自 1930 年左右，白鹤亮翅由展翅、亮翅二动，改为只有展翅一动，无亮翅，而其右手由最初“手背向外”，改为“掌心向外”。

（6）左右搂膝拗步式

【释名】搂膝者，即以手下搂膝盖之意。拗步者，步名也。拳术家以进左足伸左手，进右足伸右手谓之顺步。反是如出左足伸右手，出右足伸左手，谓之拗步。

【动作】有二[①]：（一）原地搂膝[②]；（二）上步搂膝；（三）拗步掌。

【图解】（一）由前式蹲步，左手不动，右手向外下搂右膝暂停。（二）左足向左方踏出一步，右[③]手顺鼻准下落至胸前，顺势向左外搂左膝，至左胯旁暂停，掌心向下，指向前，臂微屈，肘尖向后，此时身左转向前方。（三）身向左转时，右手由后下方宛转上伸，经过右耳之旁，掌心几与耳相摩。时肩肘手三者成水平线，直向前伸，伸至极处，指尖上翘，掌心吐力，腿为弓箭步（如图）。

搂膝拗步式图

【注意】练时须蹲身，两臂动作凭腰力运动，左右手运行路线皆为椭圆形。此式练习两臂腰膝之屈伸力。[④]

【应用】敌由下方击来，即以顺手向旁搂开，以拗手前推其胸。[⑤]

注 释

① 有二：误，当是“有三”，此误在以后再版中已改正。

② 原地搂膝：《太极拳阐宗》：“由前式，虚右足，屈左膝，身下蹲，左掌护右肩，右手下搂右膝，或作右白鹤展翅式亦可。”1925 年《太极拳术》后，此式废除。因此式本是接白鹤亮翅中“亮翅”一式，“亮翅”取消，此式随之简略。同理，《图解》中“（一）……暂停”亦取消。

③“右”字误，当是“左”手，此字在以后再版中已改正。

④［注意］……屈伸力：两臂之动作，全凭腰力运转。两肩塌力，前肘坠力，发出之手切莫伸直。前弓步时后足跟切不可欠起滑动。即“左足向前开出一大步，微偏左，成为川字步。……后足蹬劲”。

（1）有些人在作弓步时后足本该有蹬劲时，后脚跟却随意滑动（如同单鞭时后跟欠起外碾）失去蹬劲，病也。

（2）右掌经右胯外向后撩，以手背击打后方敌之裆部或腹胸，然后翻掌向上（宛转上伸），收至耳旁，再由耳旁向前推打。而有些练家右手收至耳旁时，即竖掌向前拍打。其实右手掌从耳旁探出，手掌心斜向下，手指向前作探物状，探至近敌胸部前方再作竖掌，以掌根击打敌胸，比过早拍打更能发劲。即手掌“直向前伸，伸至极处，指尖上翘，掌心吐力”。

⑤［应用］……推其胸：此式是掤按提挂之法。

《太极拳体用全书》：由前势，设敌从我左侧中下二部，用手或足来击，我将身往下一沉，实力暂寄于右腿；左足即提起向前踏出一步屈膝坐实，右足亦随之伸直；左手同时转上至右胸前向左外往下，将敌人之手或足搂开。右手同时仰手心垂下，直往后右侧轮转旋上至耳旁，张掌，手心朝前，沉肩坠肘，坐腕松腰前进。眼神亦随之前往；向敌人之胸部按去。身手各部须合成一劲，意亦扬长前往，便为得力。

《太极拳使用法》：甲如白鹤亮翅式，如乙右手自前斜方击来，甲左手自外绕至乙膊前节，往下搂去；同时，甲右手落下向后转绕至膀尖齐，直往乙胸前拍去，左足弓，右足在后蹬劲。

散手见《太极拳阐宗》：敌手进击我之中下两盘，皆可以顺手下搂，以拗手前推；或直扑击其面部。或向肩推掷，此则拗手搂顺手击也。

敌拳进击吾圈内，或头部，或下方，（吾）均可以顺手旁搂；同时，以拗手横贯敌头鬓之间，随即以横贯之手，再复下搂，而以前搂之手，继续横贯，左右扬鞭，攻防兼至，轻灵神速，谓之左右搂打，连环不断，敌虽圣手，不易防也。惟步法则弓箭步、进步、跟步、敛步、卸步，随宜用之。

用顺手搂敌时，如敌臂外逃上转，将击吾头时，（吾）即随黏其臂，向内扣合，仍用搂手，继以他掌推扑之。

按：搂膝拗步是杨架中比较主要与多用的招式。杨架早期第一节中，手挥琵琶后直接作搬拦锤，无左搂膝拗步一式，后添加了，而且陈微明认为："盖若遇宽阔之处，左右搂膝拗步，本可多打数次，不但左搂膝可即，右搂膝亦可即加。"

（7）手挥琵琶式[①]

【释名】两手相抱，如抱琵琶状故名。手挥者，两手摇动如以指抚弦者然。

【动作】有二：（一）抱手；（二）并步外揉[②]。

【图解】（一）由前搂膝拗步式，身渐撤回，使全身重点，移于右腿，如丁虚步[③]，右手后撤，同时，左手顺左胯上举，双手内抱，两手参差相对，若抱球状，两肘微垂，前手食指约对鼻准，后手当胸，掌心约对前手臂弯处（如图）。（二）并右足至左足后踵；同时双手作环形外运。

手挥琵琶式图

【注意】以手外运时，须用腰脊之力。[④]

【应用】敌握吾右腕时，吾右手向怀内后撤，以揉化其力。遂进右足，以左手按其肩下前推。⑤

注 释

① 手挥琵琶式：两手如抱琵琶以指抚弦者然。此式为活步松腰运用两臂之法。

田镇峰认为："此式虽极简单，而意想极其复杂。盖凡是一种运动，应确信其心有当然之效果，而加以想象之。如意欲行气，则应作行气想 ；如意欲沉重，则应作沉重想；如意欲沉气，则应作气沉丹田想。推之一切方法，皆应作如是想。此种方法一经道破，固极简单，然其宏效则非常迅速也，亦如形意拳中之三体式，然其意义与提手略同。所不同者，惟吾人每一发手，多喜先出右手。此为拳家向例之通病。此式则独操其左，久而自然，尤易出奇制胜也。"

1925 年《太极拳术》："右足略提起随落下，右手随身之落势，收回在后；左手随身提起在前，两手心相对，如抱琵琶。沉肩坠肘，松开捧起，不可有夹劲；左足随身收近，足跟点地，足尖翘起，右腿仍实。"此为"抱手"。《太极拳势图解》白鹤亮翅式—左右搂膝拗步式—手挥琵琶式，其中左右搂膝拗步式之中，并没有"抱手"动作。王新午在《太极拳阐宗》诠释许师《图解》时，在左右搂膝拗步式之中加入了"抱手"一动。杨澄甫编著《太极拳体用全书》，第七节，白鹤亮翅；第八节，搂膝拗步；第九节，手挥琵琶；第十节，（左）搂膝拗步；第十一节，右搂膝拗步；第十二节，（左）搂膝拗步式；第十三节，手挥琵琶式。说明此时，"抱手"一动已演化为"手挥琵琶"式，而且由一次，增加为二次。傅钟文还在第二次手挥琵琶式和进步搬拦锤式中间，加进左搂膝拗步式，并配上第十五节拳式图照。1934 年《太极拳体用全书》出版，确定了："左搂膝拗步式—手挥琵琶式—左搂膝拗步式—右搂膝拗步式—左搂膝拗步式—手挥琵琶式—左搂膝拗步式—进步搬拦锤式"的顺序。但民国时期外传的杨架太极拳，均在第二次手挥琵琶式之后，直接作进步搬拦锤，中间不做左搂膝拗步式。姜氏《太极拳讲义》、田氏《太极拳讲义》均无左搂膝拗步一式（现行88式亦是）。至1960年《太极拳全书》和1962年《杨式太极拳》，均在第二次“手挥琵琶式”之后，增加了一次左搂膝拗步式，然后作进步搬拦锤。

陈微明在《太极答问》中说：“澄甫先生现在所练之架子，惟第二次琵琶式后，又添一搂膝拗步。”所以，第二次手挥琵琶后，又增加一左搂膝拗步，可视为杨公晚年所定。

② 并步外揉：此并步外揉一动，在1921年之后的教习中被简略了。

《太极拳势图解》：“（二）并右足至左足后踵；同时双手作环形外运。”王新午《太极拳阐宗》诠释此动为“并步外揉”：“由原式再向后坐势，上身向左平转，以腰为枢纽，；同时，两手随向右挥抚，手心向外，手指向上。但此式两手运行路线，原有三种练法，或为平圆，或为顺势立圆（由上而下），或为逆势立圆（由下而上）均可。”此式还有：并步前推—抱手—挥手里揉—并步前推。

王新午认为：“练习此式，重在揉推，或里或外，或平或立，或逆或顺，两手之运行，悉为圆形。要在能运用腰脊之力，注于掌心，以增加进回旋柔化之劲。抱手式本为太极拳之站桩势，固当特加注意。然有仅练一抱手，而即以之代表手挥琵琶式，竟将揉推诸动作阙而不练者，似太简略也。”1925年，陈微明的《太极拳术》中，已去掉了“并步外揉”这一式。仅以“抱手”代表手挥琵琶式。“外揉、里揉”逐渐被简略，王新午感叹：“手挥琵琶式，竟将揉推诸动作阙而不练者，似太简略也。”

《太极拳使用法》在手挥琵琶之后，就是进步搬拦锤，无再一次左搂膝拗步。在《太极拳体用全书》增加一次左搂膝拗步式。据姜容樵《太极拳讲义》云：“此式（左搂膝拗步）本为手挥琵琶变动式，亦名外揉，其定式与搂膝拗步姿式相仿。”看来，所增加的搂膝拗步式，可能是“外揉”的变通，只在某些练家中存在，或是杨公南下广州时增改的，当《太极拳全书》《杨式太极拳》出版后，此式遂成为杨架85式的“标配”。

③ 丁虚步：或称丁字步。后腿坐步，如后坐步，惟前腿之足尖略起（按：不可过分翘起），而足踵仍着地耳。丁虚步在拳式上有提手上势、手挥琵琶及肘底锤等。此式足踵着地，如势难以立足，则可即行退却，如势能立足，则由踵而足尖全身之势向前踏实，视上步时以全脚掌立即踏实为稳当而得力也。亦有上步时，以脚掌尖踢出而后全脚掌踏实者，姿势颇为美观，然不如上述原来姿势之切于实用。

④［注意］……腰脊之力：进后足时，全身勿稍上耸。抬左手时，以全身之力由脊而肩而肘而手发之于稍，肘向下沉，手向下塌，右胯与右足踵成一重线。

⑤［应用］……按其肩下前推：《太极拳体用全书》：由前势，设敌人用右手来击我胸部，我即含胸、屈膝坐实，左脚随稍往后提，脚跟着地，收蓄其气势。右手同时往后收合，缘彼腕下绕过，即以我之腕黏贴彼之腕，随用右手拢合其腕内部，往右侧下採捺之；左手亦同时由左前上收合，以我之掌腕，黏贴彼之肘部作抱琵琶状。此时能立定重心，左挒右採，蓄我之势，以观其变，谓之手挥琵琶也。

散手见《太极拳阐宗》：敌手来击，吾用抱手式，运劲于腕，合击其肘腕，敌必负痛而逃，或竟毁折其腕。设敌以右拳来击，我用左手下搂，右掌扑推。敌如以左手擒我右腕时，（吾）即将右手向怀内后撤，随以左手穿插敌左肘后，向上扣托。复以右手稍向外挒直敌臂，遂对准敌肩直劲推掷，敌必仰倒，甚至损折其肘腕焉。

用双手搬采敌右臂，使之突然前倾，继即释右手，变掌或拳，骤击其面。或搬採时，劲稍高提，则可继击其中脘，或下丹田。此为致命之着，不可轻易用也。

《太极拳使用法》：如左搂膝式，甲立，敌人如乙右手自右外方绕里直打来，甲右手随乙手绕直时，甲右手回劲扣黏乙里手腕；同时，甲左手掌起托乙的肘尖，甲指掌俱要伸开，手心用力将乙膊托直，将乙的前足尖提起，使乙不得力也；甲右足坐实，左足为虚式。

（8） 进步搬拦锤式[①]

【释名】搬拦锤者，即用手搬开敌人手而拦阻之，复用拳迎击之称。南人名拳为锤，此为太极拳五锤之一。进步搬拦锤者，与后之退步搬拦锤、卸步搬拦锤之对称也。

【动作】有三：（一）里搬手[②]。（二）外拦手。（三）前击锤。

【图解】（一）由前式以在前之左手肘臂向内搬，腰身随之；右手当胸，指尖向上。（二）左足向左前方进半步，左手随之外拦，约对左耳为止，肘微屈下垂，肘尖约对左胯，指尖上指，（如图一）。（三）右手握拳内转，虎口向上，沿左掌向前直击（如图二）。（此为上搬拦。若下搬拦，则由左腕上出拳前击。）

进步搬拦锤式图一

进步搬拦锤式图二

【注意】练时腰背肩胯须一致，搬拦时须空腋松肩，击拳时须正身用脊力。不可探身向前，因探身则仅用腰力矣。此式运动脊椎，灵活肩胯。[3]

【应用】敌拳当胸击来，即以顺手向内搬开，敌欲外逃即拦之，乘机拳击其胸。[4]

注 释

① 进步搬拦锤式：王新午对此式作注解：搬拦锤有名之为演手锤者，意或谓以一手敷演敌手，而以拳击之也。又名掩手锤，即谓先以手掩蔽之注意，而以拳击之也。然掩手锤仅为搬拦锤之一招，似不能概括名之。

《太极正宗》术解：太极拳，以搬拦锤一式为变化之妙，以锤为攻击之巧，练功实用均有独到的精神，搬拦进击为左搬右转，松腰坠肘，含胸拔背，躯干转动之灵活，尤为致用之妙术。

② 里搬手：是"由前式以在前之左手肘臂向内搬"，因前式是手挥琵琶，左手在前，"敌拳当胸击来，即以顺手向内搬开"。左手曲肘向里即可。而在以后的教习中，"左手肘臂向内搬"，逐渐改成"左手即往后翻转至左耳边，手心向下，右手俯腕，随转至左胁间，握拳，翻腕向右转腰；右拳随之旋转至右胁下，此之谓搬"，须"将左足微向左侧分开，腰随往左拗转"，同时作"搬"，较前者更重腰劲。

③［注意］……灵活肩胯：此式动作，搬拦与击锤多属同时，然以姿势说明之方便起见，不得不分述之耳。尤以搬劲明显，而拦劲暗藏，致一般练者，多仅一搬一击，将拦字无形遗失，且有不知拦在何处者，此实不可不注意也。练时，须含胸松肩，腰身手足动作均须一致。前击锤时，务须正身正胯，用脊骨力，切忌探身前倾，徒用腰力，而失重心。运动方面，重在肩背，其目的在发育此处各筋肉及肩胛关节运动灵活，上体左右旋转，可使脊柱旋屈自由，且保持脊柱端正有促进消化循环等作用。

此式系运动脊柱，活泼肩胯，练习时，须空腋松肩。击出之拳不可握紧；

盖握紧则气滞，而内力亦无由发出。发拳须用脊力击出。后腿弯切莫蹬直，不可探身向前；盖探身则仅为腰力，易向前倾。

曾昭然说："有于右拳扳下而出左掌时，左膝随右膝曲下作叠步者；又有以右拳由下斜向上击者，皆非。又体用全书所列此式，右拳打出时，肘伸直几于肩平。余以此与澄甫师在陈著所列此式不符合，向澄甫师质疑，承答'体用全书'所列肘部确高一点云。故在此书所列之图系採陈（微明）著（《太极拳术》）澄甫四十余岁时所演者"。

④［应用］……拳击其胸：搬拦为化敌制敌进击法。

《太极拳体用全书》：由前式（手挥琵琶式），设敌人用右手来击，我即将左足微向左侧分开，腰随往左拗转，左手即往后翻转至左耳边，手心向下，右手俯腕，随转至左胁间，握拳，翻腕向右转腰；右拳随之旋转至右胁下，此之谓搬。同时，提起右脚侧右踏实；松腰胯沉下，左手即从左额角旁侧掌平向前击，谓之拦。左足同时提起踏出一步，坐实；右足伸直，右手拳即随腰腿一致向前打出。然此拳之妙用，全在化人击来之右拳。先以我之右手腕，黏彼之右手腕，从左胁上搬至右胁下。其时，恐敌人抽臂换步，即将左手直前随步退追去。寓有开劲。拦其右手时，即速将我右拳，向敌胸前击去，则敌不遑避，必为我所中。此拳之妙用，所以全在搬拦之合法也。

散手见《太极拳使用法》：如甲直立，若乙外力甚大而且又快摹右拳打来，力重千斤，将至临近，甲速含蓄身略往右边侧，乙拳已经打空，甲右拳速自乙右拳外方绕乙手腕上，沉劲，此为秤锤虽小压千斤，理在是也。甲左手同时将乙方膊搬开，甲右拳不落遂直击乙身，上左足，同时，上步弓式，右足为直线如搬拦锤图是也。

《太极拳全书》：右拳将敌右手扳下时，右足提起，可踢敌胫，亦可踏敌足面。左掌既击敌面，右拳随击其右胁。先辈常言"一打就是三下"者，盖指此式而言。

陈微明说："琵琶式变搬拦锤，与拗步变搬拦锤，均无不可。"

（9）如封似闭式[①]

【释名】封闭者，即格拦敌手之意，与岳氏连拳[②]之双推手，形意拳[③]之虎形相同。

【动作】有三：（一）十字搭手。（二）双分手。（三）前推手。

【图解】（一）左手不动。身后坐，右腿微屈，右拳向左画一平圈形。右腕收回至左腕上面时，两手腕成十字交叉。（二）将右拳撤回变拳为掌，双手随即分开。两手距离与肩之宽等。（三）双手内合前推，身随前倾，重点寄于左足，或抬左足略向前迈亦可（如图）。

如封似闭式图

【注意】撤拳时须全身后坐，将拳带回，不可仅屈臂弯，搭腕即须分开，分开即须前推。不可停滞，分手时两肘微弯，肘尖下垂近肋，切勿旁开，致劲分散，前推时手指前伸，掌心吐力[④]。

【应用】用搬拦锤时，敌若以左手推吾右拳，即将右拳向内撤回，而以左手从下外方拦其手，复腾出右手向前推之。[⑤]

注释

① 如封似闭式：封者，逢迎以自固；闭者，前进以逼敌，开合之势也。有称为推山手者，盖第就其形式度之耳，又称六封四变，则并开合用劲之配备也。

动作有三。此式动作，为单纯之开合。此式名为封闭，纯系象形，一蓄一发，一开一合，由脚而腿而腰，以达内劲于手指。腹松气沉，阴阳相济，肩松肘沉，切忌旁开，致劲分散。撤拳时后坐，分手时进身，前推时上体正直，不可前倾。搭腕即须分开，分开即须前推，勿稍停滞，致劲间断，本此练习，庶不致误。

如封后分手，两手按住敌之手腕，使敌不得走化，又不使分开，似闭。但注意两手距离不宜分得过宽，以防敌人挣脱后乘机反攻我中路；分手时，或如遇敌之双手攻我中路（如胸口），我即两手掌同时下切，向外拨开敌之两臂，乘机向敌胸口推打。

② 岳氏连拳：岳氏连拳是一种古老的汉族拳术。据传说此拳为宋代岳飞所创，此拳最初仅九手，其中上盘三手，中盘四手，下盘二手，左右互换皆为散练手法，故名岳氏连拳；后来逐渐发展，每手各演化为二十手，共一百八十手。步型多为侧身半马步，步法多以足尖由外弧形向内勾盘进步。清代河北雄县人刘仕俊擅长岳氏散手，后来他在散手的基础上，逐步改进归纳为八母势，形成简单套路，可以连贯练习，故名岳氏连拳，又名八翻手，也叫子母拳，表示拳法子母相生，富于变化。岳氏连拳分八路，有挣捶式、进退连环式、回身靠挤式、拦腰捶式、双推手式、捆锁靠挤式、琵琶式、研肘架打式。每路动作多则五六势，左右轮换，一气贯注，动作简单，节奏鲜明，与形意拳的五行、十二形拳术练法近似。其手法包括：捆、拿、锁、靠、推、打、刁、搬。步法以直进直退为主。劲力刚健明快，讲究吞吐沉浮，刚中寓柔。桩法有三门桩、四门架、木人桩等。桩步稳固，进退起止皆有节序。此拳后来不断丰富，共发展为32路。清末民初时，岳氏连拳在北京一带较为流行，现在开展不广。

③ 形意拳：又称行意拳，中国传统拳术之一。虽然起源说法不一，但广泛认可的最初创始人是明末清初山西蒲州人（今永济市）姬际可（1602—1680年）。形意拳创立之初叫心意六合拳，即心与意合，意与气合，气与力合，肩与胯合，肘与膝合，手与足合。现行流传的形意拳为道光年间河北深州人李洛能

在心意拳的基础上改革创立而成，形意拳讲究内意与外形的高度统一。

形意拳基本内容为三体式桩功、五行拳和十二形拳。三体式为形意拳独有的基本功和内功训练方式，有“万法源于三体式”之称。五行拳结合了金、木、水、火、土五行思想，分别为劈拳（金）、钻拳（水）、崩拳（木）、炮拳（火）和横拳（土）；十二形拳是仿效十二种动物的动作特征而创编的实战技法，分别为龙形、虎形、熊形、蛇形、骀形、猴形、马形、鸡形、燕形、鼍形、鹞形、鹰形。

④ 掌心吐力：前进时手掌宜前伸，掌心吐力，不可用正掌。

⑤［应用］……向前推之：此为格敌封闭推按之法。

《太极拳体用全书》：由前式（进步搬拦锤），设敌人以左手握我右拳，我即仰左手穿过右肘下，以手心缘肘护臂，向敌左手格去。如敌欲换手按来，我即就右拳伸开，向怀内抽折，至两手心朝里斜交，如成一斜交十封条形，使敌手不得进也。犹如盗来即闭户，此谓之如封之意也。同时，含胸坐胯，随即分开，变为两手心向敌肘腕按住，使不得走化，又不得分开，此谓之似闭，似闭其门不得可也。随急用长劲，照按式按去。眼前看，腰进攻；左腿屈膝坐实，右腿随胯伸直。合一劲，向敌击去，此为合法。

《太极拳全书》：敌以左手图推或冀握我以右手时，即此式应之。

散打见《太极拳使用法》：如甲右手打乙，乙用左手封当，甲的左手自己右膊下边往前比住乙手腕，甲右手速抽回，再去按乙左横肘上，双手按劲前推去，左足在前作弓式，右足在后为直线，足根不可欠起，其根在足。（按：杨家强调弓步时后足根不可欠起，其根在足。）

《太极拳阐宗》：如封似闭之着法，一为缠手；二为擒拿；三为推掷。凡以右手前击，遇敌以左手向里横推时，皆可以左手穿至敌左肘后，外拦或缠采，继即双手翻掌前推。

(10) 十字手式[①]

【释名】十字手者，两手腕交叉相搭，状如十字，故名。凡两式相连，转折不便者，均可加十字手以资衔接[②]。

【动作】有一：(一) 十字手。

【图解】由前式左足向右内转，约九十度，全身随之右转，两足距离与肩之宽等；左手在内，右手在外，同时上举交叉于头顶上[③]，两臂微屈。

【注意】演练此式，须连续下式，不可稍有停顿。[④]

十字手式图

注释

① 十字手式：状如十字，故名。此为防上御下之法。

《太极拳阐宗》指出：由如封接练此式，应手步平行旁开上举，搭两腕于胸前交叉，不稍停顿，即接练下式。然一般练者，多由上式蹲身并步，两手下抱，以代此式；甚有因之而名此式为抱虎式者，与名如封似闭式为推山式者，同一谬误。

十字手在运动方面，练腰腿两臂之屈伸，以增进腰臂之横力。以式的劲力是由脚下而生，命门与手腕交叉点要有对拔之势。能运用两臂，引劲达梢，增长足尖之抓力，与全身之坐力。此式坐身时，上身切莫前倾，右臂抽回时不可过顶，身体站起时须速转下式，不可稍有停顿。

② 以资衔接：此式可作为上下式衔接过渡法，又可作某一动作或某一段动

作的收势。

③ 上举交叉于头顶上：《太极拳势图解》图示杨澄甫十字手的动作，两手交叉高过头顶，两手掌十字夹角较小。而 1925 年《太极拳术》中插图（陈微明拳照代）所示，两手交叉在胸前，两手掌十字夹角平缓；1929 年《太极拳使用法》杨公拳照，两手交叉也在胸前。说明，自 1925 年以后，十字手两手相交，高度在胸前或与肩平。

④［注意］……不可稍有停顿：此式坐身时，上身切莫前倾。右臂抽回时不可过顶。两手作十字时，两足微屈不直立。身体站起来时须速接下式，不可稍有停顿。

应用上，此为防上御下之法。

《太极拳体用全书》：由前式，设有敌人，由右侧自上打下，我急将右臂自右向上大展分开；身亦同时向右转；左脚与右脚合，两手由上分开，复从下相合，结成一十字形，全身坐在左脚，右脚即提起，向左收回半步，两脚直踏，如起式。此一开一合劲也。际我用开劲分敌之手时，正恐敌先乘虚由我胸部袭击，故我即结两手成一合劲。其时手心朝里，将敌之臂部掤住。如敌变双手按来时，我即用双手将敌手由内往左右分开，手心朝上，或向下均可，惟结成十字手时，同时腰膝稍松，往下一沉，则敌所向之力，即自散失不整矣。

散手见《太极拳阐宗》：十字手为衔接手法，其用甚捷，师珍秘未言，兹略述其意，俾有心者得之。扣领敌右臂，以右掌击敌右鬓，敌左手内推时，仍用左手由右下外方缠采敌臂；同时，右手向下平开，以腕背击敌小腹，敌负痛蹲身来防，我则并步作双峰贯耳掌合击其两鬓。此式连续三着，皆伤人杀手，心狠、意毒、手快，三者兼有之，不可轻授也。

《太极拳使用法》：甲立如乙双拳打来，甲随亦双掌自下往上掤如十字，架开双手。

按：杨公早年十字手的架子较为开展，两手高过头顶，晚年架子有明显的收紧，动作幅度含蓄适度。

2011年11月27日，笔者与翟金录等拳友一同拜访金仁霖老师，金老师讲了叶大密亲自向他讲述的故事。金老师讲：关于十字手有一段趣闻，叶老师讲，在一次宴会上，有人问杨公："十字手能不能打人？"杨公答："能！"于是杨公站立作十字手状，并请几位学生分别按住杨公两手臂等处，当杨公微微一动，学生们就四散跌出。当时由于动作极快，叶大密等许多嘉宾都未能看清。事后，叶大密盛邀杨公去叶家，叶大密重新提起那天杨公用十字手发劲一事，杨公兴致勃勃地在叶胸前画了个"∞"。叶大密随即记录（见《柔克斋太极传心录》）："在胸部画一个横的无形无象的连环形（如∞字形）"，又写："此法是先师河北永年杨澄甫老先生在沪时来我家亲自传授，师娘不知道，在他家是不会传给我的，故我异常感激，特志以为纪念。"金老师边讲边作十字手的"∞"形劲路的示范，翟金录先生当场视频录像。

（11）抱虎归山式[1]

【释名】抱虎归山者，拟敌为虎抱而掷之也，又名抱虎推山。当抱敌时，敌思逃遁，即乘势用手前推也。两说均是，学者于此式多不注意，或有以如封似闭代之者，盖此式与后式揽雀尾连络一气，最易混淆之故。

【动作】有五：（一）原地搂膝；（二）上步搂膝[2]；（三）拗步掌；（四）内抱；（五）前推。

【图解】（一）由前式右手不动，左手下搂左膝，坐身向右斜后方转。（二）开右步落右手，下搂右膝（如图）。（三）伸左掌为右式搂膝拗步式。（四）左手不动，右手向后伸，以肩为中心，臂为圆圈之半径，从下后方翻转向上，至前方作大圆圈下抱，[3]至手肘与肩平时，即坐身双手随向后搬，作交叉状。(五) 双手分向前平推。

【注意】此式须以腰身运动肩背，五动作宜连成一气。[4]

【应用】设敌以左手由吾身后右侧击来，即以右手下搂其臂，以左掌迎面击之。倘敌左臂乘势上抬外逃，或左转随手击吾头部，应即进身以右肩承接其臂根，圈右臂后抱敌身，设敌思逃遁，应回身以右手外捌其双手前推其胸。[5]

抱虎归山式图

注释

① 抱虎归山式：假想敌人为虎，我用抱势而擒之，乘机推之于外门，故名。有拳谱写作“抱虎推山”“豹虎归山”，虽音相似，然则其词义不同矣。此为採捌起承之法。

由于抱虎归山后面的搬挤按，动作与揽雀尾相似，所以《太极拳体用全书》说：“故下附揽雀尾三式搬挤按同上。”田镇峰在《太极拳讲义》中认为：“惟学者多于此式不加注意，以致与后式之挤按，误为揽雀尾。”而有些拳谱则把后三动，称为“斜搬雀尾”，并另列一式。如：1930 年姜容樵《太极拳讲义》在“变动”下说明：“（抱虎归山）有三，一原地搂膝；二开步搂膝；三拗步抱式。下接后搬前推，编入下式揽雀尾内，以免混淆。”姜又接着写“注意”：“近有以后搬式及前推编入下式者，易使学者疏忽。”1932 年吴志青著《太极正宗》：“第十三式，抱虎归山。第十四式，斜步揽雀尾。”这些说明 1930 年前后，武术界对“抱虎归山”动作的界定是不一致的，命名也有异，但名称虽有异，动作和用法仍大致相同。

② 上步搂膝：在以后再版中，改作“开步搂膝”。

③（四）左手不动……至前方作大圆圈下抱：本势右手动作较大。而《太极拳体用全书》中，“右手先用仰掌收回，如作抱虎式”，即以仰掌作回抱，简而捷。

④［注意］……连成一气：曾昭然说：“有以右掌向右后作搂式时，并不仰掌收回，仅如搂膝式而已，杨公言：此与原意无背，惟有以右腿向后伸直，右手撇开向地，头亦低顾地下者，则非。”

⑤［应用］……前推其胸：灵活腰身臂膀，遇敌由吾身后袭击，我以右手搂开，进步以左手击之。假想敌欲逃至外门，或侧击我侧面，我伸右臂圈抱敌身，或臂膀再接用搂雀尾式或攦或推以击之。

《太极拳体用全书》：设敌人向我右侧、后身迫近击来，未遑辨别其用手或用脚时，急转腰分开两手，踏出右步，屈膝坐实，左腿伸直；右手随腰向右方敌人腰间搂去，复抱回。左手亦急随之往前按，故右手先用仰掌收回，如作抱虎式。倘敌人手脚甚快，未能为我抱住，但仅为我搂开或按出，则彼复换左手击来，我即用攦势攦回。故下附揽雀尾三式攦按同上。

《太极拳全书》：敌向我右后身进击，我未遑辨其用手或足，即出右步以右手向其搂抱。倘其未为我搂抱者，即可以左手按出之。倘其换左手击来，即可以攦挤按三势应之。

田氏《太极拳讲义》：倘敌自吾右后侧击来，我宜以右手下按其臂，以左掌迎面击之。若敌以左臂乘势上抬，而左转截吾头部，我应即近身以右臂承接其臂根，圈右臂后抱敌身。设敌欲遁逃时，我可回身以右手外挒，双手向前推其胸。

散手见《太极拳阐宗》：此式着法极横拳、立掌各法之变，同时兼顾上中下三盘防务，而克敌制胜，操攻防之全能，为着法之首要。

凡敌以右手直击吾胸，（吾）即以右手搂截，而以左掌贯击其右耳。敌如再以左手技击，（吾）即以贯耳之左掌下搂或拳截，而以右掌贯其左耳。往复搂截贯打，若双环护身然。如系追击，用斜行步，亦名三角步；如系闪退，用敛步；平时用功，以弓箭步为主。惟搂贯三掌之后，必夹一掤手，变为撅贯一手，再接搂贯两手，此中窍要，难以笔述。又法，搂贯连环三掌之后，夹一蹬脚，所谓常山之蛇，击其中则首尾皆应也，亦为必胜之着。

敌若在吾右后方来击，先以右手掤接其手，旋反手下按其裆中，而以左掌推击其胸或头部。本式散手应用，与搂膝拗步式，有参考之必要，但须辨其同异。

《太极拳使用法》由前式设敌人自我后面右侧，用右手从下部击来或用右足来踢我，即往右侧转身，出右步，屈膝踏实左腿伸直，变虚，右手随身转时，将敌右手或足搂至右膝外，左手同时由左侧往前腕转运出向敌面部按去。如敌又用左手自上打来，急用左手腕由敌左手腕下绕过，黏住右手，同时圆转提起，用腕向敌肘上臂部贴住，同时两手往怀内左侧合收抱回，则敌人自站不定。此时要松肩坐肘，右足实右足虚。

甲立如乙自右后方持拳直击，甲随转趾扭腰，右手往后，如右搂膝搂拨乙右膊，将乙身捌歪；同时随起左手将乙拍倒；右足弓式，左足直线。又第二依法，如乙再还左手来击，甲亦用左手应之，甲速再用左膊拗抱敌人之身腰擒起，犹如壮士捉虎归山之势，此二用法也。

此式须以腰身运动肩臂，宜贯串气，相连如抽纱为要。弓步右足时背椎万勿前挺，否则成为上重下轻之势，最易受击而倒。无论任何姿势，皆宜沉肩合胸为主，其气自能畅达丹田也。

按：抱虎归山亦是杨架中变动较大的一式。最初此式自十字手后，有1. 右搂膝左横击掌；2. 左搂膝右横击掌；3. 转身右搂膝拗步；4. 内抱；5. 前推。山东国术馆田镇峰《太极拳讲义》中，甚至在第三动有身体左实右虚的下蹲，并向身前下方作捞物抱起之状。或许是体现“抱虎”和“归山”的原始用意。而在后来教学中去掉前二动，只剩第三动“转身右搂膝拗步”。又原来右手向身后搂之后，即4. 内抱："右手向后伸，以肩为中心，臂为圆圈之半径，从下后方翻转向上，至手肘与肩平时，即屈左腿，身后坐，上身微向左转，作坐身抱搬式"，此动后来也被简略。

在大架传播过程中，由于习练者对动作原意理解有偏失，望文生义，为动作而动作，遂使"抱虎归山"徒有其名。如许禹生指出的："学者于此式多不注意，或有以如封似闭代之者，盖此式与后式揽雀尾连络一气，最易混淆之故。"今人作"抱虎归山"，因不明"抱虎"为何意，将此式只当作"搂膝拗步"，不仅毫无"抱虎"与"归山"之意，右手搂之后身手分离，随意划动，无仰掌收回动作。

《太极拳体用全书》对抱虎归山作了说明："由前式，设敌人向我右侧，后身迫近击来，未遑辨别其用手，或用脚时，急转腰分开两手，踏出右步，屈膝坐实，左腿伸直，右手随腰向右方敌人腰间搂去，复抱回，左手亦急随之往前按。故右手先用覆腕搂去，旋用仰掌收回，如作抱虎式；但仅为我搂开，或按出，则彼复换左手击来，我即搬势搬回。"其中，关键词如："搂""抱""仰掌收回，如作抱虎式"，把"抱虎归山"之意点得十分明白，学者不可不注意。虽然杨公澄甫之拳照，外表看仍似"搂膝拗步"，但读《太极拳体用全书》的文字，杨公的搂抱仍能体现出"抱虎"之意，即右手覆掌之"搂"，仰掌随收回右胯旁之"抱"，而后作搬势。整个动作连环流畅，虚实分明，毫无断顿。

《太极拳势图解》中，此式向右后作搂推抱推之后，搬、推二动作是为斜揽雀尾而另设的，在1925年陈微明著《太极拳术》中合并为一式，《太极拳体用全书》亦是，流传至今。

曾昭然著《太极拳全书》，是以杨公南下广州所授为样板，其抱虎归山一式与《太极拳体用全书》细处不尽相同，抄录如下："（动作）由上式，左足尖略朝内（南）摆动踏实。右掌复向右后（西北）作搂式，仰掌收回置右腰旁，左掌先向左后（东南）伸开，随西北按出。当右掌向后作搂势时，足即向右后（西北）迈出作丁字，当左掌按出时，步即变成右前弓，继即作揽雀尾式中搬挤按三势，时面眼及胸皆向西北。”

以上说明杨澄甫大架是在不断地修改完善。

（12）揽雀尾式（见前）

按：此式是《图解》在抱虎归山之后，又分立了“揽雀尾”一式的。1925年《太极拳术》则不单列此“揽雀尾”或“斜揽雀尾”一式，都合并在“抱虎归山”一式之中，即“右手复转上手心转向下，至左手处，两手随腰攦回，坐在右腿上，两手复挤出、按出，与揽雀尾同”。以后杨架拳谱大都不再将“揽雀尾”单列一式。

此处“揽雀尾”与正向掤攦挤按的“揽雀尾”有些不同，因此田镇峰在《太极拳讲义》中提示：“惟学者多于此式不加注意，以致与后式之挤按，误为揽雀尾。”

（13）斜单鞭式[①]

【释名】斜者，指方位而言。前抱虎归山式，系斜方位。此依前式方向故名斜单鞭式。

【动作】与单鞭式同。

【图解】与单鞭式同。

【注意】斜方向。

【应用】与单鞭式同。

斜单鞭式图

注 释

① 斜单鞭式：因抱虎归山向西北而做，回身向东南做单鞭，方向为斜向；而其他单鞭均为面东正向，故把斜方向做的单鞭称为斜单鞭，正、斜单鞭的区别不在技术上，而在方向上。

《太极拳阐宗》中认为：太极拳以“不偏不倚”“中正安舒”为原则，此称斜单鞭，及后之斜飞式，均运动之方向为斜隅，而非姿势动作之倾斜也。动作与单鞭式同。

《太极拳术》中，作为“肘底看锤”的前动“两手按出后，如单鞭式，右手松直，手指稍垂，不必成为吊手；左足略提起落下”，此与单鞭前动相仿，似前半个单鞭，后并入肘底看锤，不作单列。

按：1925年《太极拳术》，在第一次抱虎归山后，不仅合并“揽雀尾”，也取消了斜单鞭这一式，仅在第三节（即第二次抱虎归山之后，野马分鬃之前）留有斜单鞭一式。《太极拳体用全书》亦同。

（14）肘底看锤式[①]

【释名】立肘时，肘之下曰肘底。看者，看守之意。[②]一名肘下锤。

【动作】有三：（一）移步领手；（二）收步举手；（三）肘下锤。

【图解】今作三角形，前式左足在甲点，右足在乙点。（一）左足不动，右足向右方踏出半步，移至乙’点，右手随之。（二）左足向内收半步。由甲点移至甲’点。足踵着地，足尖向上，同时左手由外向内作圈，顺胯而上至胸前上举。掌心向内，约与眼平。（三）左腕略外转上托。右手作拳置左肘下；右腿微屈，成丁虚步，全身重点寄于右足。

肘底看锤式图

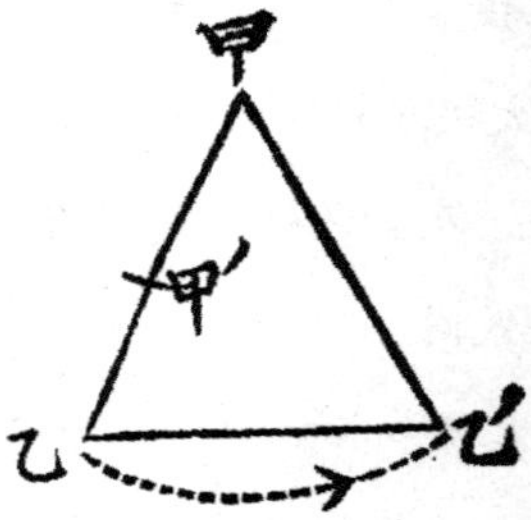

肘底看锤步法图

【注意】右臂运行之线路，与一半平圈形，左臂在左方画一斜立圈形，出拳时身段随之略含向前之意。同时松腕耸身，尤须注意三合(即肩与胯合，肘与膝合，手与足合)。此式练习深呼吸。

【应用】设敌以右手击来，以左手握敌右肘前领。转腕上托，而以右手下击其肋。[3]

注释

① 肘底看锤式：又名肘下锤；又称叶底藏花。拟右臂如叶，右拳如花，而居其下，故名。与岳氏八翻手第四路之姿势动作虽不同，而意义则一也。

有谓此式意在看守门户，防敌袭击之意。此式善能活泼周身之关节与畅达血液之循环，久练着熟，自可从心所欲。

② 看者，看守之意：对“此式意在看守门户，防敌袭击之意”（如姜容樵《太极拳讲义》等）。田镇锋认为：“我云则不然，而内蕴冲击、黏手、摇身、劈击之手法。若模仿大概较易，若实际懂劲则难。凡是一种劲，其中含有抵抗性，不问劲之大小，皆可谓之刚劲。反之若一种劲，能随敌劲以为伸缩，不含抵抗

性者，应皆谓之柔动。若无柔动，偶遇劲敌，便无复活之望。此种刚劲，亦可称死劲。刚劲以强为胜，遇敌则折，势所必然。其致败之由，虽与死劲不同，然其结果则无差异。若以活劲与死劲较，则胜败之数，不卜可知。学者对于此式之劲，无勿忽视，应详加注意焉。”

③［应用］……而以右手下击其胁：此式为扭身转变劈打冲击之法。

假想敌由侧面击来，我用左手握敌臂或肘，向左领撸，再用右手横掖敌人腰部。

《太极拳体用全书》：由前势，如敌人自后方来击，我即转身，其动作如上单鞭转身式，可参用。迨身将翻转正面时，左脚直向正面踏实；右脚即偏向右前，踏出半步，坐实时，则左脚提起，脚尖翘起，两手平肩，同时随身向左转；此时即用左手腕外平接敌人右手腕，向右推开，至其失却中定时，即将左手指下垂，缘彼腕间，向内缠绕一小圈；右手同时向左，与其左手相接，自上黏合，则彼之左右手都处背境，而失其所向，我既将左腕，抑其右腕，右手急握拳，转至左肘底，虎口朝上，以蓄其势，向机而发，未有不应声而倒，此之谓肘底看锤也。

散手见《太极拳阐宗》：敌握吾腕，以左手作掌击吾头部，吾即以左手自上而下，搂压其臂，执其腕。以左肘夹其要右腕，向外研肘，腾出右手进击之。

设右手击敌，被敌以左手托住，同时右拳来击，吾即以左手截按，旋以右臂扣压，抽出左手，作拳向上冲击其下颏；敌如以右手搬托防范，可连续以右手扣，左拳冲；稍撤即进击，变化甚捷。

敌以右手来击，吾顺劲引入，夹于左胁，乃以右手还击，敌必用左手下按，即以左手擒其腕，向左外方反转，复以右拳击其左胁。

敌如左手来击，吾顺劲引入，夹于左胁，乃以右手击其头；敌必用右手来防，乘机擒其腕下撅，交于左手擒扣，腾出右拳，任意击之。

敌右手握吾右腕时，骤向右后方斜领，同时左手扣紧其腕背，倏其臂一伸直，即扣执其手，向外反转，敌必向右斜倒。继进右拳击之。

敌以左手握吾右腕时，即随劲下扣外转，复以右手扣执其手，向外反转，敌必仆倒；继以左拳进击之，或变用手挥琵琶式掷之。本式着法，多属擒拿，前击数者，皆其主要之着。

（15）倒撵猴式[1]

【释名】倒撵猴者，因猴遇人即前扑，先以手引之，乘其前扑，一方撤手。一方以手按其头顶之意。一名倒赶后，即向后倒退，引敌赶来，随以手乘势袭击之意。

【动作】有二：（一）退左步伸掌；（二）退右步伸掌。

【图解】（一）由前式右足不动，左足向后退半步；[2]左手顺耳边前伸至极处，五指尖上指。掌心吐力，腕与肩平；同时，右手下落至胯旁。与搂膝拗步姿势同。（二）左足不动，右足向后退半步，右手由后翻转向上至耳边，前伸至极处，指尖上指，掌心吐力，腕与肩平，左手下落至胯旁，与搂膝拗步姿势同。

倒撵猴式图

【注意】两腿弯宜微屈。两足足尖与踵前后宜成直线。两足分开之宽度，宜与肩齐。须正身躯，悬头顶，提脊骨，以运动督脉（十二神经）。[3]此式动作次数，宜取单数，或三或五均可。

【应用】设敌用拳击或足踢，即以前手下搂以格拦之，复以后手迎击其面部。[4]

注 释

① 倒撵猴式：又名倒辇猴、倒跄猴、倒撵后。倒撵猴者，则取其轻灵敏捷进退自如之意。以其退步之速，能追逐于猴而故名；或语猴善扑人，以退步能避其锋。又名倒撵后，即向后倒退引敌赶来，随以手乘势袭击之意。此式是杨架典型的“退”势。

《太极拳阐宗》注：倒撵猴，亦名倒捻肱，言用倒退之步，而肱之运用，内含捻劲也。又名倒捲红，或称珍珠倒捲帘，均不外象其形以会其意耳。

此式柔活两臂，练习腿趾，坚实腰脊，运动督脉。遇敌袭击时我退步先用前手化其劲，再以后手探击其面部、胸部或喉部。

② 由前式右足不动，左足向后退半步：左（右）足向后退半步，身后退坐直，同时闪腰，手随腰动。但不是转腰侧身，即身体并不转向左（右）侧。是闪转腾挪之闪转。

“身后退坐实”，成“后坐步”，在搬势、如封似闭、倒撵猴中出现。后腿之膝盖与关节皆曲下，坐实，支持全身重量。前腿略伸直，不用力，但膝盖勿过直，脚掌仍贴地。《太极拳全书》中曾昭然说：有若干拳师喜用丁字步而不喜用后坐步。余尝以此征询澄甫师之意见，承答：“此乃拳师之瞎闹。丁字步之用在于进退未定之时，而此步之用在于不欲遽退之时，故前足全脚掌着地，如爬虫类之吸盘，此其微妙处也。”

③ 十二神经：1. 嗅神经；2. 视神经；3. 动眼神经；4. 滑车神经；5. 三叉神经；6. 外展神经；7. 面神经；8. 位听神经；9. 舌神经；10. 迷走神经；11. 副神经；12. 舌下神经。

④［应用］……迎击其面部：设敌以拳击或足踢时，外加以前手下攦，后

手迎面前击。

《太极拳体用全书》：设有敌人用右手紧握我左手腕，或小臂间，倘又以左手托住我肘底拳，则我先受其制，不得施展时，即翻仰左掌，用沉劲松腰胯，向左后缩回，左脚亦退后一步，屈膝坐实；右脚变虚，则敌之握力顿失；右手同时向后分开，至其失却握力时，急向前按去。此式虽然倒退一步，仍可撵去敌劲，故谓之倒撵猴。其要尤在松肩沉气也。

以右手按出时，胸腹皆偏向北；以左手按出时，胸腹皆偏向南者，亦非。

散手见《太极拳使用法》：甲立，如乙用换拳法，左右拳先后直打，如右拳以直打来，右足进一步，随后左拳打来，左足进步，此为拉钻锤进步法。甲用倒撵猴破法，退左步左手搂乙的右拳，退右步右手搂乙的左拳，往后如法速退几步，甲如用换式亦可，左手搂乙右拳时，甲进右拳换打乙胸，甲右手搂乙左拳，甲用左掌还击，可将乙打退，如图是也。

《太极拳阐宗》：此式与搂膝拗步之姿势悉同，而进退适反。彼系上步，此则倒步。搂下之手，位置亦同，惟彼为按劲，而此则采引诸劲耳。初习者，或练顺步，虽较拗步为易，而求上功应用，则逊远矣；即练拗步，亦有先撇半步，稍停再后退者，于应用上，尚有可取，然亦难免偷巧息腿，不易上功之弊，是故后退之步，必须一步通至恰当之处，是为最当。身体正直，最忌前倾，塌腰坐势，轻灵松静，头顶悬，背脊提（谷道内提），以运动督脉。

按：南怀瑾是浙江国术馆正式学员，观南怀瑾作倒撵猴时，在左足向后退半步之同时，先乘势后跃退步，再作倒撵猴；左右左三次则三跃，行状矫健犹如猿猴，形象取意也。杨公定大架，已无这三次跳跃，不仅便于习练，更使拳架稳健舒展，毫无局促之感。

（16）斜飞式

【释名】此式如鸟之斜展两翼而飞，故名。[1]有左右两式，但练左式，初习者每易断劲，不如右式之顺也。

【动作】有二：(一) 搭腕[2]；(二) 斜飞。

【图解】(一) 由前式俟练至右腿在前时，左手在前不动。右手由后方翻转向前画一圆圈形，向左腕下落。(二) 约将至左腕时，左手从右腕上挽过，使掌心相对，[3]同时退右步复向右后斜方踏出半步。右手斜向右方，左手斜向左方。若鸟张两翼状，目注视右手。

斜飞式图

【注意】须以腰身运动手足。

【应用】此式为腾手法，如右手与敌左手相搭，即以左腕上挑敌腕，以右手进击之。[4]

注 释

① 此式如鸟之斜展两翼而飞，故名：此为腾手法。如右手与敌左手相搭，即以左腕上挑敌腕，以右手进击之。此为反守为攻之法也。原“有左右两式”，后只有“右式”。

宜含胸拔背，以腰为主。开步斜飞时，两肘须微沉，右手上挑，左手下按。两手分开之时，如撕绵之意。

② 搭腕：《太极拳术》形容搭腕的动作“如抱圆球”，另有些太极拳讲义也有作“抱球状”“抱物状”的比喻。

张义敬曾批评“抱球”，言辞激烈。其实陈微明先生记录杨公澄甫拳架时，最早形容搭腕“两掌相合，左手心朝下，右手心朝上，如抱圆球”。抱球体现了掤劲，陈微明的比喻形象直观，便于学者记忆，并无不妥。

③ 由前式俟练至右腿在前时……使掌心相对：《太极拳体用全书》“如敌人自右侧向我上部打来，还用力压我右臂腕，我即乘势往下沉，合蓄劲”，掌心相对成抱球状的描述较为简洁。

④［应用］……以右手进击之：此为反守为攻之法。

《太极拳体用全书》：如敌人自右侧向我上部打来，还用力压我右臂腕，我即乘势往下沉，合蓄劲；随即将右手向右上角分展，用开劲斜击；同时，踏出右步，屈膝坐实，似成一斜飞式。其愈益亦称其势也。

《太极拳使用法》：甲直立，如乙对敌正面不能进，想换绕侧面进打，甲随绕时，即用右手如大鹏展翅，往斜上方掤去，自乙膊下至身时左足用直劲，右足为弓式，左右手皆能用。

《太极正宗》：此式设敌人由右侧上方进击，我即致使，乘其势之未；两臂即开动将臂上托或斜击其身后，填之以右脚使敌失去重心。

按：斜飞式，杨架在早期传播中，尚有左斜飞式与右斜飞式并存。1930 年姜容樵《太极拳讲义》：此式有 1. 左斜飞式；2. 抱圆球式；3. 右斜飞式。附图 48、图 49、图 50 是也。

王新午为《太极拳势图解》注释此式，则有如下文字：“若练左式，则于倒撵猴练至右腿在前时，并左步于右足侧，右手由后翻转向前，右腕在左腕之上，掌心相对；再向左前方进左步，前弓，左手斜向左上方，右手斜向右下方分展；目注左腕，而成左斜飞式。有为坚固根基，重视练腕，而左右两式俱练者，则先练左式；再将左步并回于右足侧，继向右斜后方转身；开右步，而成右斜飞式。或于左式后，左步不动，将右步并回，随身之转后而复开，以免换劲，亦可。总之，此式以左右俱练为善。然须力求劲之绵密不断，转换轻灵。手足之动作，悉以腰身带领，尤重运动于腕，盖本拳法以腕劲为主者，自提手上式后，当推此式。在运动方面，非特练习肩背腰脊之伸缩，即臂力腕力之增进，亦可不期而至也。”这说明在1930年前后，杨家大架在传播过程中，斜飞式有左右斜飞式并练的情况存在。吴氏太极拳学自杨家早期架式，吴架中仍有左右斜飞式。斜飞式练法上杨公有所简略，杨澄甫南下广州授拳，则以右斜飞式一式为是。

另外，斜飞式与野马分鬃有所不同，斜飞式重在腕力，以腕劲挑击敌之颈项（或胁）。而野马分鬃则以小臂靠挒击敌。

（17）提手上式　（18）白鹤展翅

按： 前第5式“白鹤亮翅”，有二动：展翅与亮翅，此处为“展翅”式，后名称统称为“白鹤亮翅”。

（19）白鹤亮翅

按： 前第5式“白鹤亮翅”，有二动：展翅与亮翅，此“亮翅”式在杨架中已取消，不复存在。

（20）搂膝拗步

以上四式均见前。

（21）海底针式[①]

【释名】海底者，人体之穴名。海底针，即手向海底点刺之意。

【动作】有二：（一）提步搂手；（二）海底针刺。

【图解】（一）左手搂膝；同时，收左足，足尖点地。（二）右腿下屈，坐身；右臂沿左膝内向下直伸，指尖下指，此时左手或拊右肱，或沿胯后撤均可。[2]

海底针式图

【注意】脊骨务须直立，不得屈曲前倾，手下指时，略含点刺之意，此式练习脊骨及膝之伸缩力。

【应用】敌用右手击来，即以左手向旁搂开，以右手还击敌胸，如敌用左手握吾右腕时，则转腕向下直指，则吾劲前发，敌必倒矣。[3]

注释

①海底针式：又名海底珍珠。姜容樵注："人身三百六十五穴之一，海底针者，即向海底穴针刺之意，故名。"（按：有学者认为姜容樵此注不妥，自古至今中医所有书籍里的三百六十五穴，并没有海底针或者海底之穴，连别名也没有。武术界虽然有海底穴之说，其实不同人的所指也是不同的）。

田镇峰则认为：有云此式系向下刺海底穴者，我云则不然。查海底穴为人体重要之穴，在前阴之后，后阴之前，裆之中间。此式即向下刺，焉能命中于对方裆之中。我尝云海底针为太极拳中最为难练之姿势，为蓄以待发之势，重紧凑，戒开展；譬如炮然，卷得愈紧，放得愈响。学者宜注意。

②［图解］……沿胯后撤均可：左足提起收回约半步，脚尖点地；右足逐渐屈腿下沉如坐，使臀部下垂，尾闾自然中正；全身重心由右腿支撑。头正而不低俯，身坐而不倾曲，不可前倾死弯。右掌运点刺之劲于指端。面眼皆向前处望，不可垂向地面。此式在拳架中变动较少，但不易练到位。

③［应用］……敌必倒矣：此式为伸缩脊背解缠法。

《太极拳体用全书》：设敌人用右手牵住我右腕，我即屈右肘坐右脚，转腰提回，手心向左，脚亦随之收回，脚尖点地；如敌仍未撤手，更欲乘势袭我，我即将右腕顺势松动，折腰往下一沉，眼神前看。指尖下垂，其意如探海底之针。此时虽欲采欲战，皆往复成一直力，不意为我一挫，则其根力自断，便可技击也。

敌右外紧握我右腕时，我右手可借腰力抽回；如仍不能脱，则仍可借腰力往前往下一沉，必可达目的。必要时，左掌可加云我下臂近腕处，以助我右下臂之力。此时须防其左手，故面眼须向前望。

散手见《太极拳阐宗》：敌右手来击，可以左手托扣其肘，顺劲引领运右后方，而以右手运劲于指。点刺其海底。设以右手击敌，被敌以左手握吾右腕时，即顺其劲向地下沉，旋擦地后撤，如画立圆之路线，敌必前扑而倒也。与敌接手之先，有作此式以待敌者，问其攻防兼利云。

练习腰脊，伸缩膝部。假想敌击我，我先用搂膝，以左手向外搂开，以右手按敌胸，敌如握我右腕，我刁腕缩转，向下指点以击之。

（22）扇通背式[①]

【释名】扇通背者，拟脊椎骨为扇轴，两臂为扇幅，如扇之分张状。通背者，使脊背之力，通于两臂之谓也。

【动作】有二：（一）立身合腕；（二）通背掌。

【图解】（一）立身两腕相抱。（二）左足前进一步。左臂向前直

扇通背式图

伸。右臂弯曲上抬。手背覆额。此时须正身，两腿成骑马式。惟左足尖须前向。

【注意】运劲时，左掌心之力与左肋骨相应。作向前之势。同时右臂之力，须通于左手，此式练腿力及肩背力。[2]

【应用】敌以右手击来，即以右手反刁敌腕上提，以左掌击敌胁下。[3]

注释

① 扇通背式：或作扇通臂，又有山通臂、三通背、闪通背、闪同碑等之异称，盖口传者方言不同故也。

通臂者，使脊背之力通于两臂也；或云扇通臂，拟两臂为扇轴，如扇之分开状，故而名之。此式是杨架一个典型发劲拳式，劲由脊发。发劲时，劲从脚到腿到腰送至两臂，背带两臂展开，由背把劲送至两手，打击对方。

② ［注意］……肩背力：此式练习腿力及肩背之力。运动时，左掌心之力须与左肋骨相应，同时，右臂之力，须于左手蹲身上起时，宜使臀部下垂，则尾闾自然中正。盖初练之人，稍稍蹲身，便将臀部外突，致使脊柱骨间受不自然之压迫，实与气分有极大之阻碍。

做扇通背的动作时往往容易挺胸、直臂，这不符合“劲以曲蓄而有余”的要求，同时也不符合“含胸拔背”的要求。动作应有伸展的余地，因此做太极拳的任何动作时，手臂与两腿都不可过于伸直或挺直。弧形要求圆满，处处要有能“八面支撑”的意思。

③ ［应用］……击敌胁下：《太极拳体用全书》：设敌人又用右手来击，我急将右手由前往上提起，至右额旁，随将手心向外翻，以托敌右手之动；左手同时提起至胸前，用手掌冲开，直劲向敌胁部冲去；沉肩坠肘，坐腕松腰，左脚同时向前踏出，屈膝坐实，脚尖朝前，眼神随左手前看；右腿随腰胯伸劲送

去，其劲正由背发，两臂展开。欲扇通其背，则所向无敌矣。

散手：甲如海底针式，乙打来，甲由下往上用右手托乙右手腕，甲左手由下向前直推去，手心向外掌指向上，推乙身右身侧面，左足同时进步弓式，右足为后直线。

《太极拳阐宗》：此式为发掷着法，推手术中多用之。设以海底针击敌，若敌以左手握吾右腕时，即反腕上提，以左掌推击之。此式着法吃外时，应扣住敌人右腿；吃里时，应将左腿进插敌人裆间，乃可操胜券矣。

田氏《太极拳讲义》：此式练习肩背之力，能达于稍。设敌以右手击来，我即上左腿，以右手反刁敌腕，举臂上提，以左掌击敌胁下；或以右手反刁，左手上托，则敌肘必断。

（23） 别身锤式①

【释名】别身锤者，腰部后别，使身折叠，复用腕进击之谓，此为太极拳五锤之一。

【动作】有二。（一）肋下交叉手。（二）别身锤。

别身锤式图

【图解】（一）由前式身向右转屈左腿。两手相合下落，两腕相搭于左肋下，全身重点寄于左足。（二）左手不动，提右足向右后方斜移半步，身随右转，右手掌心向上作拳，屈肘别身，肘浮依右肋，拳由上落下，与肘成水平为度。左手当胸作掌，指尖向上，食指约对鼻准，目前视，步为丁八步。

【注意】转身时，手腿动作须以腰脊为枢纽，方能灵活无滞。[②]

【应用】敌人自身后一手按腕，一手按肘，将掷吾时，即向后别身屈肘，擒制敌臂，乘势抬步握拳迎击。[③]

注释

① 别身锤式：别，以后出的太极拳书中，均改作“撇”字。

别身锤，后改写“撇身锤”。许禹生云：敌人自身后一手按腕一手按肘将掷吾时，即向后撇身屈肘，擒制敌臂，乘势抬步握拳迎击。

② ［注意］……方能灵活无滞：撇身时，身体折叠，腰部后撇，复用腕进击。手腿动作须以腰脊为枢纽，方能灵活自如。右拳向右撇出时不抬肘，拳腕不转，挥动全臂，拳由上往下打。

《太极拳全书》曾昭然说：“澄甫师早年教人，皆以左掌置左额角上，晚年教人则以之置胸前。余尝询其故，承答此式着重在右肘，左掌目的在採敌手而已，故其位置高低皆可，惟提高可显威势，放低则切实用耳。”

③ ［应用］……握拳迎击：此式为闪身化敌反击法。

《太极拳体用全书》：设敌人自身后脊背，或胁间用手打来；我即将左足向右偏移转坐实；右足变虚，腰随转向正面，右手同时即握拳，暂于左胁间一驻；左手由上圆转撇去。交敌之手由右胁侧间用沉劲叠住。同时，左手由左侧急向敌人面部击去，则乖必眼花失措矣。

散手见《太极拳阐宗》：敌以右手擒吾右腕，即撇身屈肘，作拳反压敌腕，左手作扑面掌击之。

敌以右手握吾右腕，以左步扣吾右步，以左手扑面来击时，应上掤右臂，即撇身屈肘向右前方压迫敌身，同时，潜移右步于敌左步外以摔之。吾劲一发，敌必倒矣。此为暗步，敌不知也。

以右手击敌，被敌左手握右腕，即以左手扣紧其腕，以右肘抢压敌臂，向左后方骤撤，或助下交叉手式，敌必仆倒。右手继以反背锤击其面。再继以右手搬手左扑面掌，敌必创甚也。

按：“澄甫师早年教人，皆以左掌置左额角上，晚年教人则以之置胸前。”杨公早年拳架张扬，重气势；晚年拳架含蓄，重实用，这也说明有些动作（如十字手、云手、金鸡独立等）杨公早期拳架比较开展，晚年有适度紧缩，使拳架更加中正沉稳。

（24）卸步搬拦锤式[①]

【释名】搬拦锤已说明于前[②]。卸步者，将步向旁挪移，与退步之向后退者不同。

【动作】有二：（一）里搬手；（二）前击锤。

卸步搬拦锤式图一

卸步搬拦锤式图二

【图解】（一）左手内搬，右足不动，右足向右卸半步；右拳随之由内向外平运，其路线成一环形。遂转右腕，虎口向上。（二）右拳前击，与进步搬拦锤式同。

【注意】手腕宜随步动作。

【应用】搭[③]手时，敌设用力上抬，即卸步以缓化敌力，乘势进击其胸。

注释

①卸步搬拦锤式：1921 年《图解》“卸步”为“右足向右卸半步”。1925 年《太极拳术》中改作“上步搬拦锤”，“右足略提起落下”；1934 年《太极拳体用全书》改作“进步搬拦锤”，“提起右脚侧右踏实”。虽然“卸步”“上步”“进步”三者名称有别，但右脚步动作则无大区别。此式为进步化敌反击法。

②搬拦锤已说明于前：此式说明、应用、注意等各点与第七式进步搬拦锤同。

③ 搭：第二版《图解》作“搭手时”，在以后再版时，却改作“云手时”，疑有误。

（25）揽雀尾式（见前）　（26）单鞭式（见前）

按：单鞭式，为勾搂按掌之法，又常在套路中作转变衔接之用。

（27）云手式[①]

【释名】云手者，手之运动如云之回旋盘绕之意，其左右手运行，与少林拳术之左右攀援手同，此式于太极拳中最为重要。

【动作】有三：（一）原地云手；（二）移步右云手；（三）移步左云手。

【图解】（一）左手不动，右手下落，自右下方向左画圆圈形。其运动路线，右臂圆转向下经过双膝，复向上由脐左上升，绕过头顶至右额角停；左手俟右手运行至左肩时，即下降，掌心向内，自左下方向右上升，画圆圈形。其运行路线，左臂向下圈转，经双膝，向右上升，至右胁稍停（如图一）。（二）接上动作。右手下落，仍向左画圆圈形，绕过头顶至右额角稍停，与原地云手下降时同。惟左手运行将至右助[②]时，右足应随右手向左挪移半步，左手于右手向下运行时，即向上绕头顶至左额角稍停（如图二）。（三）左手接上动作下降，绕过双膝向右上升，至右胁旁，右足向左挪移半步；右手同时绕过头顶至右额角稍停。左右云手每手以三次为度，至末次仍复前单鞭式。

云手式图一

云手式图二

【注意】双手运行，速度须等。步须随身移动，上身不宜摇摆。眼注视在上部运行之左右手。③

【应用】设敌自后袭击右肩，即以右手迎之，及触敌手，即翻掌发劲掷之。左手亦然，又敌用左手自前面击来，即以右手向右运开，乘势进击。④

注 释

① 云手式：云手者，两手左右运行盘旋回转如云气旋绕，往来不断，故名，为化敌护身之法。此为太极拳中最重要之姿势。少林拳虽有类此释放，但功用不同。少林劲刚，此则极柔。此式具有提、挂、掤、掷、滚、按、推诸劲。在散手及推手术中，无处不用，而尤长于缠劲。

② 助：当为"肋"之误。以后再版本均已纠正。

③［注意］……左右手：曾昭然说："微明师教人，凡掌由下而上者，皆以掌心先行作少林之撩阴势。余尝以此询澄甫师，承答微明师手势并不错，惟不如掌心向内蓄劲而后出之有力耳。又有演此式时，腰部转动过甚（如向西北或东北）者，或有以左掌作单鞭后停住不动，而只以右手先动者，皆非。"双手运行须圆转如轮。眼神与腰与手均须一致，而腿须竭力下坐。上体不宜摇摆。头不宜左歪右斜。

④［应用］……乘势进击：《太极拳体用全书》：设敌人自右侧用右手击我胸部，或胁部，我即将右手落下，手心向里，即以我之腕上侧，与敌之腕下相接，由左而上，往右旋转，复翻下向左行，划一大圆圈。如云行空绵绵不绝。左手同随落下，手心向下，随往下向上翻出，与右手用意同。身亦随右手拗转，眼神亦随手腕看去，旋转照应。右足往右侧往左移动半步坐实，左足亦即向左踏出一步。成一骑马式。此时两手上下正行至胸脐相对，则有脚又变虚，向左移入半步，则续行第二式。惟变化虚实交互旋转时，万不可露有凹凸断续之意。

此式之妙用，全在转腰胯。然后可以牵动敌之根力，应手翻出。

散手见《太极拳使用法》：甲如骑马式，乙自前面，用右拳打来，甲用右手自左边往右边云去。如乙用左手打来，甲用左手自右往左边云去，领进落空。乙力虽千斤，无所用矣。练法横走，使法正面。

许禹生云：设敌自后袭击右肩，即以右手迎之；及触敌手，即翻掌掷之，左手亦然，又敌用左手自前面击来，乘势进击。

王新午注释许师的话：与敌初接手时，右手作云手，左手作搂膝手，运行不绝。若两环护身然。下用活步，蹲身，万法皆可试矣。与敌接手，最忌专靠黏搭及作势等待。以各家拳法，多尚刚猛迅疾，如烈风暴雨，徒恃耳目，不可不防也。故必先以活着活步慎密防之，而乘机攻击。则人不知我，我独知人焉。凡敌手进击，皆可以顺手向外运开而击之。此亦吃里之着，如吃外则以拗手运化。更进则挂其肘后横运。敌若以他手来防，则继以拗手做下缠手，挑挂其肘后横运之。连续数次，敌必倒矣。

按：杨澄甫架云手一式在20世纪20年代的十年中逐渐变化，其晚年功架，既如行云流水，又稳如泰山。1921年《太极拳势图解》云手附图，云手的步子较宽，且云手时上手掌心向外，上手高过头顶；下手立腕，掌心向外侧或向下。其状如京剧武生亮相动作。1925年《太极拳术》，云手插图是补以陈微明的拳照，而陈照同样是步子开阔，上手掌心朝外高于头顶许多，下手掌心向上，手指尖指向外侧，“松松捧起”，其“撩阴势”如抄物状。自1931年《太极拳使用法》、1934年《太极拳体用全书》，杨澄甫云手（同一拳照）与前有明显不同。步子较两肩外侧略宽，并呈骑马步；上手高不过眼，掌心朝里，下手高及腰，掌心向内，如抱物状。步子开阔适度，两手掌心改向内，确实“蓄劲而后出之有力耳”。30年代时期，各家传授杨式太极的云手大致相同，如山东国术馆田氏《太极拳讲义》云手摆动幅度较大，两手掌手心也向内，如“抱物状”。从拳照对比，杨公晚年的拳架确实比早年拳架含蓄稳健、庄重典雅、沉着练达，难怪杨公自己看了以后也会感叹："且翻阅十数年前之功架，又复不及近日，于此见斯术无止境也。"

(28) 左高探马式

【释名】高探马者，身体高耸，向前探出，如乘马探身向前状故名，[①]左高探马，在右分脚前，右高探马，在左分脚前。

【动作】有二：(一) 搬手；(二) 扑面掌。

【图解】 (一) 收左足。足尖点地；左手外挽下搬，仰手屈肘，置左肋旁；同时，右手自右上方下落经过面前，搭于左腕上，成十字手，两手虎口向上。(二) 左手掌心向上，肘向后微撤，右掌心向下，由左掌上面前伸，掌心吐力，食指对鼻准。

左高探马式图

【注意】搬手时，足之起落须与手一致。[②]

【应用】设敌以左手进击吾胸，即顺右手搬敌拗腕，随手击之。[③]

注 释

① 高探马者……故名：高探马，是缩步耸身化敌法。手向前探出，如上马之探身。少林拳秘宗各拳中亦有高探马，或谓高堂马、高腿马，姿势亦各有不同。

②［注意］……与手一致：此式左足之落点，与右手之击出均须起落一致，注意上下相随。

③［应用］……随手击之：伸缩腰脊，柔活臂腕，遇敌搌吾左手，我下缩后抽，以化敌劲，以右手探掌击之。敌换式持我右手，我右手柔化，左手由下横出或捩或翻手按敌均可。

《太极拳体用全书》：设敌用左手，自我左腕下绕过，往右挑拨，我随将左手腕略松劲，手心朝上，将敌腕叠住，往怀内采回。左脚同时提回，脚尖着地，松腰含胸，右膝稍屈坐实。同时急将右手由后而上圆转向前，往敌人面部，用手掌探去，眼前看，脊背略耸有探拔前进之意。

设敌以右手进击吾胸，即以左手反势下黏，右手用横扑面掌技击敌胸。

散手见《太极拳使用法》：如乙伸出左拳，甲将左手自外绕至上边，扣住乙左手腕处往回拉许，甲左掌自外方伸打乙面。

《太极拳阐宗》：此式左右应用相同，而变着最繁，为掌法之首要。

设以右手搌敌右腕，用左扑面掌击敌。若敌左手来防，即以左手搌其左腕，变右扑面掌击之。此为连环掌法。

设用右搌手左扑面掌，敌左手来防，即搌之；以右掌向左前方推掷其左肩。惟左脚扣其右脚，作钩腿盘旋步耳。

设用右搌手左扑面掌时，敌以左手执吾左腕，即随其劲向下搬扣，变搬拦锤击之。

搌敌右手，用左扑面掌以惊敌，即释搌手，以右拳进击。

设用右搌手左扑面掌时，被敌以拗手执吾左右腕，可蹲身以左肘夹敌右臂，向左研肘，释右手作拳进击，如肘下锤也。

设敌右手握吾腕，即以左手扣紧其腕背，抬步向右后方搌之，敌必前倾，而右臂直伸；吾即双手扣执其腕；抬左步向左前方捌其手腕，敌必伤而倒也。此为擒拿着之最要者。

破敌搌手，惟挤法最捷。破敌擒腕，以拳击其腕背为最捷。继以点心锤进击之。

（29）右分脚式

【释名】分脚[1]者，即用脚向左右分踢之谓，此为右分脚式，下又有左分脚式。

【动作】有二：（一）撤步搬手；（二）分踢。

【图解】（一）向左后方撤左步，同时双手后搬，或分向外画一圆圈形，随向内抱，成十字手式，同时右足收至左足右方，成丁虚步，足尖点地，蓄力待发。（二）两手分开，手腕与肩成水平。同时右腿向右前方分踢。

右分脚式图

【注意】撤步搬手，须手步一致。踢时两臂水平，后腿微屈，全身重点寄于后腿。[2]

【应用】搬敌之臂，用扑面掌时，如敌顺势用肘或臂上抗，即用下缠手，由内分手外掷其臂，乘势前踢。[3]

注释

① 分脚：即用脚向右（左）分踢之意。盖人体各部之发达在生理上均有一定之程序，而太极拳对于身体各部之发达，可云处处平均，无微不至；而足之一部，更切主要，其他拳术之练足，多以剧烈之运用，不但不合生理之程序，尚且发生许多流弊。故太极拳行功时，一动无有不动，一静无有不静，于肢体

任何部分，皆无偏重之虞，故在生理上有补助之功、无妨害之弊。

姜容樵《太极拳讲义》认为：太极之分脚即少林二起脚。少林之二起脚多纵步高拍。此分脚缓起缓落。脚平踢起，高度至低在胯以上，前手向足背轻拍或不必拍着，手心向下。（杨家不强调在分脚时拍脚）

②［注意］……寄于后腿：此式须周身松开，须有顶劲。撇手搌时，须手步一致。踢足时，两手叠住后即分向上往左右撒开，掌侧立；前足尖须平，后腿微屈，全身重量寄于后腿。

曾昭然认为："左分脚之作用与右分脚同。惟须注意者，我用手击敌时，如彼不格，则足例不踢起，太极拳之踢势要皆如是。"

此式在流传过程中，也有在踢右（左）腿时，同时以右（左）手拍右脚脚背面，如姜容樵《太极拳讲义》。拍脚背动作后逐渐淘汰。

曾昭然说："有以手足同时踢打者，或足先踢而后出手者，又有两掌在胸前分开横摆而按出者，皆非。"

杨礼儒记载杨守中等对于左右分脚用法的解释，此式后手为搌、前手为扑面掌。以扑面掌为扰乱对方、掩盖真实攻击的企图，踢脚才是最主要的攻击，因此，实际使用应该两手先动作、脚后动作，但脚手应该几乎同时到位是最正确的。

③［应用］……乘势前踢：此式为后退反踢法。敌以左手向右拨我左手时，我可即以仰掌黏其腕而压下缩回，并将左足变成左钓马步以助其势。此时我右掌可即向敌面扑击。

《太极拳使用法》：甲如高探马式双手搌乙左膊，飞起右腿用脚面踢乙腹上，双手速松乙膊，将乙踢倒。如用左分脚式，左边亦用高探马，起左脚而踢乙腹上，左右一样可用。

《太极拳体用全书》：设敌人用左手接我探出之右腕，我用右手腕压住敌之左肘，垂肘沉肩；即将敌左臂向左侧搌回；同时左手黏住敌人左腕，手心向下暗施採劲。左脚同时向前左侧迈去半步，坐实。腰向左斜倚，随将右脚提起，脚尖与脚背平直向敌人左胁踢去，同时两手掌侧立，向左右平肩（按：向上向左右）分开，以称分脚之势。眼亦随右手（按：向敌）看去。含胸拔背，定力自足。则敌势不能自支矣。

《太极拳阐宗》：分脚式，左右应用相同，向左右分踢之法皆属之。设敌以右手击来，吾即以右手向右分掷其臂；起右脚踢之，或以左手向外分掷其臂，起左脚踢之。

追击敌人，距离为手所不能及时，起分脚踢之。

分脚踢敌，所以及远，必与下缠手并用，乃能防敌之手。脚步要起落轻灵，收放敏捷，不得拖泥带水，重滞失机。

《太极拳使用法》：甲如高探马式双手搬乙在膊，飞起右腿用脚面踢乙腹上，双手速松，将乙踢倒。如用左分脚式，左边亦用高探马，起左脚而踢乙腹上，左右一样可用。

（30）右高探马式

【释名】见左高探马式。

【动作】有二：（一）收步合手；（二）扑面掌。

【图解】（一）右腿收回原地，足尖点地，两臂由外下落向怀内抱，两腕相搭作十字手式。（二）同左高探马式第二动作。

【注意】同左高探马式。

【应用】同左高探马式。

右高探马式图

按：1931年《太极拳使用法》将“右分脚式”与“左分脚式”合并为“左右分脚”一式后，中间的“右高探马”一式也取消，不单列。1934年《体用全书》仍将“右分脚式”与“左分脚式”重新分成二式，但中间“右高探马”不再恢复单设，仅以“左分脚擺式”取代。“左分脚擺式”，作为由“右分脚”向“左分脚”的中间过渡动作。

（31）左分脚式

【图解】已于右分脚式说明。手脚之动作与右分脚同，惟左右互易。

左分脚式图

按：1931年《太极拳使用法》中，将“左分脚式”与“右分脚式”合并为“左右分脚”一式。1934年《太极拳体用全书》，仍将左分脚式与右分脚式分开，还原为二式。1960年《太极拳全书》又合二为一，第三十二式为“左右分脚”。

1930年姜氏《太极拳讲义》则无分脚（左、右分脚）式，只有蹬脚的动作，名称是“鹊雀登枝”。其名解：因腋掌（右手向左腋下捩回，俗称腋掌）踢足，如鹊雀之穿树登枝，故名。亦名十字摆莲腿，又名左右十字腿。动作有三：（1）穿掌扑面；（2）前蹬脚；（3）转身摆莲。姜氏太极拳非杨家亲授，传承不同，却又不免受杨家太极拳的影响，故呈现有同有异的形状，也从侧面反映了民国时期的太极拳传播状况。

（32）转身蹬脚式[①]

【释名】转身蹬脚者，身向后转，复以足踵前蹬也。

【动作】有二：（一）转身；（二）蹬脚。

【图解】（一）收左足，足尖点地，右足立地，足尖随身向左转；同时，两臂由外下落向怀内抱，两腕相搭作十字手式；屈右足蹲身。左足尖点地，目左视。（二）身上耸，两手左右分开，左足同时向左前蹬，足踵用力。

转身蹬脚式图

【注意】转身时，身须直立不可前俯。[②]

【应用】设敌由身后袭击，即转身避过，并乘势用脚前蹬。两手随向左右分开，以防敌之搂腿也。[③]

注 释

① 转身蹬脚式：此式意义与分脚同。其稍差者一系足尖用力，一系足踵用力。所不同者，一系直接发力，一系旋转发力。而转身蹬脚之练习，实较分脚尤难。

② ［注意］……不可前俯：须浑身松开，全身之力寄于右足。向左转身时上身宜直立，不可前俯。

《太极拳全书》提示："有以两掌在胸前分开横摆而按出者，又有转身时左足尖着地作钓马步而后起踢者，皆非。”强调了左足尖不可着地。

③［应用］……以防敌之搂腿也：此式为回身却敌法。设敌由身后袭击时，我即转身避过，并可乘势用足前蹬，两手向左右分开，以护膝防敌之搂腿也。

《太极拳体用全书》：设敌人自身后用右手打来，我即将身向左正方向转动。含胸拔背，松腰尤须虚灵顶劲。左腿悬提，随腰转时，脚尖垂下。右脚立定时，左脚即向敌腹部用脚跟蹬去。脚指朝上，两手随腰转动时，由外往内合。随左脚蹬出时，掌即向左右侧立，平肩分开。眼神随左指尖望去。立定根力，则敌必应腿自仰矣。

《太极拳阐宗》：转身向后，后即前也，与正面对敌无异，惟多一转身耳。然既用转身，非仅敌一人，故对身后之敌，时时注意防范，须全身毫毛毕竖，机警万分，偶一发现，即转身蹬之，两臂分掷，不仅防其来手，更所以惊之也。

转身之要，着地之腿稍屈，腰轮平转，勿稍倾倚，致牵动中正之姿势。蹬发之脚，要含蓄饱满。发时，身躯上耸，全力到脚，如箭离弦，如鹰搏兔，着敌即收，毫无沉滞，斯为得之。蹬脚之用，每附于各种着法中，不单独应用也。

按：《太极拳势图解》中此式是：“收左足，足尖点地，右足立地，足尖随身向左转；同时，……屈右足蹲身。左足尖点地，……左足同时向左前蹬，足踵用力。”即分脚之后，转身左蹬脚时，左脚是可以点地的。《太极拳术》此式是：“左足收回，仍提起足尖下垂，右足跟转向北，右足蹬出。”对左足脚尖收回时可否点地，无明文说明，但整体理解是不点地的。《太极拳使用法》则是：“右脚就原地稍向左转，仍实，左腿悬提，随腰转时脚尖朝下，向敌胸部蹬去，蹬时用脚跟。”《太极拳体用全书》又：“左腿悬提，随腰转时，脚尖垂下，右脚立定时，左脚即向敌腹部用脚跟蹬去。”说明：左足收回时，左脚脚尖垂而不点地，转身后左脚跟直接蹬出，从技击的角度讲，速度快，容易一招制胜。左脚尖不点地比可以点地的难度大，练功要求高，如平时以健身为主，那可随意，但杨公的要求是不点地的。后期蹬脚的要求是腹部，已不是蹬胸部，更不是越高越好，而是高度要切合实战，不尚花哨；现在的规定套路则是蹬得越高越好。时代不同，价值取向不同。

（33）落步搂膝拗步式

【释名】落步搂膝拗步者，承前式。左足向前落步。随以左手搂膝之谓也，余与前搂膝拗步式同。

按：《图解》此式为“落步搂膝拗步”，只有左搂膝拗步一式。1925 年《太极拳术》以后改作“左右搂膝拗步”，而将后面“进步栽锤式”之第一动“并步搂膝”作为“右搂膝拗步”。

（34）进步栽锤式[①]

【释名】进步栽锤者，步向前进，同时将拳由上下击，如栽植之状，故名。为太极拳五锤之一。

【动作】有二：（一）并步搂膝[②]；（二）开步搂膝栽锤。

【图解】（一）足进半步[③]，屈左腿，右手下搂至膝，左手从后下方上举至耳边，屈臂向前，掌心内向稍停。（二）进左步，左手下落，向前外搂；同时，右手作拳，手心向内，向下方斜击，左手抚右腕以助其势；左腿前弓，右腿弯微屈，作弓箭步亦可。

进步栽锤式图

【注意】头顶不可倾斜，冒过足尖。栽锤须用脊骨力。搂左膝时，左手宜浮靠左膝。[4]

【应用】设敌以右拳迎击吾胸，即以左手向外搂开，随以右手进击敌面部。倘敌以左手内握吾腕，即覆手作拳前击其腹。[5]

注 释

① 进步栽锤式：即进步向前使拳由上向下栽击之谓也。左足前进，右拳由上向下突击，如同栽种植物，故名。此锤为太极拳五锤之一。化敌突击法。

栽拳的“栽”字有两种解释，一是音 zài，《说文》解释为“筑墙长版也”。古筑墙之法，立板筑墙之义引申表示由上直下而来。二是音 zāi，《广韵》解释为“种也”。表示种植的全过程，这种过程并非都是由上直下的动作。栽拳之栽，应是“由上向下栽击”。

② 并步搂膝：此动已在 1925 年以后，作为“右搂膝拗步”，并入“左右搂膝拗步”中。

③ 足进半步：缺“右”字，应是“右足进半步”，以后再版均已订正。

④［注意］……浮靠左膝：曾昭然说：“向地之锤，澄甫师早年教人，系用覆拳（即拳背向前，虎口向南），惟晚年教人，则系直拳。余尝询其故，承答两者用意全同，惟下击用覆拳较为有力，而下击用直拳（即虎口向前）则次式用肘时，转来较有力耳。”

栽锤时，须用脊骨力。头宜顶，不可倾斜。搂左膝时，左手宜浮靠左膝。转身以腰部作轴，善能引化敌来之劲。

⑤［应用］……前击其腹：敌以下式（或称仆腿）向我进击者，我即以此式应之。

《太极拳体用全书》：设敌又用左腿踢来，我即用右手顺敌腿势由左搂去，则敌必往左仆。我即将左足同时向前一步追去，强膝坐实，右手随握拳向敌腰间或脚胫捶去皆可。是为栽锤。其时右腿伸直，腰胯沉下成平曲形式，胸含，眼前看，尤须守我中土为要。

散手见《太极拳阐宗》：用搂膝拗步式，以右拳击敌时，敌若以左手横推吾右臂，吾即顺劲向左平撤；同时，移后步于前步之右，两足相合，成并步，则敌力自空。更以左手搂其左臂，开步以右拳探击其头，随栽击其腹。

凡以拗步击敌，最感空虚者，为前击手之肘，一遇横推，即易翻倒，此为一大弱点，无论何时何地，皆应极端注意，其防备之法，以下缠手及并步搂膝为最宜。

用蹬脚将敌蹬倒，随作践步栽锤击之，防其复起。

敌以右手来击，吾即以左手向外搂开，随举右拳于右鬓上方，作欲探击其头状，敌必全力注意上防，吾则忽变着向下栽其腹，变化灵速，敌多不防我也。

《太极拳使用法》：如甲乙对敌时，乙招脚踢甲的腿，甲进左步右手捲拳往下直打乙，踢腿七寸骨，打脚面，亦可左手注意备当乙上边手为要，甲左足弓式，右足在后。

（35）翻身别身锤式（与前别身锤式同，惟加一翻身动作而方向不同耳）

翻身别身锤式图

按：翻身别身锤，1925 年《太极拳术》改作“翻身白蛇吐信”。1931 年《太极拳使用法》作“翻身撇身锤”，《太极拳体用全书》用“翻身撇身锤”。以后的太极拳著作多通用“翻身撇身锤”。

（36） 二起脚式

【释名】二起脚者，左右脚连续起踢也。

【动作】有二：（一）攦手前踢；（二）落步前踢。

【图解】（一）由前翻身别身锤式，左手屈肘仰掌收回。贴于左肋，右手前伸（同扑面掌）；左腿前踢，如弹腿式。（二）左足落下。两手由右上方，向左下方下攦，左右甫及地时，右足提起前踢，两臂前伸，两掌拍右脚背。

【注意】第二动作之路线宜成圆圈形。

二起脚式图

【应用】敌用左拳当胸击来，即以左手进握其腕，以右手迎扑其面，乘其不意，起左腿踢之，设敌退避或下格吾足时，则复跃起换右腿踢之。

按：日本松田隆智在《中国武术史略》第 91 页说：“杨健侯传的大架式，动作比较缓慢柔和，深受许多文人、学者喜爱……许禹生以后成为北京国术馆馆长，著有《太极拳势图解》。从此书可以看出，当时的杨家太极拳还有二起脚这样的跳跃动作。现在广泛流传的杨家太极拳，是杨健侯的三子杨澄甫又加以改变而创编的。这样，太极拳经过杨家三代不断改变，面貌改变，与当初的太极拳已经大不一样了。”

唐豪在1957年11月14日写信给顾留馨：“今天下午李剑华来访，谈起杨少侯的练提手上势，还保存金刚捣碓的痕迹，即将高举的左手握拳落至左掌心。跟王娇宇学太极的范铁厂大夫，还保存二起原动作。郝月如告诉徐哲东，武家太极也有二起原动作，月如先生练不到家，所以将它改变。因为有人说陈沟练的是少林，所以把这些史料告诉你。”

此式因难度较高，不易推广，故自1925年《太极拳术》以后，已无此式。在作“翻身撇身锤”之后，即以“上步搬拦锤”与“右蹬脚”取代之。

（37）左右打虎式[①]

【释名】此式气象凶猛，状类打虎，故名。

【动作】有二：（一）左打虎式；（二）右打虎式。

【图解】（一）由前式左足向左后方斜撤半步，弓膝作左弓箭步桩。身左倾，半面向左，右足随之后撤半步，落于前式左足所在地；同时，左臂由腹前，向左后撤至胁下，握拳由外上举，仰拳[②]（虎口向后）覆左额侧，右臂随同后撤，覆拳[③]横置左胁下（虎口贴左胁）。（二）右足右移半步，弓膝作右弓箭步桩，身右倾，半面向左；同时，两拳下落，经小腹前，至右胁下，左臂覆拳横置右胁下，右拳由外上举，仰拳覆右额侧。

【注意】左右两式，拳之运行路线，宜成左右两圆形，其交叉线，在大腹之前。[④]

左打虎式图

右打虎式图

【应用】敌以双手握吾之臂，即将臂后撤上转。复用他手，由胁下穿，替出所握之臂，迎头击之。[⑤]

注释

① 左右打虎式：又名兽头势，伏虎式，披身伏虎式，左右披身伏虎式。此式类壮士打虎，故名，式有左右之分。此式为左右闪转避实之法。

② 仰拳：原文上拳之虎口向后，插图中掌眼向下，手心向外。

③ 覆拳：原文下拳之虎口贴左胁。

④［注意］……在大腹之前：《太极拳讲义》：左右两式之运行路线，宜成圆形。其交叉线，在大腹之前。左伏虎时，不可过倾于左；右伏虎时，不可还倾于右，以免失去重心。

⑤［应用］……迎头击之：《太极拳体用全书》：设敌人由左前方，用左手打来。我将右足落下，与左足并齐左右手随向左侧转。左脚往后踏出，屈膝坐实；右足变为虚，略成斜骑马裆式。面向侧正方。两手同时荡拳随落往左合。即用右拳将敌左腕扼住，往左侧下採，至与心部相对，左拳由左外翻上。转至

左额角旁，手心向外，急向敌人头部，或背部打去。此式以退为进，忽开忽合，意含凶猛。故谓打虎式也。

散手见《太极拳使用法》：如甲乙二人靠右手时，甲左手扣住乙右手腕上按下，举右拳要打乙项，为右打虎式。右足弓式，左足蹬直，如甲右手扣住乙左手腕，甲举左拳要打乙项，左足弓式，右足为直线，为左打虎式。

《太极拳讲义》：壮实腰脊，伸缩臂膀。假想敌人将住我吾臂，我退步后搌以化之；敌如绕我侧面上击，我左臂由下而上，研转化出，复用右拳击敌胸腹各部。

按：关于打虎式两拳拳眼是否上下相对（或称虎口或拳心如何朝向）的问题，在《图解》中仰拳、覆拳均为拳背向上，拳心向下。曾昭然在《太极拳全书》中说："此式，澄甫师早年教人，两掌牵动时皆覆掌，至两拳在胸前相对时，两虎口相对。晚年教人，两掌变阴阳拳，两拳虎口异向。余尝询其故，承答前后用意全同。所以用阴阳掌者，示只须一手採拿且其势较顺而已。"这问题引起笔者兴趣：打虎式，杨公中年与晚年传授的有何不同？

1921 年《太极拳势图解》："左臂由腹前，向左后撤至胁下，握拳由外上举，仰拳（虎口向后）覆左额侧，右臂随同后撤，覆拳横置左胁下（虎口贴左胁）。"其中。覆拳，虎口贴左胁，拳背向上，拳眼向内；仰拳，虎口向后，仍是拳背向上，则拳眼向内（后），与拳照则明显不同，而拳照之仰拳，则拳背向后，拳眼向下，拳心向外。

1931 年《太极拳使用法》至 1934 年《太极拳体用全书》，使用的都是同一拳照，但对动作的文字描述不甚清晰。看杨公拳照，其置额上的拳（仰拳），拳背向内，拳眼（虎口）向下，这是明确无误的。而横置胁下的覆拳，左打虎式是背影，手部动作被遮挡。右打虎式，拳照虽不很清晰，但仍可辨别，右拳背向外，拳眼（虎口）向上。这就是"两拳眼上下相对"。20 世纪 30 年代前后的太极拳教材，如山东国术馆《太极拳讲义》、姜容樵《太极拳讲义》等都是

“两拳眼上下相照”的。

1963 年《杨式太极拳》打虎式也是“两拳眼上下相对”。1960 年曾昭然《太极拳全书》记录杨公在广州教拳，其打虎式，仰拳“拳背向内，虎口向下”；覆拳“拳背向上，虎口向内”，两拳眼就不相对了。

（38）披身踢脚式[①]

【释名】披身踢脚者，身后倾作斜披势，起脚前踢也。

【动作】有三：（一）披身攔手；（二）十字手；（三）分手前踢。

【图解】（一）由前左足向左方斜后撤半步，身向左后坐；同时，两手作掌，由右向左运行半圈，左手置胸左侧，右手置胸前，食指约对鼻准。（二）撤右脚至左足右侧，足尖点地，左腿下蹲；同时，撤右手搭左腕下，左手稍向前伸，两掌向胸作十字手。（三）两手分前后展开，同时起右脚前踢。

披身踢脚式图

【注意】披身，须以腰为枢纽。运动双臂，起脚前蹬时，左腿宜微屈，使重心寄于左足。[②]

【应用】敌以左手当胸击来，即披身用手攔敌之臂，复以右手向外挑击，同时起右脚踢敌胸胁。[③]

注 释

① 披身踢脚式：又名回身蹬脚，回身右蹬脚，指上式转回而言。左足并进，旋即独立，右脚前蹬，故名。

假想敌人当胸击来，我两手往上，左右分开，敌即落空，我复将两手十字相抱，以防敌袭。

② ［注意］……寄于左足：右足踢出，足尖钩劲，足踵蹬劲。

③ ［应用］……踢敌胸胁：左拳由下提上与右拳并齐，身向后（北）转，步成左前弓步，两手如上蹬脚式作十字手后分向左右撇开时，拳变掌，面及眼向右，右足踵亦向右（东）直蹬。

《太极拳体用全书》：如有敌人从背后左侧打来，我急将身往右后正面旋转，左脚同时随身转时收回往右悬转，落下坐实，脚尖向前，此时右脚尖为一身旋转之枢机。两手合收随身至于正面时，急用右手腕，将敌肘腕黏住，自上而下，向右捌出。右脚同时提起，向敌腹部蹬去，左右手随往前后分开。

《太极拳使用法》：如乙自左后方来打，甲向左转抬左右手分开，甲抬起左脚往乙蹬去。

（39）双风贯耳式①

【释名】此式以两拳从侧方贯击两耳，敏捷如风，故名。

【动作】有二：（一）落步锁手；（二）分手双贯。

【图解】（一）由前式右足向前落下，约离后足一步，膝前弓；同时，两臂由外方向内平运，至膝前，双腕交叉（左腕在上虎口向上）。（二）身后撤，腿后坐；双手（掌心向上）向左右分开，至胯侧作拳，由内而外向前上方运行，至与肩成水平时，两拳相遇约离四五寸。此时覆拳垂肘，两臂水平，双臂内弯成椭圆形。

双风贯耳式图

【注意】双臂进退，须与两腿一致，活泼无滞。[②]

【应用】敌以拳当胸击来，即以双手分格，乘势进击敌之双耳。[③]

注释

① 双风贯耳式：有改作“双峰贯耳”。此式两拳由两旁分上，直贯敌人两耳，故名。少林拳中亦有多之，且有单贯耳之名。

②［注意］……活泼无滞：我两掌将敌两腕往左右分开叠住，随往上握拳向其两耳撞击。此式与上式须连成一气，两臂上下均不可停。两臂运动与两足一致，始可完整一气，活泼无滞。双拳由下画圆而上，以两拳食指指根骨向敌耳合击，肘仍弯曲。此时所应注意者，敌身转侧并以单手向我中下部撞击耳。此式亦有弓箭步者，惟此丁字步，进退较为容易。

双臂，在以后再版中，改作“手臂”。

③［应用］……敌之双耳：此为防卫还击法。

《太极拳体用全书》：设敌人自右侧用双手打来，我即将左脚尖稍向右移动立定，右脚同时向右侧悬转，膝前提，脚尖垂下，身同时随转至左正隅角；速将两手背由上往下，将敌人两腕往左右分开叠住，随将两手握拳由下往上，向敌人双耳用虎口相对贯去，右脚同时向前落下变设。身亦有进攻之意方可。

《太极拳使用法》：如乙用双拳自前打，甲随涵胸起双拳，由左右外方绕经上方找里对打乙两耳处；右足在前，左足在后。

《太极拳阐宗》：贯耳之手，有用单贯者，如左右搂打抱虎归山等是也。然多用掌，有时亦用拳击。与此式着法有连续性。

设两腕皆被敌顺手擒握，即顶劲向外力分，敌必用力内合，遂随其劲回劲，以右拳击敌右臂，左拳击敌左腕，两手自开，即合贯其双耳。此着顶劲，所以诱敌，亦名问劲。

凡敌手技进击，无论单双手，皆可向下分格，而击其双耳。

揣敌之意，以为尔能用脚，我亦能用，盖必有起腿之意，因对力用腿，乃触感启迪之耳。此式落步锁手，即所以防敌之来踢，如其来踢即锁之，并分格之。而上贯其耳者，有常山之蛇，击尾则首应之意，俱见太极拳之精细，有知彼知己之妙算，即此所谓国术心理学也。

（40）进步蹬脚式[①]

【释名】此式先向前进步，次起脚前踢，故名。

【动作】有二：（一）进步合手；（二）分手蹬脚。

【图解】（一）由前式右腿伸展，左足趁势向前进步，落步于右足前，蹲身，足尖点地（身即随右足尖向右转九十度）；两手作掌。（二）右腿伸展，身起立，左腿同时上提前蹬，两手随同向左右分展。

进步蹬脚式图

【注意】蹬脚时，须足踵吐力，右腿宜微屈，使全身重点集于右足。

【应用】设以左手击敌，敌以右手自下托吾肘时，应即蹲身向下缠敌臂两手，起左足前蹬敌胁。

注 释

① 进步蹬脚式：在《太极拳使用法》之后改称“左蹬脚”。

（41）转身蹬脚式　（42）上步搬拦锤式

（43）如封似闭式　（44）十字手式

（45）抱虎归山式　（46）斜单鞭式

以上六式均见前。

（47）野马分鬃式[①]

【释名】此式运动状态，如野马奔驰，两手分展，如马之头鬃左右分披，故名。

【动作】有二：（一）拧身合手；（二）上步分手。

野马分鬃式图一

野马分鬃式图二

【图解】（一）由前斜鞭式，两足尖向右方移转约九十度，身随之向右转，屈身；双手内抱作十字手。（二）右足前进半步，膝前弓，全身重点寄于右足；同时，右手向右前方、左手向左后方分展，遥遥相对，若雁之展翼，此为右式。左式动作同右式，惟肢体左右互易。按拳路练习言之，本式动作，宜取奇数，如右式二次，左式一次，但第一次动作，只前进半步，余均前进一步。

【注意】两臂分合，务须腰胯一致。全身动作，须舒展活泼。[②]

【应用】敌直击吾胸，即以拗手进按敌腕，随进顺步至敌腿后弯，伸顺臂自敌腋下斜上挑击。[③]

注 释

① 野马分鬃式：此式为乘机逼敌，施以肘靠法。以臂致用，与斜飞式有所不同。杨家将野马分鬃作为挒劲的典型招式。

此式分左右，反复重叠之演习。因拳架组织安排，一则拳术分左右，俾学斯术者得以左右逢源，为补偏救弊之术也。二则为生理上平均发达之意，庶免畸轻畸重之弊。三则拳之组织原则，一要含进退攻守之法，二要含四正四隅之方位，三要含起与止，须要始终如一。四则前后左右行动之距离须均匀。故此拳不厌其烦，反复重叠之演习，使成一套完整之拳术，庶合乎太极之意也。

② ［注意］……舒展活泼：两臂分合须腰胯一致，沉肩松腰。运行时须轻灵敏捷，方可合宜。

③ ［应用］……斜上挑击：《太极拳体用全书》：设敌人自右侧用按式按来，我即将身向右转；左足亦向右移动；右足脚跟松动，脚尖虚点地，随用右手将敌左右腕黏住，略往左侧一松，用左手挒其右手腕。同时急上右足，屈膝坐实，左足伸直，随用小臂向敌胁下分去。则其根力为我拔起，身即向后倾仰矣。此时左手亦须稍从后分开。用沉劲以乘右手之势。

田氏《太极拳讲义》：设敌进击吾胸时，我即可进按敌腕，顺步至敌腿后，伸臂自敌胁下斜击上挑。此式又善能活泼腰际，运动脊柱，增进梢力。

姜氏《太极拳讲义》：假想敌人迎面击我，我右手先刁住敌腕，向右拗牵，左手撤回进击敌胁，敌或绕击我左面，我右手顺牵敌向左，进左足拌敌腿弯，斜伸左臂自敌肘下，横挑敌人肩腋，此指左式三动作而言，右式亦然。

散手见《太极拳使用法》：甲乙对立，如乙右拳打来，甲速进右步，乙拳未落之时，甲右手腕抬起掤乙膀根处，我斜上方用劲，左足在后直线，左手随左腿亦可，左手押乙右掌亦可。

如甲乙对立，乙起左手打来，甲亦用左脚进一步，乙手未落时，即抬左手掤乙右膀根处，向上方掤去，右足蹬劲将乙扔倒。

《太极拳阐宗》：以拗手与敌相接，顺搌敌臂，敌若抬撤，吾即上顺步，伸顺臂以挑击之。敌若不抬撤而下撤，即由其臂上挑击。

用臂击敌，谓之横拦手，亦称靠打，如形意拳术之蛇形，较此势稍低，而亦以臂致用也。与斜飞式之用腕不同。

此式为出隅之追击法。一放一收，一开一合，极阴阳变化之能事。而以步法身法制胜，亦敌多人之手也。

设敌以右手来击，吾即以左手下按敌腕，进右步以右手击敌右鬓。敌若以左手上防，吾即进左步，扣其右腿，展左臂自敌左胁下，斜上挑击。

按：一般习练者，多将此式与斜飞式相混同，盖不知斜飞式重在腕力（击打），而野马分鬃则重在运用臂之力，用臂靠挒击敌也。作野马分鬃，关键全在腰胯，拧身则合，进身则开。手步开合，务须与腰胯一致。

(48) 玉女穿梭式[①]

【释名】此式先前进，次后转，再后转，周行四隅，连续不绝，如织锦穿梭状，故名。

【动作】有二：(一) 拧身合手；(二) 曲肱探掌。

玉女穿梭式图一

玉女穿梭式图二

玉女穿梭式图三

玉女穿梭式图四

【图解】此式在拳路中，向四隅运动，共分四次。每次动作有二。身有转身回身之别，一三两次为回身；二四两次为转身，每次所对方向有一定顺序，如自南而北演习，则先西北，次西南，次东南，次东北。(第一次运动)：(一)如野马分鬃式第一动。(二)左足向左前方踏出一步，膝前弓，身前倾，右手自左腋下向前探出，掌心吐力。(第二次运动)：(一)合手回抱胸前，作十字手，身向右后转。(二)向右斜方踏出一步，手之动作如第一次运动，惟左右互易。(第三次运动)：左足向左横踏一步，手之动作，如第一次运动。(第四次运动)：身向右后转，手之动作，如前第二次运动。

【注意】转身时，须腰步相随一致，运动方向虽斜，而身体姿势仍宜中正毋欹。②

【应用】敌以拗手从后方侧面击来，即回身以拗手傍缠敌腕，随进顺步，以顺臂上掤敌臂，伸拗手击敌胸腋。③

注释

① 玉女穿梭式：共四式八动，运行四正四隅，旋转八面。往来不断，如机织穿梭之状，故名。

② [注意]……中正毋欹：转身时须腰步相随，运用一致，不可微有阻滞。方向虽斜，而身体姿势仍宜中正。切记发掌时掌心间微有突意，以为引申内劲之助；然亦不可误为发劲。盖过于用劲，则非僵即脆，僵则迟钝，脆则劲断。

③ [应用]……击敌胸腋：是四隅应敌乘虚袭击之法。假想敌人由我身后侧方击来，我拧身拗臂揉化敌腕，以左手击敌腹胁。

《太极拳体用全书》：设敌人从后右侧，用右手自上打下，我即将身随左脚同向右方翻转，右脚随即提回，落在左脚前，脚尖侧向右分开坐实。左手收回，合于右手腋下，随即护绕右大臂，穿过右肘，即用掤劲，向左前隅角上翻去，将敌之手腕掤起；左脚同时前进，屈膝坐实，右脚伸直，右手即变为掌，急从左肘下穿出，冲向敌之胸胁部击去，未有不跌。此式左右手相穿，忽隐忽现，捉摸不定，袭乘其虚，故曰玉女穿梭，以喻其势之巧捷也。

《太极拳阐宗》：凡遇对面敌手高来即掤之，以他手击其胸部。如侧方来手，则应先傍缠耳。设左手接扣敌顺手，而右步在前，以右手击其敌右鬓。敌若以左手横推吾臂，即进左步扣敌右腿，以左臂向左斜上方掤敌臂，以右手击敌胸胁或推掷之。

此式着法，亦为敌多人，并练转身之法，务求轻灵活泼，但忌飘浮。各家拳法每用架打。此为掤打，不相同也。

敌若有猛冲，应变搬其臂后撤，敌如回撤，即顺劲掤其臂，以拗手击掷之。

（49）单鞭式　（50）云手式

以上二式均见前。

（51）下势式

【释名】下势者，身体下降之意，故名。

【动作】有二：（一）坐身收手；（二）立身伸臂。

【图解】（一）由单鞭式屈右腿下蹲，伸左腿伏地名半步叉桩步，坐身于后足；后臂不动（亦有弯屈与前手相抱作琵琶式者），前臂屈肘后撤，至右胯弯[①]腿裆。伸掌前指，又前臂后撤时，身手路

下势式图

线成上半圆形。（二）弓前腿，后腿伸开，身因之起立；左臂随由上方前伸，运动路线作下半圆形，与第一动合成正圆形（还原单鞭式）。

【注意】蹲身时，脊骨须直立，不可前倾。膝臂屈伸与身之起落，务须一致。②

【应用】敌以双手握吾臂，或前扑吾身，不能抵抗时，则用此式坐身揉避，变化敌力，令其落空，即乘势前击。③

注释

① 右胯弯：以后再版本作“左胯弯”。

② ［注意］……务须一致：此式锻炼腰胯间大肌肉，使其伸缩自如。在技术上则使于应付环境；在生理卫生上则胯骨展开，腰肌大量伸缩运动，为锻炼腰胯间筋骨之善法。此姿势要注意臀部不宜凸起，上身不宜前倾，颈项不宜僵直，左右两臂须成东西一直线，不宜抗肩，躯干宜直，腰宜松，头宜正，行动灵活，不滞不滑，圆转自如，以绵绵不断为原则，便得其中窍要矣。

③ ［应用］……乘势前击：敌以猛力扑吾身，或以两手握吾臂，我不能抵抗时，可蹲身下坐，揉避敌力，令其落空，即乘势猛击其头胸各部。此为松腰展胯之法。

《太极拳体用全书》：由单鞭已出之左手时，如敌人以右手将我左手往外推去，或用力握住，我即将右腿稍向右分开，往后坐下，左手同时用圆活劲收回胸前；或敌用左手来击，我急用左手将敌左腕扼住，往左侧下採亦可。右腿与腰胯同时坐下，以牵彼之力，而蓄我之气。

《太极拳阐宗》：与敌交手，至无地后退时，应搌其臂，下势压迫，敌如后撤，随起身击之，搌捌敌臂，坐势下压。敌如撤脱，便以前手拳击其臂背。

（52）左右金鸡独立式[①]

【释名】此式一足立地，一足提起，手臂上扬作展翅势，状若金鸡，故名。

【动作】有二：（一）前进提腿擎掌；（二）退步提腿擎掌。

【图解】（一）由前下式，右手由后向前旋转上举，至胸前，经过面部，至头顶时，掌心翻转向外，圈右臂成半圆形，置右额侧；同时，右腿屈膝上提，至膝盖与右肘相接为度，左腿直立，左臂下垂，掌心向内，指尖指右足左侧。（二）右足下落，左手左足上提如第一动作，右臂下垂，指尖指左足右侧。

金鸡独立式图一

金鸡独立式图二

【注意】此式运动枢纽在腰顶，全身重点寄于一足，务使稳如山岳，不可动摇，手足起落，尤须一致。[②]

【应用】设以拳掌进击敌胸，敌以手格拦，应即以手向上挑开敌手，以后腿之膝冲敌小腹，并以前手同时进击。[③]

注 释

① 金鸡独立式：或云鸡喜独立。此式一足立地，一足提起；手臂上扬，作展翅状，若金鸡独立然，故名。此乘势克敌之法。

② ［注意］……尤须一致：立地之腿弯而不可蹬直。盖不如此，则全身重量偏于骨骼之支撑，不但有形势不稳与变换不灵等弊，且肌肉各部之力，亦因之减少；在生理上亦非所宜也。

③ ［应用］……同时进击：《太极拳体用全书》：如敌人往回拽其力，我即顺势将身向前上攒起，右腿随之提起，用足尖向敌腹部踢去，右手随之前进，屈肘，指尖朝上。以闭敌人之左手，此时左脚变实，稳立，右手随进时，或牵制敌人左右手亦可。不必拘执。

《太极拳术》其他文字都与《太极拳体用全书》相同，惟“右腿随之提起，用膝向敌腹部冲去”不同。

《太极拳使用法》：如甲单鞭下式，乙自前打来，甲起身抬左手至前往上托乙膊，右膝盖随手起时，屈膝直顶乙小腹，左足立直微曲，如金鸡独立是也，起左手，起右手，均可随人所作，或用脚，或用膝，忽拘。

按：金鸡独立式，1921 年本《图解》：“右腿屈膝上提至膝盖与右肘相接为度。”1925 年《太极拳术》：“右手提至肘与膝合。”1931 年《太极拳使用法》、1934 年《太极拳体用全书》均无文字要求肘与膝相贴，附图是肘与膝不相贴的。1929 年山东国术馆编者的《太极拳讲义》，此式也是肘膝相贴，与《图解》同。

肘与膝贴，或肘与膝不贴，以及“用足尖向敌腹部踢去”与“用膝向敌腹部冲去”两种方法均可，近身可用膝冲撞敌之小腹，稍远则可用足尖踢。《太极拳势图解》拳照之动作，即肘与膝贴，似乎并不“用膝向敌腹冲去”。

曾昭然先生却认为："澄甫师早年演此式，肘与膝相贴，但晚年演此式则肘与膝离开以数寸，盖其晚年胖甚，腹大如鼓，膝提高未免太辛苦，故也。"

海外太极名家、著名学者吴大业并不赞同曾昭然先生的话。他撰文说："惟一的作者直接指出他前后期姿势不同的，是曾昭然在1960年的《太极拳全书》里。其中最引人注意的是金鸡独立一式。他说：'澄甫师早年演示此式，肘与膝离开约数寸，盖其晚年胖甚，腹大如鼓，膝稍提高未免太辛苦故也。'由于这种看法，故曾书虽然出版于1960年，各图多用杨氏1931年的，这两个相片与几个其他相片则用1925年的。"

曾氏的批评，对读者是有影响的。1970年卢正在《太极拳研究专集》第39期、1980年周宗桦在英文书《太极拳之道》里皆采用此说。1984年西人John Rieber在英文《功夫》杂志中又引用周氏全文。所以最少已有四位作者相信此说，自1960—1984年载于中文书、中文杂志、英文书、英文杂志。至今还没人在文字上提出异议。我们查看所有拳书中这两个姿势，代表其他四大派的陈鑫、吴鉴泉、孙禄堂、郝少如，都是肘膝不贴。杨班侯传人吴孟侠也是肘膝不贴。文献中肘膝相贴的据作者所知，只有许霏厚、杨澄甫前期、陈微明、李寿籛。许霏厚学于澄甫之父健侯，李寿籛学于健侯之子少侯与健侯之徒僧妙莲，可以相信肘膝相贴是健侯开始的。澄甫后期不过回复祖先的传统而已。

笔者曾叫全班新旧学生在学此式之前试验这两种作法。新生多说，肘膝相贴互相依靠，易于站稳。旧生则说，肘膝相贴，上身不易站直，且有压缩脊骨的倾向。若大腿及上臂与地面平行，小腿下伸，小臂上提，则更舒服平稳，且有拉长脊骨的倾向。如陈微明的左金鸡独立，上身就向前弓。

再看杨澄甫《太极拳使用法》中的说明：金鸡独立式是抬左手上托敌膊，右膝盖直顶敌小腹；或抬左手隔开敌手，曲膝以左足尖踢敌小腹。使足分击敌人两处，肘膝相贴是不能自由运用的。我们应该承认他后期的式样优于前期。由杨氏1931年（实际拍摄于1929年）的相片，他的肚子还未到不能肘膝相贴的地步。

笔者也以为杨公作“金鸡独立”，后期肘膝不相贴，不是其他因素，而是他对拳架不断精益求精修改的结果。杨公自己也感叹：“且翻阅十数年前之功架，又复不及近日，于此见斯术这无止境也。”

金鸡独立是几乎所有武术拳种都有的拳式，最主要的用途就是膝攻，以膝攻击对方之裆、腹部，因此以能有效击打、又能保持自身平衡为宜，并非越高越好。

（53）倒攆猴式　　（54）斜飞式

（55）提手上式　　（56）白鹤亮翅式

（57）搂膝拗步式　　（58）海底针式

（59）扇通背式　　（60）上步搬拦锤式

按：本《太极拳势图解》第二版同此。在第三版后的再版本中，添加“撇身锤”，列为第（60）式；第（61）式为“上步搬拦锤式”；其他编号顺延。

《太极拳术》此处仍是“撇身锤”；《太极拳使用法》将此处“撇身锤”改作“白蛇吐信”；1934年《太极拳体用全书》亦是“白蛇吐信”。1962年《杨式太极拳》一书，此处仍是“白蛇吐信”。惟1964年《太极拳运动二》（简称88式），此处改作“转身撇身锤”，而第二节中，却将第36式称作“白蛇吐信”（与《太极拳术》同）。

陈微明说：“至于白蛇吐信之后，澄甫先生教余时，本未回身，若敌拳来击，吾以左手接其肘，以右拳截其胁下，故稍坐腰即将拳打出，更为简便。两次撇身锤后，及弯弓射虎后，均系回身，盖已有三次矣。”

（61）上步揽雀尾式　（62）单鞭式
（63）云手式　（64）高探马式[1]

以上各势均见前。

注释

① 高探马式：1931 年《太极拳使用法》，此式名称为“高探马代穿掌”。1934 年《太极拳体用全书》名“高探马穿掌”，取掉“代”字，用法明确了穿掌一动：“同上第三十五节可参阅。惟右手探出后，即收回，手心朝下，左手稍提起穿掌向敌喉间冲去；右手仍藏在左肘下，以应变。”85 式，第 72 式为“高探马带穿掌”；88 式则将“高探马”与“穿掌”分为两式。

穿掌拳式的右手明显是撅压对方进攻之左手，自己左手则是顺对方攻击之左手大臂往上贴穿，恰巧可以攻击对方的喉头、眼睛等部位。所以，右手并不是应变，而是先有右手的动作才有左手的动作，只有右手得手，左手的攻击才能够成功。

（65）十字摆连腿式[1]

【释名】拳术名词，以伸顺拳，踢拗腿，为十字腿（如弹腿之第二路是），旁踢为摆连腿。此式兼具故名。

【动作】有四：（一）穿手；（二）扑面掌；（三）转身举掌；（四）摆踢。

【图解】（一）由高探马式。左足前进半步，左手仰掌，由右手腕上面穿出，右手掌心向下，同时随右臂抽回，屈肱置左腋下。（二）左掌内运下合，掌心向前吐力。（三）坐左腿，向右后方转身。略舒右腿，如丁虚步。左臂由头左上举，圈置头上，掌心向前。（四）右足由左向右摆踢，同时左掌由右向左拍右足面，左臂下垂，掌心向下。

【注意】转身后，须以全身重点寄于左足，方可将右足提起，右足运动路线，宜为正圆形。②

【应用】敌由后袭击，即转身以手格拦，乘势以足侧踢之。③

十字摆连式图

注 释

① 十字摆连腿式：1925 年《太极拳术》后改作“十字腿”，同时取消“右足由左向右摆踢，同时左掌由右向左拍右足面”，而改为“右腿蹬出”。《太极拳使用法》仍与《太极拳势图解》同，名称为十字单摆莲（即十字腿），动作不是“右足蹬出”，而是“右腿提起用脚背之混劲，向敌右胁部踢去”。1934 年《太极拳体用全书》，又称“十字腿”，右足蹬出。

右腿动作由“摆踢”左掌拍打右足面，变为“右足蹬出”，又变成“用脚背混劲，踢去”，尔后又重新回归“右足蹬出”的练法。

② ［注意］……宜为正圆形：此式系运动腿部，活泼腰脊背。转身时左臂须竭力前伸，手指与足尖并齐。

③ ［应用］……以足侧踢之：为前后顾盼之法。设敌由后方袭击时，我即可转身以手拦格，乘势以足踢之。

《太极拳体用全书》：设敌人用右手牵住我之右手时，我即将右手抽开，至左手腋下，随将左掌向敌胸部冲去。成十字手形。其时设有敌自身后右边用右手横打来，我急将身向右正面拗转，左臂同时翻上屈回，与右臂上下相抱时，急将左右手向前后分开拦住敌手。同时急将右腿提起，用脚跟向敌右肋部蹬去。则敌必应腿跃出矣。

《太极拳全书》：左仰掌提高至左额角前面，转身向西，右掌仍置左胁下。转身后两手分开向左右（东西）撇开；右手将停时，右足即蹬出。

王新午在《太极拳阐宗》对《太极拳势图解》"十字摆莲腿式"的解说：此式右踢左打。亦敌多人之着，腿脚并用，八面支撑，随机施用。切忌固执，总要腰腿轻灵，转换自如，周身一家，乃能致用。若徒知着法，而身步不足以副之，则无能为矣。余故不举实用之例，恐印定学者耳目，反落呆滞害事。

按：本《图解》中十字腿，如同弹腿第二路。88式因此强调"两手左右分，脚向在前方蹬"，即右足向西蹬出，两手向南北分开。

杨公晚年拳架，凡是蹬腿，两手均在胸前合抱，作十字手；脚都是向正东或正西蹬出，两手都是向前后（东西）分开，相当规范工整。

（66）搂膝指裆锤式

搂膝指裆锤式图

【释名】此式于搂膝后，乘势用拳进击敌裆，故名。此为太极拳五锤之一。

【动作】有三：（一）落步搂膝；（二）进步搂膝；（三）指裆锤。

【图解】（一）由前十字摆连腿。右足落地，右手搂右膝盖，作右搂膝拗步。(二) 左足前进一步，右手搂左膝盖[1]。(三) 探身弓前膝，右手握拳 (虎口向上)。前伸斜下指，左手置左膝旁，或抚右臂助势，均可。

【注意】拳前击时，力须由背脊发出，右肩须探出，右足宜直伸。

【应用】敌以左右手足连击下部，应以左右手格拦，乘势击敌之下部。[2]

注释

① 右手搂左膝盖：在以后再版本中，改作“左手搂左膝盖”。

② ［应用］……敌之下部：设敌以足踢吾裆时，我即可抬腿避其锋，顺势以左手反格敌腿，则敌必自倒；又可击敌之阴部，敌必应手而仆矣。此乃应付敌人右足之踢。

《太极拳体用全书》：如敌人往回撤手时，我即将右足落下，同时左足前进，屈膝坐实。在此时设敌人再用右足自下踢来，我急用左手，将敌右足往左膝外搂开；右手随即握拳向敌裆部指去。身微向前俯。

《太极拳使用法》：如甲立式，乙自前用拳直打，或用右足踢来，甲用左手搂过膝外方，用右拳往前下方直打乙丹田、气海处。此为指裆锤。

《太极拳阐宗》：此指裆锤为太极拳五锤之一，此为专击下部之着，亦制命手也。敌手防范上部时，忽变而击其下部。

若握敌左腕，或吾左腕为敌拗手所握，则向左上方斜挂以化之。而以右拳击其裆。当击敌裆时，敌若向下搂按，即变下提手式，击其鼻额。

（67）上步揽雀尾式　（68）单鞭式
（69）下势式

以上各式均见前。

（70）上步七星式及退步跨虎式①

【释名】拳术家以两臂相挽。两拳斜对，名七星式。两臂分张，两手分作钩掌②，双腿蹲屈。一足立地，一足提起，足尖点地，名跨虎式，此两式有联合练习之必要，故合之。

【动作】有二：（一）上步七星；（二）退步跨虎。

上步七星式图

退步跨虎式图

【图解】（一）由下势左膝前弓，右足前进，贴左足踵，足尖点地，左手握拳当胸，右手由后向前，握拳随右足前进，经过右胯旁，由左腕下前击，与左腕交叉作十字手式。（二）右足退后半步，屈膝下蹲，左足收回至右足侧，足尖点地，成丁虚步；双臂相挽内抱，右手从左臂内掏出，向右侧伸展，掌心前向；同时，左手作钩，向左下方斜搂，左膝上升，五指作猴拳③，指尖后指，两臂宜平④。

【注意】七星式，全身重点在左足。胯虎⑤式全身重点在右足。

【应用】（一）上步七星式，设敌以拳当胸击来，应以左臂上架，或外拦，随进右足，以右手从左手下击敌胸部。（二）退步胯虎式，用前式时，设敌以手下压，或外搂，及前踢，即以左手下搂敌手或足，抽出右手，推敌胸肩。⑥

注 释

① 上步七星式及退步跨虎式：上步七星，为迎敌之法。技击家以抱拳供于面前，名七星式。少林秘宗亦名开门式，或谓踏中宫，皆此式。跨虎式，为以捌法化敌。跨虎各派拳术中皆有。少林、工力、八极谓之花虎；燕青、秘宗、长拳、六合名拗步架。以两手上下穿插为跨虎。太极之跨虎，即秘宗之左足拗步架，退步者因由七星式退步，而变跨虎。

本《图解》上步七星与退步跨虎合为一式，1925 年起，则分为二式。

②③ 钩掌，猴拳：拳照未示。本式拳照中，两手掌均类似白鹤亮翅。现行拳架中退步跨虎与白鹤亮翅相差不大，以致有的拳书中借白鹤亮翅照代替退步跨虎照。或许，两者原本的区别主要就在手上？这有待方家考证。

④ 指尖后指，两臂宜平：跨虎动作，右手向右伸展；左手作钩，向左下方搂，两臂宜平。文字描述与拳照所示有异，文字没有说明右手向右伸展的高度，与“两臂宜平”易生歧义。

⑤［注意］……重点在右足：跨虎与上步七星，本为合称，练习必须联合一气。七星式全身重点在左足；跨虎式，全身重点在右足。胯虎，疑为“跨虎”之误，以后再版未改。

⑥［应用］……推敌胸肩：上步七星，以两拳掤住敌手，或以左拳掤住而以右拳前击亦可。通步跨虎，身向后退，以备转踢意。敌如双手按来，即可以此式应之。

《太极拳使用法》：上步七星：甲立式，乙用右手直打来，甲用左单鞭式在乙肱上往下沉。如乙回抽手时，甲随时用右手自己肱下打出，为上步七星锤，右足上步为虚式，左足为实。退步跨虎，设敌人再用双手从我头之两旁合击，我即将两腕黏在敌两腕里边，左手往左侧下方沾去；右手往右侧上方沾起，两手心随之反转向外；右脚随往后落下坐实；腰随往下沉劲，左足随之稍后提脚尖点地，拔背含胸顶劲，眼神前看。

《太极拳阐宗》：此两式着法，不可离用。上步七星式，进击法也。接下势式而来，压敌臂而下势，敌多后撤。随上步以左臂掤敌右臂或搬扣或外拦，即掤拦其左臂亦可。随进步以拳上冲其头部、鼻颏、咽喉、胸部。是即当头炮、通天炮等意义。如敌手太高，则以左手挑开，以右拳反背撇击其面，名曰迎面锤，亦名反背锤，遂连接后式矣。

跨虎式，退击法也。以前式击敌，步小势促。敌若横推肘臂，则势甚不稳。故即退半步以济之。随以左手缠搬敌之左臂，或用採手向左斜上方引领，即以右掌拍击敌之小腹。由七星锤变搬採反拍，即拳如绞花锤之意也。

按：本《图解》上步七星第一动，右手握拳“由左腕下前击，与左腕交叉作十字手式”。附图两拳拳眼向内。而退步跨虎“（二）右足退后半步，……同时，左手作钩，向左下方斜搂，左膝上升，五指作猴拳，指尖后指，两臂宜平”。1925 年《太极拳术》“两手随腰往前，相交作斜十字形”，手心朝向无明确说明，附图不甚清楚。退步跨虎也无“钩手”与“猴拳”的要求。1931 年《太极拳使用法》要求“两手同时集合交叉做七星形，手心朝里掤住”。同一拳照，在 1934 年《太极拳体用全书》，文字说明却有不同：“两手变拳，同时集合交叉，作七字形，手心朝外掤住。”1931—1934 年，时过 3 年，上步七星拳照不变（拳照是拳心朝里），文字说明却由“朝里掤住”变成“朝外掤住”。曾昭然《太极拳全书》言“以两拳掤住敌手”“拳心朝外”。这是杨澄甫晚年还在变，还是郑曼青笔误所致？那就不得而知了。

（71） 转身摆连式[1]

转身摆连式图

【释名】转身，动作名。转身摆连者，转身蓄势，借起摆连腿也（摆连腿解释见前）。

【动作】有二：（一）转身合手；（二）摆连腿。

【图解】（一）由前胯虎式，右后转身，上左步；双手内合，当胸作十字手形。（二）起右足，由左向右摆踢，双臂前伸，双手自右向左拍右足背，收置腰左右。此时右足落地，足尖点地近左足侧。

【注意】上左足时，宜足尖内向，以便回转。[2]

【应用】敌自左侧击来，即闪身上左足以避之，诱敌追袭。[3]乃转身起右足，从旁踢敌胁部。

注 释

① 转身摆连式：连，莲也。即转身摆莲式，此式为旋转摆腿之法。

② ［注意］……以便回转：左足提起，以右足尖为轴，全身向右转一大圈，

约320°，左足落地成川字步。同时，两手曲回，两臂之中间成为圆形，左手在上，右手在下。目向右视，预备向右摆踢之意。左足不动，全身立起，以左足跟为轴，微向右转。左手在下，右手在上。右足向右摆踢。两手微拍足背。目视左足，姿势向东。

设敌自左侧击来，我则闪身上左足，以避之，诱敌进袭，再转身起右足以踢敌胁。前两着之应用，如为倒敌，则摆踢其小腿，必绊而倒。如为伤敌，则摆踢稍高，足踵每正蹬及前阴，切勿大意。惟转身时，左步迈进之尺寸，关系最大，平时与相手实际试之，以养成步度适合习惯，庶得其真耳。

③［应用］……诱敌追袭：假想敌人由侧方击我，我退左足撤左手，转身闪避，乘势起右足横踢敌人胁部。

《太极拳体用全书》：设又有敌人，自我身后用右手打来，前后应敌于万急时，我即将右脚就原地，向右后方悬起左脚随身旋转。同时以两手及左腿用旋风势，以手脚向敌上下部刮起。复转至原位时，紧将敌左肘腕黏住。随绕敌之腕里，往左用搬带挒抽回，急用右脚背向敌胁部，用横劲踢去。脚过似疾风摆荡莲叶。所谓柔腰百折若无骨，撒去满身都是手。此功之奥妙，非浅学者所可领略也。

散手见《太极拳使用法》：如乙用左拳打来，甲用双手右在前，左在后，按乙膊，用搬法往左边採劲，甲同时飞右腿打乙胸，左足立实。倘敌自后打用转身摆莲腿亦好。

《太极拳阐宗》：七星锤之起身进击、跨虎势之退半蹲身伏击，与此式之转身踢胁，皆不徒恃手法，而尽量施展身法步法之威力。此太极拳后来各式，较以前各式渐次加深加难，有循序渐进之妙，能使学者于不知不觉中进功。而此后来各式，非讲求身法步法，不易施用。若身法步法有相当成效，则有左右逢源之愉快，出手制胜之把握。是所谓尽熟着之能事，不求懂劲而劲自懂也。

设敌与吾双手相搭，势将角牴，吾即以双手搬敌左臂，使之前倾，随向右转身，起右腿摆踢之。

设敌两手替换进击，吾应以两手连续按截，俟其左手再来，即随手向左侧后方搌之，向右转身，起右腿摆踢。

（72）弯弓射虎式[①]

弯弓射虎式图

【释名】此式取人在马上弯弓下射之意，故名。

【动作】有二：（一）开步曲肱；（二）舒臂前伸。

【图解】（一）由前式右足向右前方踏出一步，身右前倾，屈双臂作拳内抱，由左腰际过脐前，向右运行，至右腰旁，双臂上举，右臂肩肘相平，覆拳（虎口向下）近右腮，指左前方，势如持箭，左臂屈肘近胁，举手当胸，双目前视，势如握弓。（二）拳向左下方略为旋转，右上左下相对。两臂伸舒。

【注意】双拳前击时，须隐含螺旋之意。[②]

【应用】敌从右搭吾右臂下按，即随其动作半圆形，以揉化其力，乘其力懈，而前击之。[③]

注 释

① 弯弓射虎式：此式为乘势冲击法。

② ［注意］……螺旋之意：此式系用腰力。双拳前击时，须隐含螺旋之意。

③［应用］……而前击之：《太极拳体用全书》：设敌人往回撤身时，我即将左右手随敌之手黏去。复绕过敌之手腕间，向右侧旋转。握拳从左隅角击起。左手同时沉在敌右肘部击去。右腿随往右落下坐实。右手辄向敌胸部击去。皆要蓄其势。腰下沉劲，略如骑马褡式。左脚变虚，如成射虎弯弓之势也。

散手见《太极拳阐宗》：敌以两手紧握吾右臂下按，即撤后上转，敌手必开。随以两拳冲击其头。若后撤之劲整而骤发。敌手一开，即当仆倒。不待拳冲也。

当后撤上转时，左臂自上压之，尤助声势。

若敌以左手握吾右腕，亦顺劲外转。而以左手反扣其腕。敌手开后，即换右捌之。反腕而执之。左手托其肘，勿使弯曲，腕必折矣。若于敌手开后，即以拳击之。则本式不变也。

此式亦全恃身法，即所谓腰劲也。以太极拳至运用内劲时，手足外形之动作有限，大部随身法牵动，是以身领手步，而非身随手步也。就演练姿式而言，如势向左右移，必身先左右转。手步随之转耳。以至于推手论劲，更重身法。所谓“主宰于腰”“腰为纛”“腰如车轮”“命意源头在腰隙”“刻刻留心在腰间”“活泼于腰”“力由脊发”“敛入脊骨”“腰脊为第一主宰”诸遗教，足征先辈谆谆启迪后进。注意身法，勿徒手舞足蹈为矣。

（73）合太极

合太极图

【释名】此为太极拳路练毕还原之意，故名。还原之法，人各不一。有加以揽雀尾，扑面掌等数式方还原者。有再作一搬拦锤，如封似闭，二式者，均为原路所无，兹不赘述。[①]

【动作】有二：（一）并步合手；（二）还

原立正。[②]

【图解】(一)由射虎式上左步并于右足，转身向右，交手当胸。(二)双手放下，还原立正式。[③]

注释

①[释名]……兹不赘述：在本《太极拳势图解》中，拳架练至“弯弓射虎”，即作“合太极”结束。否定社会上流传的“有加以揽雀尾，扑面掌等数式方还原者。有再作一搬拦锤，如封似闭”等方式结束，“二式者，均为原路所无”。

而1925年《太极拳术》，在“弯弓射虎”之后，正式增加了“上步搬拦锤”“如封似闭”“十字手”，再“合太极”。除“合太极”后人改作“收势”外，其拳架之框架基本成型。

② 还原立正：本《图解》由“弯弓射虎式”左足并于右足，两手当胸十字交叉，然后双手放下，立正。

③[图解]……还原立正式：《太极拳体用全书》此式是：由如封似闭，变十字手，两手分左右下垂，手心向下与起势式同，是名合太极。此外一套拳终了之时，学者尤不可忽略。合太极者，合两仪、四象、八卦、六十四卦，而仍归于太极。即收其心意气息，复全归丹田，凝神静虑，知止有定，不可散失，以免贻笑大方也。

按：1921年《太极拳势图解》，强调拳架练至“弯弓射虎”，即作“合太极”结束。“有加以揽雀尾，扑面掌等数式方还原者。有再作一搬拦锤，如封似闭，二式者，均为原路所无，兹不赘述。”语气如此肯定，而至1925年《太极拳术》，又在“弯弓射虎”之后，正式增加了“上步搬拦锤”“如封似闭”“十字手”，然后“合太极”。

据杨架套路的特点看，整套套路大体可分三大节，前二节都是以“搬拦锤”“如封似闭”至“十字手”为一节的，分段清楚。而第三节却至“弯弓射虎”戛然而止，不如现行套路工整，是否由于这一因素才让“上步搬拦锤”“如封似闭”“十字手”三式“转正”，以求“对仗”？再者，“搬拦锤，如封似闭，二式者，均为原路所无”，这究竟是1921年前，杨澄甫创编大架时“原路所无”，或是杨家老架本身“原路所无”，或是最初在大架编排时未曾列入？种种可能让人遐想。

根据陈微明在《太极剑》一书公布的“杨澄甫先生所授太极长拳目录”，转身摆莲之后，是弯弓射雁、上步搬拦锤、播箕式（如封似闭）、十字手、合太极。

杨澄甫的这套拳架，1921年《图解》中共列74式，中间经拆分、合并、减少、添加，至1925年《太极拳术》已成79式；1934年《太极拳体用全书》为72式。1960年《太极拳全书》为68式；1963年《杨式太极拳》为85式。自1925年后，套路式数不一，但基本内容不变。董英杰说过：“自古拳术名称本无一定多数，是以形取义，以义收其功效，太极拳亦然。”有位太极拳名家说85式“八五、85就是按八门五步编排的”，这显然是牵强附会了。杨澄甫大架的演化过程，动作或减、或增、或简练、或细化，其式子的增与减与“八门五步”以及阴阳术数等因素关系不大。

杨澄甫架太极拳的演变过程，是继承太极拳传统与适应时代需求的结合的过程，是传统文化在新的时代背景下延续和发展的典范。

当然，拳架只是通向“神明”的一种手段，是“渡轮”，不是目的。陈微明在《太极答问》中提醒：“以上所举散手用法，不过言其大概。然敌之来势无定，我何能执行一定之法而御之？总之非随机应变，非平时推手，练出极灵敏之感觉，虽手疾眼快，亦不能用之密合而无间。故用散手，仍须由黏手变化而来，不然，虽记得打法、解法数百手，亦不能应付千门万派之拳脚。”所以，上面分析拳架与招势应用等，也说了些大概的技击含义，目的是为行拳走架时，设定一定的技击场景，以便意有所附，能较好地训练技击意识，并以一念抑百念，让精神容易集中。但在实战中，敌人不会按预设的招式来攻击，而自己也无法生搬硬套去应对。总之，须随机应变、灵活应对。那么，继而学习推手就显得非常重要。

第三章　论太极拳推手术

推手[①]或曰搭手，一曰靠手，各派拳术家多有之[②]，以练习近身用着之法者也。太极拳术以懂劲为拳中要诀[③]，而懂劲以使皮肤富感觉力为初步。此感觉力练习之法，在二人肘腕掌指互搭，推荡往来，以研磨皮肤[④]。由皮肤压迫温凉之觉度，以察知敌劲之轻重虚实及经过方位。久之感觉灵敏，黏走互助，微动即知，斯为懂劲矣[⑤]。太极拳经曰："懂劲后愈练愈精。"习太极拳者，不习推手，等于未习。[⑥]习推手而未能懂劲，则运用毫无是处。[⑦]呜呼，升阶有级，入室知门，学者于推手术，曷[⑧]注意焉。

推手术，有单搭手式，双搭手式之别（见后）。单搭者，只手单推；双搭者，双手并用。此均指搭外而言（以胸怀为内，外指臂之外部也）。又有所谓开合手者[⑨]，则一方两手均在内，一方均在外，互换为之，往复双推也。单推手，研手门及闽省拳靠手、五行手（其手分金、木、水、火、土，五者互相生克运化）多用之。余幼从刘师敬远先生，习单推手术，稍有心得。尝取太极拳各姿势参酌各家，一一为之规定练习方法，编成推手术，以辅原来四正、四隅各方法之不足。暇当别为编制，以享读者。兹仅择堪为太极正隅各手之初步者，略为述及，取便学者云尔[10]。

注 释

① 推手：推手者，所以求其用也。他种拳术，虽亦有二人对手者，然不过十余式，再多不过数十式耳。而来者其法不一，何能执定法以应之哉？太极推手，则有掤、攦、挤、按、採、挒、肘、靠八字，此八字所以练其身之圆活。二人沾连黏随，周而复始，如浑天之球，旋转不已，而经纬弧直之度，莫不全备。将此一身，练为浑圆一体，随屈就伸，无不合宜，则物来顺应，变化无穷矣。此所谓万法归一，得其一，而万事毕矣。

② 各派拳术家多有之：并非是指包括少林等各种各派所有的拳种，而是指太极拳界内的各派而言。许禹生又说："余幼从刘师敬远先生，习单推手术，稍有心得。尝取太极拳各姿势参酌各家"，这里"各家"则是指刘敬远外的其他太极拳各家。

按：关于各家推手，唐豪有一番研究，他评价："杨氏十三势大架和推手做出的贡献最多，开展面最广。"

又说："陈沟传统的前四手步法，有脚尖上仰、折腿虚坐到地或接近于地的'引进落空'法，可以看出它是'雀地龙'的形象。这个形象，在全佑（吴架）传统的推手里还留有痕迹。脚尖上仰，反映出杨露禅的推手部分面貌仍旧同于陈沟。全佑传统的推手，他的合步不进不退双推手（即定步推手）和合步进三退三双推手（即活步推手），基本上仍是杨系的步法。此外，吴系双推手还创编了四种步法：（1）交叉步双推手；（2）进退步双推手；（3）龙行虎步双推手；（4）转身步双推手。这四种双推手，可能是吴鉴泉的传人创编出来的。吴系另一种斜角步四手的双推手，基本上就是杨系所称的'大攦'"。

"杨氏传人中有一种合步不进不退的单推手，它是双方互相练习的对推的。它的手法用'平圆、立圆、压腕'分练。又有一种合步不进不退的双推手，它的手法用‘搌按、搌挤、压腕按肘’分练。这两种推手法，都以‘掤’开始，显然是为了初学推手的人创编出来。最早介绍这两种推手法的，是1921年出版的许禹生《太极拳势图解》。”

③ 太极拳术以懂劲为拳中要诀：无论古拳谱还是杨氏老谱，“懂劲”都是表示太极拳锻炼的一个中级阶段的层次，是通向神明的阶梯。以懂劲为拳中要诀，这种说法无非是强调懂劲的重要。

④ 研磨皮肤：“研磨”或“磨荡”是形容推手时皮肤接触的一种形态，并不是动词的“研”与“磨”。太极拳正确的推手，相互之间是不应该有研磨的，会有滚动，但并不发生研磨；虽然偶尔也会有滑动，但滑不等于研磨，因此“研磨”的表述易生歧义。

⑤ 斯为懂劲矣：此句描述似乎只是“着熟”，还不是“懂劲”。能够感知对方的用力方向等只能认为有了“听劲”。按照古拳谱与杨氏老谱，懂劲是太极拳水平的进一步，即脱离了着熟，但尚未达到神明的这么一个阶段。有了听劲仅仅是懂劲最基本的条件，可能还在着熟阶段，仅仅有听劲不等于就是懂劲。

⑥ 习太极拳者，不习推手，等于未习：这句话对于学习太极拳是振聋发聩的金玉之言。

习太极拳者，须有一定的进功次序，以免歧途之误。着法者，即拳术所具自卫御敌之各种方法也，各个着法连贯练习，即为姿势。盖内功言劲，非不讲着，是着为劲先，用着必合乎劲，以劲为主，以着副之。而练劲必先练着，练着之法，必求之姿势正确，故纠正姿势不可忽视。姿势正确，则着之发必中。是则习太极拳者，应先求姿势之正确，次求着法之应用。就着而生劲，借劲以用着。着法既熟，则由练习而磨荡其感觉。感觉愈灵敏，则自入于懂劲之域，神而明之，可以目听以眉语也。但不仅姿势着法可以练劲也，由推手术推荡，以锐敏其感觉，尤为练劲之绝妙方式。故有谓：习太极拳而不习推手术，如习外功者等，或且不如外功。

⑦ 习推手而未能懂劲，则运用毫无是处：推手锻炼如果没有进入懂劲阶段，

太极拳还不能应用于实战。这种说法源于杨健侯先生。

⑧ 曷：何不，岂可不的意思。“曷”古通“盍”，以后再版改为“盍”字。

⑨ 又有所谓开合手者：查阅现有的太极拳资料，杨家太极拳似乎不称“开合手”。这种推手形式，仅有推手双方同名手臂交叉接触的单搭手式，以及双搭手的推手形式。而推手双方异名手臂接触、双方手臂形成圈的“开合手”，这种推手形式根据现存的资料只有意拳推手，而意拳推手与太极拳推手的形态与实质都是不同的。

⑩ 取便学者云尔：许禹生学的推手并不是直接来自杨家，他向刘师远学习单推手一种。但“尝取”“参酌”了流传社会的各家太极推手，集长补短，“一一为之规定练习方法，编成推手术”，比较全面、通俗的介绍了各种推手的方法，便于学员学习，因此，本《图解》不失为一本较好的教材。

许禹生编的这本太极拳教材，在民国时期影响极大，一时成为各太极拳教材之范本，对太极拳推手的发展也起了很大的推动作用。如王新午《太极拳阐宗》，关于推手的章节甚至一字不漏、一字不改，照本抄录。

第四章　推手术八法释名

掤[1]，捧也，上承之意，膨也。如蓄气于皮球中，用力按之，则此按彼起，膨满不已，令力不得下落也[2]。《诗·郑风》："抑释掤忌。"杜预云："箭筒[3]也。"又通作"冰"，《左传·昭二十五年》[4]："执水而踞。"（注）箭筒，盖可以取饮，又以手复矢，亦曰掤。太极功搭手诀内，逆敌之势承而向上，使敌力不得降者[5]，皆谓之掤。

攦[6]，读作吕。字典中无此字，疑系摅之讹，舒也。《班固答宾戏》"独摅意乎宇宙之外。"又布也，《司马相如封禅书》："摅之无穷。"又散也，《杨雄河东赋》："奋六经以摅颂。"又犹腾也，《张衡思玄赋》："八乘摅而超骧。"太极功搭手时，凡敌掤挤我时，用摅字诀以舒散其力，使敌力腾散而不得复聚者皆是。

挤，《说文》："排也，推也，以手向外挤物前进也。"《左传》："小人老而无知，挤于沟壑矣。"《史记·项羽本纪》："汉军却为楚军挤。"《庄子·人间世》："其君因其修以挤之。"[7]凡以手或肩背挤住敌身，使不得动，从而推掷之，皆挤也。

按，《说文》："下也。"《广韵》："抑也。"《梁简文帝·筝赋》："陆离抑按，磊落纵横。"《尔雅·释诂》："止也。"《史记·周本纪》：

“王按兵毋出。”《诗·大雅》：“以按徂旅，释遏止也。”《前汉高帝纪》：“吏民皆按堵如故。”（注）按次第墙堵不迁动也。又据也，《史记·白起传》：“赵军长平以按据上党民。”又抚也，《史纪·平原君传》：“毛遂按剑历阶而上。”是也。又按摩也。古有按摩导引之术，《前汉·艺文志》帝伯岐著按摩十卷。[8]盖太极拳术，遇敌挤进时，用手下按，遏抑以制止之，使不得逞，谓之按。

採，採取也。[9]《晋书》：“山有猛虎。藜藿为之不採。”又择而取之曰採。太极拳以采制敌之动力为採。如静坐家抑取身内之动气为採取也。《阴符经》曰：“天发杀机。”悟此则思过矣。

挒，捩也，拗也。（韩愈文）“捩手复羹。”又袗也，转移之意。太极拳以转移其力，还制其身，谓之挒。又挒去之意。[10]

肘[11]，臂中部弯曲处之骨尖曰肘。拳术家以此处击人为肘，盖动词也。太极拳用肘之法甚多，本书仅就推手时便于应用者，略述及之。

靠[12]，倚也，依也，依附于他物也。太极拳近身时，以肩胯击人曰靠，有肩靠胯打之称。

注释

① 掤：掤劲之说源出于枪棍技法，如戚继光《纪效新书》卷十之“长兵短用说篇”等，综合杨家梨花枪、沙家竿子、马家长枪等，从中借用其意。许禹生从字典或古籍中寻找掤字相近的注解，对后人影响很大，许多太极拳名家的著作中，对掤字的解释也延用许氏的注解，但许氏从字典或古籍中找的注解，似乎并不十分贴切。至今，学术界对掤字的读音该是“bing”“peng”，还是“beng”，及其真正的含义，都未能取得一致。

一般理解掤，膨也，如蓄气于皮球中。劲用充气的皮球来比喻来解释，非常贴切。掤劲在推手中最为重要。推手如无掤劲，一搭手，即为人压瘪，无以相抗。掤乃是有弹性之劲，如蓄气于球内，此按彼起，令力不得下落，并非用手臂之力去顶，须用腰腿劲，加以意气，使敌不易攻入。掤劲分防御和攻击两方面，以发之功用居多。

② 令力不得下落也：不是“顶”，形容力按下时不是一按就瘪，而是有相应的反弹之力，此按彼起，令力不得下落。

③ 箭筒：筒，繁体作“筩”。此版作“箭筩”，以后再版本改作“箭筒”。

④《左传·昭二十五年》：应为《左传·昭公二十五年》。

⑤ 使敌力不得降者：这并不是主动去“顶”，而是引动对手的掤势。若欲发敌，则未掤之先，应往后向下，用引诱之，使其劲出而显有焦点，复借其劲而掤之，无不获胜。

⑥“攦”字，现多用“捋”代替，但其含义不是用简体“捋”字完全说明得了。“攦”原是专为太极拳特造的字，也像“掤”字一样，未见《康熙字典》收录，因此许禹生等在写作时，无法从字典或古籍中找到与攦相应的解释。

⑦ 挤……以挤之：许禹生用《左传》《史记》《庄子》中的挤来说明太极拳的挤劲，不很贴合。

⑧ 按……按摩十卷：许禹生以古籍中的“按”字来解释太极拳的按劲，虽风雅，仍不得其妙。

按，以单手或双手向下沉按，使对手之足跟浮起。“遇敌挤进时，用手下按，遏抑以制止之，使不得逞，谓之按。”彼用挤时，我乃变攦为按，以顺步为得势。“按”同样须用腰腿劲，又须眼神注视，上身不可前仆，方有效用。按人时，必须在其真劲未发之时，按之即可使对方势背，自动后跌。

按：掤、攦、挤、按，内含之意思无穷。即如一按字，有轻灵而进者，有重实而进者，有左重右虚而进者，有左虚右重而进者，有两手开之意而进者，有两手合之意而进者。如一挤字，有正挤者，有偏挤者，有加肘挤者，有换手挤者，而用臂之各点，又时时变换，如此，点之中心已过，即改用彼点，节节是曲线，节节是直线，处处是黏劲，长处是放劲，所谓曲中求直是也。又有折叠而挤者，或翻上折叠，或翻下折叠，均随敌人之意而变换之。又如一掤字，或直掤，或横掤，或在上掤，或在下掤。黏住敌人之臂或手，随时变换方向。总之，不要敌人在我臂上或身上得有一目的而可以放劲。若敌人将得有目的，即立时改变其方向，惟须黏住，不可丢离。若敌人丢离，速速打去。所谓逢丢必打是也。如一履字，有向上履者，有平履者。履之中有撅，有机会则用，若用劲整快，则手臂或断矣。

掤、履二劲近于走，按、挤二劲近于黏。履近蓄劲，掤近运劲，挤近接劲，按近发劲。拳谱云："掤履挤按自四正，须费功夫得其真。"四手以四正手为主，系在圈内。若遇对方大开大合，必定越出圈外。若出圈外，四正不能用，必用四隅手补救之，四隅即採、挒、肘、靠是也。

⑨ 採，採取也：採乃反向之挤劲；挤为合劲，採为分劲。採即以手执人手腕或肘部，往下沉採，其效用与履略同，欲乘敌人重心已经向前之机而更使其前仆。採则顺手来势，接取其劲，此法即履之变，履则把持在人手臂外面，採则在内。採只採一边，使对方重心偏于一方。採又须果断、採足，否则反被其借劲。

⑩ 挒……又挒去之意：挒为击劲之一种，求击中而不求击倒，遇对方有空隙或拗处，顺其方向而击之。挒法系执人之手，反捩其势，控其关节，即一处以制其全身，亦履之并；还有因我势背，来不及还着，用另手照对方面部闪挒，趁其惊惶，转败为胜。如已在倾仰背势之际，欲使转顺，即须运用挒劲挽回。挒劲用于履或採之后。挒劲，杨氏太极拳以"斜飞式"与"野马分鬃"为挒劲的典型，"斜飞式"用掌挒；"野马分鬃"用小臂挒。"挒"又分横挒、採挒等法。

⑪ 肘：肘为击人之二道门，遇手出圈时，贴近已身，亦为出圈，不及用採挒补救，以肘作攻击之用。此劲虽猛，然用不得其法，反为敌借势，故用时不

可不注意。大擺中用肘，含如敌擺己，以肘还击之。推手中用肘，于分开人手之时，一手执人手，一手用肘击其胸口。

⑫ 靠：靠为击人三道防线，乃以肩背撞击敌胸口或胁下，其势较肘更厉，用于近身击敌。靠须己身中正，肩与胯合，脚跟发劲，顺步插入敌之裆内，成丁字形，乘势靠之方能有效。用靠时，必须手足失其用以靠补救之。

按：四隅手中採挒肘靠，採是採住敌人之手，使之不易变动。是挒，是用掌，使敌人欲放劲之时而中断。肘，是用肘。靠，是用肩。大擺之法，更大而速，非两腿有劲，不能轻灵变化。

採挒二劲用于制止浮飘乱舞之手居多，用在沾黏之先，以救四正手之不及；肘靠二劲，因个人势已出圈无法挽回时，用在沾黏劲之后，以补助四正手之太过。因不及和太过，均系病手，所以在推手时有不过界之说也。

第五章　太极拳应用推手

第一节　太极拳之桩步

太极拳术之桩步，多用川字式者。由立正姿势，左足向左前方踏出一步。两足尖方向均向前[①]。其左右距离，以肩为度。身下蹲，两膝微屈，使全身重点寄于后足，若丁虚步然。惟前足尖上翘，或平置于地，微不同耳。上体宜立腰，空胸，气注小腹。头正直，顶虚悬，尾闾中正，精神贯顶。脊背弓形，两臂略弯，向前平举[②]。手掌前伸坐腕，指尖微屈分张向上，前手食指约对鼻准。后手约居胸前，掌心参差遥对，若抱物然。削肩而垂肘，其肩肘腕与胯膝脚三者相合，全身宜灵活无滞，各逞自然状态（右式同此），斯为善耳。

注释

① 两足尖方向均向前：按照自然而言，后脚跟可根据两脚前后距离的长短，有适当的外撇。

② 两臂略弯，向前平举：或可写作“两手向前平举，两臂略弯沉肘”。两

臂平举，只是表明手或手掌举的大致高度。按照便于化解与攻击而言，并不是手臂平举，肘应有不同程度的下垂，所以写作“两臂略弯”。

按：本《图解》许禹生对推手动作的描述，比较简洁直白，适合充当普及教材。推手本是极其细致周密，感觉又极其丰富灵敏的，是很难用语言描述清楚的，文字更乏力。正如陈微明先生言：“其应用规矩，虽详细说明，而其巧妙，仍非口传心授不可。”推手更是“入门引路须口授，功用无息法自修”。

第二节　单搭手法

两人相对立。各右足向前踏出一步。右手自右胁旁作圆运动，向前伸举，如前之桩步姿势。两手腕背相贴，交叉作势，是为单搭手式。

第三节　双搭手法

此式如单搭手式之作法，惟以在后之拗手前出。各以掌心拊①相手（即对面之人）之臂弯处。四臂相搭，共成一正圆形。以两腕相搭处为环心。两人怀抱中所占据之部分，各得此圆之半，俨如双鱼形太极图之两仪焉。是为双搭手式。

注释

① 拊：现在一般用“附”表示。

第四节　单手平圆推揉法

两人对立作右单搭手式。（一）甲右手手掌下按乙右腕，向乙胸前推。乙屈右肱，手向己怀后撤。平运退揉，作半圆形。手腕经左肩下向右运行，至胸骨前。（二）乙身向后坐。肘下垂，覆手贴于胁旁。手腕外张，脱离甲手之腕，还按甲腕。（三）乙手再向甲胸前推。如（一）之动作。（四）甲手退揉。如（二）之动作，亦成半圆形，往复推揉。俟熟习后再习他式。此为推手法基本动作。左搭手式与右搭手式动作相同，惟左右互易耳。

第五节　攦按推手法

两人对立，作双搭手右式。（一）甲右手手掌下按乙右腕，左手按乙之右肘。向乙胸分推作按式。（二）乙屈右肱，手向怀内后撤。平运退揉，左手拊甲之右肘后，右手腕经左肩下向右运行，左手随之，向右下方屈肱作攦，双肘下垂。（三）乙双手按甲之肘腕，向甲前胸推作按式，如（一）之动作。（四）甲双手退攦，如（二）之动作。

第六节　单手立圆推手法

两人对立，作右单搭手式。（一）甲以右手掌缘，下切乙腕（乙随甲之切），指尖向乙腹部前指。（二）乙屈肱随甲之切劲，由下退揉画，立半圆形。经右胁旁上提，至右耳侧。（三）乙右手接前之动作，作上半圆形，伸臂前指甲额。（四）甲身向后坐，屈右肱，手贴乙腕。随其动作，向身侧下领，至胁旁作前推势。

附注：此式可练习太极拳中倒撵猴及下势二姿势，如甲动作即仿倒撵猴势，乙即仿下势之动作也。

第七节　搬挤推手法

两人对立，作右双搭手式。(一) 甲坐身立左肘，向后斜搬乙右臂。(二) 乙趁势下伸右臂，进身向甲拊肘手之接触点前靠。并以左手拊内臑[①]，内外挤之。(三) 甲俯身向前以缓乙力，并横左手以尺骨或腕骨搭乙之上膊骨中间处，使乙臂贴身，并以右手由肱内拊其接触点，前挤之。(四) 乙揉身向内走化甲力。坐身立左肘向后斜搬甲之右臂，如 (一) 甲之动作。(五) 甲如 (二) 乙之动作。(六) 如 (三) 甲之动作。

注 释

① 臑：音 nào，牲畜前肢的下半截。中医指人自肩至肘前侧靠近腋部的隆起的肌肉。

第八节　单压推手法

两人对立，作右单搭手式。(一) 甲右手贴乙右腕，向外平运。随即抽撤，翻手下压乙腕。仰掌屈肱，以肘近胁 (肘弯宜成钝角)。(二) 甲因前动作，仰手压乙腕，伸臂向乙腹前插。(三) 乙随甲前进之力，覆手平运，屈肱退后随之。俟甲指将插至腹前时，吸身垂肘，翻手下压甲腕，如 (一) 甲之动作。(四) 乙伸臂前插甲腹如 (二) 甲之动作。左式同此。

第九节　压腕按肘推手法

两人对立，作右双搭手式。（一）（二）甲压乙腕前插如前，惟以左手掌指下按乙肘助力。（三）（四）乙退后覆腕抽撤时，左手掌心向上仰捧乙肘，为不同耳。

第十节　四正推手法

四正推手者，即两人推手时，用攌、挤、按、掤四法，向四正方周而复始作互相推手之运动也。作此法时，两人对立，作双搭手右式。（一）甲屈膝后坐屈两臂肘尖下垂（作琵琶式）。两手分揽乙之右臂腕肘处，向怀内斜下方攌。（二）乙趁势平屈右肱，成九十度角形，向甲胸前前挤。捪[①]其双腕，并以左手移抚肱内，以助其势。（三）甲当乙挤肘时，腰微左转，双手趁势下按乙左臂。（四）乙即以左臂挤推，分作弧线。向上运行，掤化甲之按力。同时右臂亦自下缠，上托甲之左肘，以助其势。（五）乙掤化甲之按力后，即趁势攌甲之左臂。（六）甲随乙之攌劲前挤。（七）乙随甲之挤劲下按。（八）甲即掤化乙之按力后攌。自此周而复始，运转不已。是谓四正推手法。

注释

①捪：本《图解》第二版印为“捪”字，现代字典中无此字；《图解》再版本已改作“堵”字。王新午《太极拳阐宗》此字也作“堵”字。

第十一节　四隅推手法

四隅推手者，一名大攦[①]，即两人推手时，用肘、靠、採、挒四法，向四斜方周而复始作互相推手之运动，以济四正之所穷也。作此法时，两人南北对立，作双搭手右式。（一）甲右足向西北斜迈一步，作骑马式，或丁八步；右臂平屈，右手抚乙之右腕，左臂屈肘，用下膊骨中处，向西北斜攦乙之右臂。（二）乙即趁势左足向左前方横出一步，移右足向甲裆中，插裆前迈一步；同时，右臂伸舒向下，肩随甲之攦劲，向甲胸部前靠，左手抚右肱内辅助之。此时甲乙仍相对立，乙面视东北方。（三）甲以左手下按乙之左腕，右手按乙之左肘尖下採；同时，左足由乙之右足外，移至乙之裆中。（四）乙随甲之採劲，左腿向西南方后撤作骑马式；左臂平屈，左手抚甲之左腕；右臂屈肘用下膊骨中处，向西南方斜攦甲之左臂。（五）甲趁势右足前出一步，移左足向乙裆中，插裆前迈一步；同时，左臂伸舒向下，肩随乙之攦劲，向乙胸部前靠。右手抚左肱内以辅助之，此时甲乙仍相对立，甲面视东南方。（六）甲左臂欲上挑。乙即随甲之挑劲，左手作掌向甲面部扑击。右手按甲之左肩斜向下挒。（七）甲随乙之挒劲，撤左足向东北方迈；左手抚乙之左腕，右臂屈肘向东北斜攦乙之左臂。（八）乙趁势上右步，移左足，向甲裆中前迈；左臂随甲之攦劲，用肩向甲胸部前靠，右手辅之。面视西北方。（九）甲以手下按乙之右腕，左手乙之右肘尖下採；同时，右足由乙左足外，移至乙之裆中。（十）乙随甲之採劲，撤右足向东南方迈；右手抚甲之右腕，左臂屈肘向东南斜攦甲之右臂。（十一）甲趁势上左步，移右足，向乙裆中前迈；右臂随乙之搬劲，用肩向乙胸部前靠，左手辅之。面视西南方。（十二）甲右臂欲上挑。乙即随甲之挑劲，右手作掌，向甲面部扑击，左手按甲之右肩斜向下挒。甲退右腿，双手搬乙之右臂腕肘处，还右双搭手式。此为一度，可继续为之。是谓四隅推手法。

注 释

① 大搬：是走四隅，即採挒肘靠也。採是採住敌人之手，使之不易变动。挒，是用掌，使敌人欲放劲之时中断其劲。肘，是用肘。靠，是用肩。大搬之法，更大而速，非两腿有劲，不能轻灵变化。

採挒肘靠是杨家特有的训练法，两人配合步法，进步肘靠，直行以站位，退步採挒，斜行以研坏，互作採挒对待肘靠、肘靠对待採挒的训练。

跋

中国拳术发源于战国时代，历汉魏唐宋，世有传人。然皆口传心授，隐秘其法，不以著书传。世称汉志所载手搏剑道，其书久佚。至明代戚南塘《纪效新书》[①]、茅元仪《武备志》[②]，始载剑经、拳势、棍法、枪论，或详或略。然后人讲武术者，莫能出其范围。至黄百家[③]宗内家以论拳，吴殳[④]录手臂以言枪，则详而精矣。前清时传习拳棒有禁，故私家授受，绝少刻本。其所传皆以浅俗歌诀记之，不能详言其理法。盖传习者，多非文人，势使然也。庚申孟夏，遇许禹生先生于涂。约余至其所立体育学校观马子贞[⑤]新武术队演技。余以误时，未得纵目。嗣后时与许君过从，因得观许君所著《太极拳经注》及《图解》二书。余于是始悉立校颠末，及注重太极拳之深识。余固素知许君精于技击者，而不期其学深邃如是之极也。太极拳即世所称内家拳法，与少林分为二派者也。内家之学，名冠海内，然习之者，多不尽其术。且相传秘其要法，后学更无从问津。此书出而慕内家者得有涂辙[⑥]，真空前绝后之作也。然吾闻之学业技能，均无止境。深冀许君由图解之粗迹[⑦]，研经注之精理，使内家与少林并称于世之所以然，笔之于书，以津逮后学。较之固守一先生之说，姝姝[⑧]自悦，以为尽内家之能事者，其度量广狭何如哉？余与许君累世交谊，不敢贡誉，故以质直之言，书为跋语。仲澜氏瑞沅谨跋。

注 释

①戚南塘《纪效新书》：戚继光（1528—1587年），字元敬，号南塘，晚号孟诸，汉族，山东登州人。明代著名抗倭将领、军事家，与明代著名民族英雄、抗倭名将俞大猷齐名。

戚继光在张居正死后受到排挤，万历十一年（1583年），被调任广东总兵官。万历十三年以年老多病谢职归家，万历十五年病逝。戚继光率军之日，在浙、闽、粤沿海诸地抗击来犯倭寇，历十余年，大小八十余战，终于扫平倭寇之患，被现代中国誉为民族英雄，卒谥武毅。世人称其带领的军队为“戚家军”。今浙江省台州所属古城桃渚建有戚继光纪念馆。

戚继光著有《纪效新书》和《练兵实纪》两部军事名著，均被列入中国古代十大兵书，备受兵家重视。

《纪效新书》当写成于戚继光调任浙江抗倭的第六年即嘉靖三十九年（1560年），是戚继光在东南沿海平倭战争期间练兵和治军经验的总结，对后人的军事著作有着极大的影响。戚继光曾在《纪效新书》的序中写道：“数年间，予承乏浙东，乃知孙武之法纲领精微莫加矣。第于下手详细节目，则无一及焉……战法、行营、武艺、守哨、水战一一择其实用有效者，分别教练先后，次第之，各为一卷，以海诸三军俾习焉。顾苦于缮写之难也，爰授梓人，客为题曰：《纪效新书》。”

《纪效新书》总序中论述了练兵的必要性和重要性，提出了一套较为完整的练兵理论和计划。正文十八卷，详细而又具体地讲述了兵员的选拔和编伍、水陆训练、作战和阵图、各种律令和赏罚规则、各种军诫兵器及火药的制造和使用、烽堠报警和旗语信号等建军作战的各个方面，并有大量形象逼真的兵器、旗帜、阵法、习艺姿势等插图。书中还详细记述了戚继光发明的鸳鸯阵，即一种以牌为前导，筅与长枪、长枪与短兵互防互救，双双成对的阵法。

在练兵方面，《纪效新书》特别强调按实战要求从难从严训练，反对只图好看的花架子。认为“设使平日所习所学的号令营艺，都是照临阵的一般，及至临阵，就以平日所习者用之，则于操一日，必有一日之效，一件熟，便得一件之利”。并批评不按实战要求的训练方法是“虚套”，尖锐指出“各色器技营阵杀人的勾当，岂是好看的”。凡武艺，不是答应官府的公事，是你来当兵防身、立功杀贼、救命保身的本领。

《纪效新书》重视兵器在战争中的作用，书中以大量篇幅记述了各种兵器的制造、形制、样式、作用、习法等。并对长短兵器的使用进行了较为深入的探讨，认为“长则谓之势险，短则谓之节短”。

该书既是戚继光在浙江练兵、作战的总结，又是他在此后抗倭战争中练兵、作战的指导原则，是其建军和作战思想的集中体现，反映了冷兵器与火器并用时代军队训练与作战的一般规律。《纪效新书》语言通俗，文图结合，便于学习，在理论和实践上都有较高的价值，对后世产生了重大影响，远传朝鲜、日本等国。

②茅元仪《武备志》：茅元仪（1594—1644 年?），字止生，号石民，归安（今浙江吴兴）人。自幼“喜读兵农之道”，成年熟悉用兵方略、九边关塞，曾任经略辽东的兵部右侍郎杨镐幕僚，后为兵部尚书孙承宗所重用。崇祯二年（1629 年），因战功升任副总兵，治舟师戍守觉华岛（即菊花岛，今辽宁兴城南），获罪遣戍漳浦（今属福建），忧愤国事，郁郁而死。他目睹武备废弛状况，曾多次上言富强大计，历时 15 年辑成《武备志》。

《武备志》作为一部百科全书式的兵书，体系宏大，条理清晰，体例统一。它将二千余种各朝的军事著作分门别类，每类之前有序言，考镜源流，概括内容，说明编纂的指导思想和资料依据。每一大类之下又分为若干小类，小类之下根据需要设置细目，如《军资乘》下又分为八类六十四个细目。

《武备志》的编辑、刊行，对改变明末重文轻武、武将多不知兵法韬略、武备废弛的状况有现实性的意义。它设类详备，收辑甚全，是一部类似军事百科性的重要兵书。

《武备志》的价值首先在于它辑录了古代许多其他书中很少记载的珍贵资料。如一些杂家阵法阵图，这是在专门研究阵法阵图的著作如《续武经总要》中都没有记载的，但在《武备志》中却有详细的记载。尤其是它收录了《郑和航海图》以及明代一些少见的舰船兵器及火器等，更显可贵。另外，它图文并茂，全书附图七百三十八幅，除《手段诀评》和《战略考》外，都有大量附图，生动形象，使我们可以在数百年后看到古代兵器、车船等的形制以及山川河流的概貌。其次，《武备志》也有一定的理论价值。故该书在军事史上占有较高地位，为后世所推崇。

总的说来，《武备志》是历代兵学成果的汇编，虽然包含的军事思想非常丰富，但不能把它们看作茅元仪的思想。然而，在序言及评点中，也可以看到茅元仪的一些军事思想以及他精辟的看法。简单地说，茅元仪在《武备志》中表达了加强武备、富国强兵等思想。他认为："人文事者必有武备，此三代之所以为有道之长也。自武备弛，而文事遂不可保。"

③ 黄百家（1643—1709 年），乳名祝国，原名百学，字主一，号不失，又号耒史，别号黄竹农家，清初浙江余姚通德乡（今属梁辉镇）黄竹浦人。国子监生，黄宗羲第三子。

其父黄宗羲亦精技击，曾于明末组织武装于浙江四名山抗击清兵，并作《王征南墓志铭》记述王来咸事迹。黄宗羲幼承庭训，博览群籍，研习天文、历法、数学。清康熙十九年（1680 年），明史馆聘黄宗羲赴京与修，黄以年老辞，总裁遂延请百家及万斯同赴京入馆，以所学撰《天文志》《历志》数种。黄百家能传父学，其父晚年著述常有口授，辄执笔代书。

④吴殳：殳，音 shū。吴殳（1611—1695 年）是明末清初的诗人和史学家，又是一位成就卓著的武艺家和武学学者。

吴殳，又名吴乔，字修龄，本江苏太仓人，早年入赘到昆山，遂占籍昆山。吴殳是明朝灭亡后坚守志节的遗民，虽然年寿很高，又“高才博学”，但一生设有任何功名仕履可述，经常过着寄人篱下的清苦生活。他学术上没有什么家学传承，学识主要得自“于书无所不窥”。但一生游踪甚广，多次往返于南北之间，与顺治、康熙年间的文坛人物多有交往，经历和学术活动都十分复杂。在明清之际试图兼通文武的学人群体中，吴殳无疑是其中的成功者之一。

明末清初之际，南北文人中曾出现一股研讨兵学和崇尚武艺的风气，这应该与战乱频仍、国势危重的时代背景有关，也与一时勃然兴起的反理学思潮有关。当时，真所谓“风化所摩，学者比肩”，徜徉其中的南北学人不一而足。举例说，北方有山西傅青主、傅眉父子的结交武僧和演练武艺；河北王馀佑、颜元、李恭、王源等对兵学与武艺的精研和传播，最终成为“颜李学派”的主要特点之一。在南方，吴兴文学家茅坤的孙子茅元仪，好学多识，喜好兵学，天启年间著《武备志》240卷，是晚明军事巨著，影响深远。钱谦益、程孟阳与多位身在低位的武林人物交往，其中很有些耐人玩味的东西；黄宗羲、黄百家父子与抗清义士王征南的特殊友谊，正是近世以来“内家拳”泛起的源头。陆世仪、冯杼、冯行贞等人，也都有具体的武事活动，有的甚至还有论说传存下来。但平心而论，这中间还要数吴殳用功最深，成就最高。他数十年潜心其中，贯通古今，融会南北，有多种武学著作留传下来，直到现在仍然闪烁着光辉，继续产生着影响。吴殳之“奇”主要在他成功地融合了文学、史学和武学，创造出独具一格的学术模式，是明清革代之际文武兼修学风中的突出代表。

吴殳博学多识，勤于著述，直到垂暮之年犹笔耕不辍。只是他“一生困厄”，身后又十分寂寞，他的著作除《围炉诗话》《手臂录》比较有名外，其他有的已经亡佚，有的则仅以抄本存世，如荒寒孤碑，不为人知。到目前为止，发现的吴殳著述一共有24种之多，其中保存到现在的13种，另外11种或已经亡佚，或存佚暂时不详。在这24种著述中，武学著述一共是5种。其中3种有刻本存世，2种只有抄本传存下来。吴殳的武学著作是中国武术史上十分珍贵的文献资料，对我们研究明清武艺的演变、了解一些重要的武术人物的活动等，都具有极高的史料价值。同时，这也是我们了解、研究吴殳本人的历史经历和他的武学思想的最直接的资料。

《手臂录》上承戚继光《纪效新书》、程宗猷《耕余剩技》、程子颐《武备要略》等，不但记载了诸如石敬岩、程真如等明末江南名家的枪法及其传授渊源，而且还对明代各家枪法进行了详细而具体的比较。此外，吴殳所记述的某些武艺品类和涉及的人物，都具有很高的史料价值。以《手臂录》为主，再以他的《纪效达辞》《无隐录》诸稿为参照，互相印证发明，对我们了解明清武艺流变的趋势具有启示意义。

⑤ 马子贞：马良，又名马子贞，回族，是中国近代武术史上一位颇有争议的人物。他一生热爱武术，精通少林派拳术。民国初期任北洋皖系军阀统治下的陆军第四十七旅旅长兼济南卫戍司令官，后任济南镇守使。在济南期间他热心提倡武术，创编推行“中华新体育”，写有论文《中华北读武术体育五十年纪略》而闻名。他创编了一套包括摔跤、拳脚、棍术和剑术的四科技击术，将其用于军队训练中。他创编的 24 式军体操，起初作为培训军警人员教材；1915 年 9 月，经许禹生等考察后推荐，被教育部认可列入中小学体育教育课，为武术进入学校体育课开了个头。他对武术推广是有贡献的。但他民族气节有亏，投降日本侵略者，跟着大汉奸王克敏当走狗。1938 年 3 月 6 日出任日伪山东省省长，1940 年 3 月出任日伪华北政务委员会委员。1940 年，他率领汪伪政府组建的“中国武术代表团”，去日本参加所谓“东亚武道大会”。抗日战争胜利后马子贞以汉奸罪入狱，死在狱中。

⑥ 涂辙：车轮的痕迹。比喻行事的途径。

⑦ 粗迹：谓大道正理。

⑧ 姝姝：音 shū shū，美好之意。

中华民国十年十二月初版
中华民国十四年五月再版

著作者　古燕许龗厚
发行者　体育研究社
　　　　北京西单牌楼北四斜街五号
印刷者　京华印书局
　　　　北京虎坊桥
　　　　电话南局一三八六九一

《太极拳势图解》一册

定价：大洋六角

校注感言

今年盛暑，笔者受北京科学技术出版社的委托，校注许禹生编著的《太极拳势图解》，现校注基本完工。忙里得闲翻看了网络上的一些文章，看到有人提出：“太极拳能不能打（技击）”的问题，也看到有人说“杨澄甫编了一套养生套路卖给了民国”的话。此话当然是调侃杨澄甫的拳架无非是老头老太用作晨练的养生操，无任何技击功能可言，当然也就不能打了。这样的话倒也博了不少人的眼球，但此话究竟有没有道理？我以为这是佛头着粪，唐突古人。

杨澄甫曾向武汇川表示，功夫有不及祖父、伯父、父亲的地方，但对拳架的修改花了一番心思，自己很满意。（见1955年12月10日顾留馨写给唐豪的信）

一、从《太极拳势图解》到《太极拳体用全书》的十多年，可以看出杨澄甫为适应时代需要，让大众能更好学习太极拳，以达到强身健体、振兴中华的目的，把杨家拳架中原有的一些高难度动作做了简化，动作开展，不仅舒适，也便于普及。从对《太极拳势图解》的校注中可以看到，杨公的简化拳式动作并不是随心所欲的，既不是随意将动作作增减堆砌，也不是简单地画圆放大。杨澄甫的拳架是在实践中，经过默识揣摩，精益求精，不断完善而成的，其中融入了不少文化精英的智慧。杨澄甫架结构严谨，转换自如，庄重柔和，舒展大方，雅俗共赏，不仅提高了观赏性，而且舒展筋骨、畅通血脉，更能协调人体功能，达到人与人、人与自然的和谐。因此，在民国时期，单就健身养生而言，太极拳尤其是杨澄甫架太极拳确实是一枝独秀，无出其右的。

二、如果将杨澄甫拳架只看作养生的架子，那是天大的误会，真是“有眼不识荆山玉”。拳架是“指月之手”，杨澄甫的拳架，圆满紧凑，是防身与健身的完美结合及良好手段。尤其是《太极拳体用全书》，突出了每一动作的防身技击作用。比如杨公用“十字手”这个简单的动作，就一下子把多人发了出去，说明这套拳完全是能打的。杨公晚年南下广州教拳，曾昭然问他问题（比如栽锤的拳背向外或是向右），杨公都是从技击的角度作解释的。这不仅有利于动作的规整，也强化了学员的防身技击意识。民国年期，跟杨澄甫学拳的学生，不乏全国顶级的武术高手，如武汇川、田兆麟、褚桂亭、董英杰等许多太极拳师，也都证明杨公的拳架是出得了武术高手的。

三、清末庚子之变后，中国武术跌入谷低，面临覆灭的危险。民国初期，在革命志士和文化精英们的提倡下，传统武术才重整旗鼓。武术为了与西方体育争一席之地，策略上着重强调其健身作用，如致柔拳社的招生广告，就是宣传太极拳可以健身甚至大有医治百病的功效。1925 年陈微明整理的《太极拳术》，记录的尽是拳式，这方便了学员学习动作，而对技击未作展开。在这一时期出现了视技击为“末技”，为动作而动作、为养生而养生的倾向，以致有些人认为杨澄甫的架子就是养生架，出现了大、小拳架与文、武太极之争。其实，

“太极拳法，乃是身心兼修的武术，为国术之最上乘，惟是传授分歧，渐致讹误，不克收强种救国之效。”一些文人也借三丰之口言道：“予及此传于武事，然不可以末技视，必当以武事修身传之也。”王新午在《太极拳阐宗》中说：“太极拳向无文武之分，做专讲修养与专讲应用殊途后，始创文武两派之称。皆有所偏，失太极拳之真义。至于大小架子之称，本属一途，强分为两。按拳经云：‘先求开展，后求紧凑。’开展之意，谓舒畅筋骨，流通血脉。练时放大姿势，先由健康之途着手，以期渐近自然，即所称大架子也。姿势舒展通畅，身体自健，然后就原式缩收紧凑，渐至绵密，研磨应用方法，加入内劲，先求着熟，后求懂劲。姿势虽渐缩小，用意则渐渐增多，此为次弟进功之步骤与方法。而妄分大小，截成两派，是真戕贼太极拳术，任意断鹤续凫，徒事无识之纷争，为私人标榜之借口，甚为识者所窃笑。按之太极拳，原本易理脱胎而成，包罗万有，极宇宙事物之变，而不能逾共范围，岂复能以文武大小自限，适彰其偏陋，而昧于本源，深可概惜。”

1930年左右，或受杭州游艺会影响，或受时局影响（战争阴霾笼罩着中国大地），武术的“钟摆”，又摆回了技击一边。1931年《太极拳使用法》、1934年《太极拳体用全书》，杨公在描述动作时，首先假设了技击情景，通过技击的应用来介绍动作，使动作更科学合理，也使学员有了初步的“用意”。王新午说：“学者姿势正确之后，应量其程度，渐次告以各势对敌应用之法，以相当之时期，逐次讲解完毕。则学者之姿势，进而为有意识之锻炼，此学者进功初步也。盖练习太极拳徒能做姿势之运动，不明应用之方，亦毫无功夫之可言也。故必明习应用，练时贯以意识，斯为下功之初步。”杨公强调了以技击意识来规范动作，以逐渐习练出真正的太极功夫来，使这套拳架既能技击防身，又能达到健身养性的良好效果。在《太极拳体用全书》中蔡元培赞誉杨澄甫先生的太极拳："可以御敌，可以卫生，愿以此百利而无一害之国粹，为四百兆同胞之典型。"

所以，杨澄甫架太极拳的演变过程，是继承太极拳传统与适应时代需求的结合过程，是传统文化在新的时代背景下延续和发展的典范。

四、然而，20世纪五六十年代，国内社会稳定，人民生活安定，又以为热兵器时代武术无用，于是开始大反"技击论"，在"破旧立新"的口号下，丢弃了武术的传统文化，将武术改造成养生操。随着"24式简化太极拳"等规定套路的推行，武术只剩下一堆肢体动作，已毫无技击与应用可言。原本太极拳的训练方式，除了套路外，还包含单式行功、抖杆、器械、推手、散打等一系列训练手段，而在普及推广的过程中，除了套路还是套路，武术传统文化被割裂，太极拳也终于由武术蜕变为"舞术"，成为老人们的晨练养生体操。练习者们也不把太极拳当作武术，而是当作养生术，每天只是用来活动活动手脚而已。武术本是用工夫（时间）换功夫的，前辈早就指出："勤于锻炼者，一日必有四五小时不息之用功，尚需以意志贯注之，非若一般学者惟晨间片刻之运动，尚彼此借为谈话之时间，其终无成也必矣"；"今人多偏重健身与应用，已失古人最高原则。就健身而言，不论何种拳法及运动法，习之皆有效，而入歧途者，亦足致病。"而现在习练太极拳的人们，缺少明师指点，缺乏训练手段，也不刻苦锻炼基本功，却奢望太极拳能以技击打人，正好比地基尚未挖好，就想住进楼阁中。

不管怎样争论，杨公澄甫的拳架，诚如唐豪评价："杨氏十三势大架和推手做出的贡献最多，开展面最广。”“这是太极拳得有今天那样发展的里程碑。”叶大密先生也赞美杨氏太极拳：“杨澄甫老师的拳架大气磅礴，且简约而深奥，像是四书五经。”

唐才良　丙申盛夏

图书在版编目（CIP）数据

许禹生武学辑注. 太极拳势图解/许禹生著；唐才良校注. —北京：北京科学技术出版社，2018. 3
（武学名家典籍丛书）
ISBN 978-7-5304-9278-9

Ⅰ. ①许…　Ⅱ. ①许… ②唐…　Ⅲ. ①太极拳-套路（武术）-基本知识　Ⅳ. ①G852. 111. 9

中国版本图书馆 CIP 数据核字（2017）第 232875 号

许禹生武学辑注——太极拳势图解

作　　者：许禹生
校 注 者：唐才良
策　　划：王跃平
责任编辑：胡志华
责任校对：贾　荣
责任印制：张　良
封面设计：张永文
封面制作：木　易
版式设计：王跃平
出 版 人：曾庆宇
出版发行：北京科学技术出版社
社　　址：北京西直门南大街 16 号
邮政编码：100035
电话传真：0086-10-66135495（总编室）
0086-10-66113227（发行部）　0086-10-66161952（发行部传真）
电子信箱：bjkj@bjkjpress. com
网　　址：www. bkydw. cn
经　　销：新华书店
印　　刷：河北鹏润印刷有限公司
开　　本：787mm×1092mm　1/16
字　　数：192 千字
印　　张：22. 25
插　　页：4
版　　次：2018 年 4 月第 1 版
印　　次：2018 年 4 月第 1 次印刷
ISBN 978-7-5304-9278-9/G・2414

定　　价：118. 00 元

人文武术精品书系

北京科学技术出版社

武学名家典籍丛书

杨澄甫武学辑注　定价：178 元
杨澄甫　著　邵奇青　校注
《太极拳使用法》
《太极拳体用全书》

孙禄堂武学集注　定价：288 元
孙禄堂　著　孙婉容　校注
《形意拳学》　《八卦拳学》
《太极拳学》　《八卦剑学》
《拳意述真》

陈微明武学辑注　定价：218 元
陈微明　著　二水居士　校注
《太极拳术》　《太极剑》
《太极答问》

薛颠武学辑注　定价：358 元
薛　颠　著　王银辉　校注
《形意拳术讲义上编》
《形意拳术讲义下编》
《象形拳法真诠》
《灵空禅师点穴秘诀》

陈鑫陈氏太极拳图说（配光盘）
定价：358 元
陈　鑫　著
陈东山　陈晓龙　陈向武　校注

李存义武学辑注　定价：268 元
李存义　著
阎伯群　李洪钟　校注
《岳氏意拳五行精义》
《岳氏意拳十二形精义》
《三十六剑谱》

董英杰太极拳释义　定价：98 元
董英杰　著　杨志英　校注

刘殿琛形意拳术抉微
定价：80 元
刘殿琛　著　王银辉　校注

李剑秋形意拳术　定价：89 元
李剑秋　著　王银辉　校注

许禹生武学辑注　定价：194 元
许禹生　著　唐才良　校注
《太极拳势图解》《陈式太极拳第五路　少林十二式》

张占魁形意武术教科书
张占魁　著　王银辉　吴占良　校注

靳云亭武学辑注
靳云亭　著　王银辉　校注
《形意拳图说》《形意拳谱五纲七言论》

武学古籍新注丛书

王宗岳太极拳论　　定价：50 元
李亦畬　著　二水居士　校注

太极功源流支派论　定价：68 元
宋书铭　著　二水居士　校注

太极法说　　定价：65 元
二水居士　校注

手战之道　　定价：65 元
赵　晔　沈一贯　唐顺之
何良臣　戚继光　黄百家
黄宗羲　著
王小兵　校注

百家功夫丛书

张策传杨班侯太极拳 108 式
（配光盘）　定价：48 元
张　喆　著　韩宝顺　整理

河南心意六合拳
（配光盘）　定价：79 元
李洳波　李建鹏　著

形意八卦拳　定价：52 元
贾保寿　著　武大伟　整理

王映海传戴氏心意拳精要
（配光盘）　定价：198 元
王映海　口述　王喜成　主编

张鸿庆传形意拳练用法释秘
定价：69 元
邵义会　著

华岳心意六合八法拳
定价：65 元
张长信　著

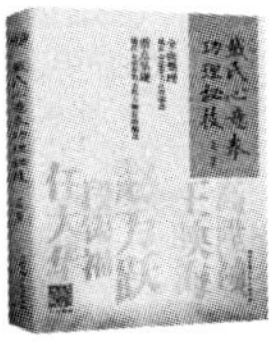

戴氏心意拳功理秘技

定价：68 元

王　毅　编著

传统吴氏太极拳入门诀要（配光盘）

定价：68 元

张全亮　著

拳疗百病——39 式杨氏养生太极拳

定价：96 元

戈金刚　戈美藏　著

尚济形意拳练法打法实践

定价：86 元

马保国　马晓阳　著

程有龙传震卦八卦掌

奎恩凤　著

刘晚苍传内家功夫及手抄老谱

刘晚苍　刘光鼎　刘培俊　著

民间武学藏本丛书

守洞尘技

定价：108 元

崔虎刚　校注

通臂拳

定价：66 元

崔虎刚　校注

心一拳术　李泰慧　著　崔虎刚　校注

少林论郭氏八翻拳　崔虎刚　校注

少林秘诀　崔虎刚　校注

少林拳法总论

六合拳谱

单打粗论

母子拳

拳谱志三

拳法总论

绘像罗汉短打变式

绘像罗汉短打通式

计艺外丹

香木神通

老谱辨析点评丛书

再读浑元剑经　马国兴　著

再读王宗岳太极拳论　马国兴　著

太极拳近代经典拳谱探释　魏坤梁　著

再读杨式老谱　马国兴　著

再读陈氏老谱　马国兴　著

拳道薪传丛书

三爷刘晚苍
——刘晚苍武功传习录
定价：54 元
刘源正　季培刚　编著

乐传太极与行功
定价：68 元
乐　甸　原著
钟海明　马若愚　编著

慰苍先生金仁霖
——太极传心录
定价：82 元
金仁霖　著

中道皇皇
——梅墨生太极拳理念与心法
定价：118 元
梅墨生　著

习武见闻与体悟　陈惠良　著